金陵全書
甲編·方志類·府志

康熙江寧府志（三）

（清）陳開虞 纂修

南京出版社

江寧府志卷之十七

歷官表下

明

	上元縣知縣	縣丞	主簿
洪武	尹昌期直隸鳳陽府人田人材		
	伍洪江西吉安府人人由舉人		
	呂貞		
	湯宗誠福建寧德縣人由舉人		

趙旻 山西蒲州人

司馬東 陝西西安府人由監生

永樂

李褒 江西廬陵縣人由進士

秦觀 浙江錢塘縣人

陳奐 浙江慈谿縣人由明經

何均平 陝西西安府人由進士

黄思敬 浙江歸安縣人

	高縣		
	出進士		
宣德	李彬 直隸晉州人出舉人	王觀 湖廣武昌府貢生	黃厥鵬 湖廣[illegible]寧[illegible]
正統	姜德政 浙江江山人		常延 直隸縣舉人
景泰	張靈	張德	王愼
天順	符台 河南人	張濟	時安 河南光山縣人
	王憲 直隸晉州人出監生		郝隆
成化	邊寧 山東歷城縣人出舉人	王佐 山東博平縣監生	呂璋 廣西桂林府人
	蕭謙 陝西長安縣人出進士	劉志道 直隸曲陽縣人	宋寧 順天武清縣監生

士

王定安 順天大興縣人由進士

魯文 陝西岐山縣監生

馬良 陝西米脂人縣永陞

馬良 見知縣

趙坤 浙江慈谿縣人由進士

袁龍 直隸合肥縣監生

弘治

周齊 南直寶應縣人出監生

方毅 江西浮梁縣監生

李綱 山東曲阜縣監生

杜焞 浙江慈谿縣人由舉人

王玉 陝西郿縣監生

正德	袁陽 直隸滿城縣人由進士		
	袁顯 湖廣耒陽縣人由舉人	張璿 遼東司衛監生	周和 江西樂[illegible]縣人[illegible]江寧[illegible]
	余韶 江西南昌府人由舉人	王世昌 山東萊陽縣監生	戴鑑 江西德[illegible]縣吏
	李璩 山西潞州人由舉人		侯大用 山西寧丘縣[illegible]
	白思齊 山西平定州人由舉人		吳縉
嘉靖	周秀 山東歷城舉人	翟表 山東費縣監生	安磐 陝西耀州監生

魏弘仁　陝西涇陽縣人由舉人
陳道生　直隸宜興縣監生
程志　河南胙城縣監生
陳瓚　浙江天台縣人由進士
潘彥富　湖廣監利縣監生
劉熙載　江西永新縣監生
石淵之　浙江黃巖縣人由舉人
朱希顏　直隸昆山縣監生
鹿堂　直隸穎州監生
程嶸　江西南城縣人由舉人
黎艮　廣東博羅縣吏
暢忠　山西河津縣監生
劉敬宗　浙江仁和縣人由舉人
宋德盛　山東靈山衛監生
李奇章　四川監生

張宿 浙江餘姚縣人由舉人	張德 直隸宿松縣監生	王嘉譽 山西[illegible]平縣[illegible]生
景鸞 陝西岐山縣人由舉人	楊亨 陝西監生	廖陞 福建龍巖縣監生
袁鑑 廣東揭陽縣人由舉人	方釜 直隸歙縣監生歷通判	蕭頎 廣東新會縣監生
劉以貞 江西安福縣人由舉人	程民孚 直隸歙縣監生	劉鑰 四川龍州宣撫司貢歷知縣
房韞玉 山西靈石縣人由舉人	吳時中 湖廣隨州監生	張昂 直隸昌黎縣監生

	段有成雲南昆明縣人由舉人	馬廷臣直隸元城縣監生	程滋直隸歙縣監生
			陳沛廣東德慶州監生
			彭夢祥山東費縣監生
隆慶	袁伯雅江西豐城縣人由舉人	陳儒相山東濟寧州監生	李思詔直隸河間府監生
	王誥江西清江縣人由舉人陞太僕寺丞	毛效廉山東陽信縣監生	盧學詩直隸南宮縣監生
萬曆	林大黼福建莆田縣人由舉人	葛釜湖廣江陵縣人由歲貢	熊禎四川中江縣知印
			杜漸陝西鎮安縣貢
			周文瑞

陳文　江西靖安縣人由舉人	曹忠　山東萊蕪縣人由歲貢	周學詩　江西[illegible]山縣由吏
余相　浙江會稽縣人由舉人	范燧　江西南城縣人由恩貢	任試　浙江會稽縣人由吏
唐棣　湖廣江陵縣人由舉人	金赤　湖廣江陵縣人由恩貢	鍾大護　貴州人由歲貢
沈榜　江西臨江府人由舉人	段家　直隸寧國縣人由恩貢	劉舜孝　湖廣桂陽州人由歲貢
程三省　浙江富陽縣人由舉人	劉元泰　四川內江縣人由官生	徐廷教　南直建德縣人由吏員

孫夢 廣西藤縣人由舉人

黄惟恭

程楊 江西鉛縣人由歲貢

葉士敦 山西聞喜縣人由舉人

劉一全 陝西盩厔縣人由舉人

連思宗 福建龍岩縣人由監生

熊子德 江西新建縣人由儒士

自鯤 江西南和縣人由舉人

劉伯綬 山東歷城縣人由舉人

賈應龍 河南安陽縣人

周三錫 直隸濬縣人由舉人

吳望齡 陝西會寧縣人由舉人

陳宇 浙江上虞縣人由舉人

李鳳翔 直隸保定府人由舉人

天啓

繆伯升 浙江人由舉人

許學宗 福建人由舉人

范廷弼 山東滋陽縣人由舉人

崇禎

何其英 順天大興縣人由舉人

官成 山東平度州人由舉人

王夢台 廣西全州人由舉人

彭弼薇 江西安遠縣人由舉人

陳之紳	浙江海寧縣人由舉人		
沙蘊金	直隸威縣人由舉人		
薛大豐	福建仙遊縣人由舉人		
江文純	南直武進縣人由舉人		

邑志自思齊而上遡知縣二十三人丞以下不錄茲於大誥得呂貞南戶部事例得高廉吉安湖州郴州

等志得李襄黃思敬黃威鵬餘出題名中故雖略有
核江寧亦然

大清 上元縣知縣

	上元縣知縣	縣丞	典史
順治二年	黃應諶 順天大興縣人由內院供事	陳事 遼東人由吏員	宗大綬 四川資縣由吏員
		王國明 順天大興縣人由生員	
三年	王自成 浙江烏程縣人由貢生	姚萬程 浙江於潛縣人由吏員	
四年	張肯蕤 陝州人由生員		
五年		戴瑞徵 浙江山陰縣人由吏員	
六年	郭士賢 遼東人由貢生		
七年		郭崇城 山西太原縣人由吏員	
八年			

九年　王權　陝西華陰縣人由吏員

十年　姜廷櫆　浙江會稽縣人由拔貢

曹鳴鸞　河南魯山人由歲貢

陳璨　浙江仁和縣人由吏員

十一年

十二年

十三年　張鴻基　直隸永年縣人由進士

龔廷俊　山西陽曲縣人由生員

十四年　王璣　山東齊東縣人由歲貢

十五年　王敦善　山東黃縣人由

李八斗　直隸靈壽縣人

年			
	官監	由生員	
十六年			
十七年	張希聲 直隸沙河縣人 由舉人		
十八年			
康熙元年	白崇周 遼東人 由貢生		
二年		戴正儀 順天大興縣人 由歲貢	
三年	李如鼎 江西安福縣人 由舉人		黃守安 陝西耀州人 由吏員
四年			

五年

六年

七年　李乾生　四川閬中縣人　由舉人

大清	上元縣儒學教諭	訓導
順治	張兆奎 安慶府宿松縣人由歲貢	李爲極 河南光州人由恩貢
	辛　焆 徐州沛縣人由恩貢	馬一良 直隸真定府人由恩貢
	謝昌運 鳳陽府定遠縣人由恩貢	吳之鵠 太平府當塗縣人由歲貢
	王　瑜 安慶府桐城縣人由歲貢	何景宣 安慶府懷寧縣人由貢生
	周鴻緒 廬州府合肥縣人由歲貢	康熙三年訓導奉
康熙	王秉彝 和州人由歲貢	裁

明	江寧縣知縣	縣丞	主簿
洪武	張安仁江西九江府人由人材	陸仁浙江江山人	
	高炳出大誥		
	張士彬直隸山陽縣人陞御史		
	周徽直隸泰州人由人材		
	錢晃浙江嵊縣人		
永樂	王愷湖廣蘄州縣人由進士陞左中允歷修撰	周貴湖廣[illegible]州人	

宣德
張得中　浙江慈谿縣人　由進士　改主事
陳孜　江西九江府人
藍清　江西高安縣人　歲貢
徐淵　直隸泰州人　由貢生

正統
周原慶　浙江青田縣人

景泰
李蘷
熊肅　陝西寧州人　由貢生

芮琛　河南郾城縣人
鮑宗仁　浙江武義縣人
劉志道　復補上元

天順
胡謐　浙江會稽縣人　由進

夏鵬　山東章丘縣監生
陳康　直隸沭陽縣人
劉傑　河南睢州舉人
耿乾　陝西西安府人
陸芸　浙江青田縣人
黃九疇
廖世清　江西[illegible]

年號	士歷參政		備
□化	頤紀　四川墊江縣人由貢生		張旻　浙江嘉興府人
	周博　湖廣道州人由舉人	扶忠　湖廣監生	王佐　山西馬邑縣監生
	胡鄘　直隸睢寧縣人由貢生		江孟宗　四川江津縣人
	劉傳　直隸嘉定縣人由進士		
	武敬　廣東化州人		
弘治	朱宗　河南睢州人由舉人		劉淵　四川閬中縣監生

袁暘　直隸丹徒縣人由進士

易龍　江西安仁縣人由舉人

正德

段經　湖廣江夏縣人由舉人

王文麟　陝西秦州人由舉人

吳時俊　廣東南海縣人由舉人

胡潯　四川富陽縣人

馮璽

王璣　山西陽城縣舉人

楊瓚　山西人

朱晟　直隸合肥縣監生

周和　見上元

[illegible]陞治中

彭銳 河南汝陽縣人

鄭賢 四川[illegible]縣監生

汪濂 直隸歙縣舉人陞知州

呂鎰

秦鴻 湖廣歸州監生

李晃 湖廣桃源縣人

張綸 山東靈山衛監生

嘉靖

張恕 河南洛陽縣人由舉人

秦洪 湖廣江陵縣監生

鄒魯 湖廣宜城縣監生

洪顯 浙江湯溪縣人由舉人

王震 湖廣通道縣監生

王震 直隸晉州監生

湯時平 湖廣靖州人由

趙翺 直隸武進縣監生

孫文山 直隸桐城縣監

舉人

生

楊梅 河南陝州人

章恩

洪猷 浙江壽昌縣監生

崔尚義 直隸長垣縣人由舉人

藍璞 江西新喻縣吏員

馬應祥 陝西榆林衛監生

楊京 福建建安縣人由舉人陞太僕丞

郭廷幹 山西文水縣監生

涂億 江西監生

藍因 山東即墨縣人由官生

曹炳 直隸太平府監生

趙循秀 浙江臨海縣監生

甘應禎 直隸真定衛人由舉人

單鑾 四川萬善縣監生

張以忠 陝西　生

祝朝用　四川儀衛司人由舉人
張中立　江西餘干縣監生歷斷事
伍鳳冠　湖廣[?]化縣監生

何价　湖廣道州人由舉人
劉孟春　河南監生
梅中立　直隸上海縣監生

毛國賢　浙江鄞縣人由舉人
劉懋　河南祥符縣監生
王嘉相　直隸邯鄲縣監生

金傑　浙江蘭谿縣人由舉人

吳福基　雲南衛人由舉人歷主事

隆慶	李一鶚 山西應州人由舉人歷郎中	侯翰 山西汾西縣監生	廖應元 雲南河陽縣貢生
	李爵 湖廣長陽縣人由舉人陞主事		黃傑 浙江餘姚縣貢生
萬曆	武鍧 山西陵川縣人由舉人	周晃 直隸舒城縣貢生	郭祺 萬全都司貢生
	陳謙 浙江仁和縣人由舉人	甯鸞 廣東靈山縣貢生陞署理	
	賈廷聘 四川潼川州人	馬世荏 河南禹州官生	彭蕃 江西盧陵縣人
	雷學尹 雲南臨安衛籍	李崇廉 河南林縣人	鄧國珍 江[illegible]

湖廣隨州人	屠菲　浙江烏程縣人	吳儒　浙江慶元縣人
龐起春　貴州人	楊瀧　廣東大浦縣人	諸士進　浙江餘姚縣人
周詩　直隸崑山縣人	張西周　山東平原縣人	韓尊孟　直隸[illegible]州縣人
楊應丙　陝西延安衛人	黃光涵　直隸太湖縣人	李元嗣　直隸南樂縣人
石允珍　陝西同州人	魏實秀　湖廣京山縣人	宋學濂　山西長治縣人
戴大槐　福建莆田縣人	劉灌　順天府玉田縣人	王利用　直隸太倉州人
劉騰鳳　陝西盩厔縣人	何懷柱　河南[illegible]縣人	杜任芳　陝西石泉縣人
李充大　[illegible]田縣人	孫鴻澤　浙江歸安縣人	錢繼美　浙江嘉善縣人
陳格言　直隸吳江縣人	崔綱　山東平度州人	毛一琦　浙江遂安縣人
艾友芝　貴州都勻府籍		徐國雲　浙江德清縣人

江西新建縣人

張應觀　浙江鄞縣人

解允淑　陝西韓城縣人

劉必達　陝西咸寧縣人

毛可教　湖廣麻城縣人

田有年　陝西扶風縣人

啓

土同鼎　湖廣黃岡縣人

楊儁卿　浙江烏程縣人

崇禎

由舉人

夏之鼎　直隸崑山縣人　由舉人

鄭九烱 浙江人 由舉人

郭維蕃 江西人 由舉人

劉汝忠 廣東人 由舉人

楊文驄 貴州人 由舉人

大清 江寧縣

年	知縣	縣丞	典史
順治二年	袁懋齡 江西豐城縣人由舉人	馬步月 盛京大名府人由貢生	唐文燦 陝西人由吏
三年	李呈芬 湖廣江夏縣人由舉人	魏斌 陝西富平縣人由吏員	
四年	邵擢 山東武城縣人由進士	趙匡國 福建人由貢生	
五年		金毓煥 浙江義烏縣人由生員	
六年	呂朝輔 遼東人正黃旗	李時春 浙江山陰縣人	

	七年	八年	九年	十年	十一年	十二年
貢生	杜來鳳 山西武鄉縣人由進士			崔詔之 山東平度州人由拔貢	葛攀桂 陝西武功縣人由拔貢	
由吏員	劉奇瑜 湖廣巴陵縣人由吏員			王宗聖 遼東人由貢生	董宗聖 山西萬泉縣人由貢生	王化徵 直隸樂亭縣人
				周遠 浙江仁和縣人由[illegible]員		

		由貢生
十三年	馮紱來　浙江新城縣人由拔貢	
十四年		
十五年	陳永吉　遼東遼陽人由官生	
十六年		
十七年		李兆亨　陝西階州人由貢生
十八年		

康熙元年			
二年			王茂琚山東青州府人由歲貢
三年			
四年	周來清遼東撫順人由白旗廕生		
五年			
六年			
十年	俞滋慧廣東新會人由右人		

	江寧縣儒學教諭	訓導
大清		
順治	韓鴻坤　遼東人由選貢	汪兆璀　徽州府歙縣人由貢生
	獨占春　鳳陽府虹縣人由歲貢	周國珍　寧國府寧國縣人由貢生
	莊履旋　浙江秀水縣人由舉人	趙洙　常州府江陰縣人由貢生
	程一桂　徽州府休寧縣人由歲貢	李啓亂　鳳陽府潁州人由歲貢
	羅錫胤　寧國府宣城縣人由歲貢	馬啓河　揚州府人由貢生
	夏之謨　鎮江府丹陽縣人由歲貢	葉娗　安慶府望江縣人由貢生
	李全生　鳳陽府靈璧縣人由歲貢	康熙三年訓導奉裁
康熙	丁祚端　揚州府江都縣人由舉人	

明

句容縣知縣	縣丞	主簿
洪武		
黄守正	支顥	顧一舉
陳峻德	文良輿	姜德茂
黄文蔚	劉復仁直隷揚州府人	任允湖廣桃源縣人
裴泰	盧信浙江黄巖縣人歷參議	
夏常		
韓繼直隷河間府人		
韓宗器		
王成湖廣蘄州人		
朱彤湖廣蘄州人歷通判		

建文
周舟湖廣益陽縣人陞大理寺卿

永樂
胡仲周
李濟
徐大安
周庸節江西清江縣人陞通判
高麟
王翮
余貞
趙啓

宣德
許聰河南南陽縣人陞通判
郭振
周顒
王得順天府薊州人
羅昇

正統

張昇 浙江杭州府人御史謫

韓興 浙江定海縣人由舉人

浦洪 浙江秀水縣人由貢生陞大理寺副

張文普

周順 江西人

孫俊 直隸寶應縣貢生

許瓚 福建人

崔恕

韓閏

傅祥

賀彬 山西臨晉舉人

師孟 河南人

于中 山東人

程童 福建浦城縣人

賀斌 山東人

林娗 福建人

			趙得舟
			李儼
			金薦
景泰	姚顯	劉義見知縣	楊立
天順	劉義山東諸城縣人由舉人	劉釗	紀銘湖廣襄陽縣貢生
	劉濬湖廣上津縣人由進士陞御史	趙琬浙江人	魏可宗湖廣人
			張羽
			王本原
			李聰

化

張蕙 山西忻州人由進士陞御史

濮壽 山西人

徐廣 山東曹州人由進士

李澄 河南西華縣人由進士陞御史

武忠 河南人

黃原貞 福建閩縣人

安慶 直隷滑縣人

雷欽

歐陽倫 江西人

游文淵 四川人

沈詳 河南人

藍俊 陝西人

林恭 福建莆田縣人

李傑 河南歸德府人

孫郁 山東人

程通 陝西人

陳俊 廣東人

黃傑陝西人

賈禎陝西安化縣貢生

弘治

王信浙江長興縣人由舉人

鍾璠山東人

薛任湖廣人

杜槃山西太原府人由舉人

丘叔麟廣東人

李滋直隸真定府人

王允亨陝西西河州人

劉富直隸真定府人

沈鳳山東東府人

正德

張獻四川郫縣人由進士

王瑕山東曹縣人

喻瑛

劉釗順天順義縣人

龔昂江西南昌府人

張輝

王汝舟四川彭縣人

郭漼

王荼

推官

由進士

莫如德 廣西蒼梧縣人

劉謙 山西 縣人

簡佐 江西新喻縣人由進士

陳紀 廣東陽山縣人

王莠 山東博興縣人

士

梁鉉 山東蓬萊縣人

王衰 湖廣茶陵衛人

孫彥 廣東吳川縣人

李應春 湖廣永興縣人由舉人

張綸 陝西咸陽縣人

黃驥 福建同安縣人

楊訪 直隸清豐縣人

王瀚 河南汲縣人

曹振 河南襄城縣人

紀瓚 直隸任丘縣人由進士

齊維能 浙江淳安縣人

張敏理 直隸衡水縣人

士歷按察副使
羅鐩　江西太和縣人
王紳　直隸滄州人由進士歷都御史
陳文浩　福建閩縣人由進士
周仕　江西廬陵縣人由舉人
徐九思　江西貴溪縣人由舉人歷知府

壽珊　江西廬陵人
丘金　浙江鄞縣人
楊繼元　浙江慈谿人
梁瓛　山東寧海縣人
田正陽　四川泥溪縣監生
嚴治　江西彭澤縣監生
賈中錫　浙江海寧縣監生
劉克巳　山東商河縣貢

戈彝　直隸景州
楚麟　河南歸德府人
劉珊　順天三河縣人
張嘉會　河南河陰縣人
曹來啓　河南鄭州人
楊松　遼東人
南鉦　陝西山陽縣人
李夢芳　山西嵐縣人
苗倫　山西長子縣人
顧景[illegible]

況國奇 江西奉新縣人由舉人	生	生
	解枚 山東沾化縣貢生	陳天賦 浙江陽生
樊垣 四川宜賓縣人由進士陞郎中	蕭遜 福建南平縣監生	賈世寧 陝西西縣生
孫光 陝西隴西縣人由舉人		張文桂 山東沂水縣監生
甄津 山東魚臺縣人由進士歷參議		申一桂 山西潞城縣監生
魯應華 浙江江山縣人由舉人		曹鐙 萬全都司貢生

隆慶

劉璧 貴州清平縣人由舉人

胡師 江西豐城縣人由舉人歷通判

周美 浙江富陽縣人由進士

常懷義 山西潞安縣監生

岳河 直隸邯鄲縣知印

余意 四川閬中縣監生

張東岡 江西新榆縣作印

周良貴 江西上饒縣監生

劉定 江西豐城縣吏員

劉緒 直隸灤吏員

遒相 福建惠縣監

章元熊 浙籍

張道充 河南商丘縣人由進士陞御史

彭大亨 四川蓬安縣監生

生

花佩 江西弋陽縣監生

花坤 山西長治縣貢生

諸民式 湖廣江陵縣監生

萬曆

丁賓 浙江嘉善縣人由進士

李登 直隸任丘縣吏

劉蘭 直隸曲周縣監生

莫克和 浙江山陰縣吏

張文化 浙江秀水縣監生

劉圻 順天府貢生

沈子來 浙江歸安縣人

吳允賢 廣東瓊山縣人

徐文炤 浙江永康縣人

由進士

霍鵬　直隸井陘縣人由進士

徐啓東　浙江上虞縣人由舉人

趙學仕　浙江蘭溪縣人由進士

夏日蔡　浙江秀水縣人由舉人

李交熙　北直南宮縣人

由恩貢

王叢　山東鉅野縣人由恩貢

許一善　福建晉江縣人由監生

陳嘉詔　浙江麗水縣人由恩貢

黎民敏　四川樂縣人由恩貢

王紹業　陝西崇信縣人

由監生

歐安　河南輝縣人由歲貢

謝天衢　江西安遠縣人由監生

李應璧　福建建安縣人由監生

陳指南　浙江會稽縣人由吏□

余日奎　江□昌

由進士	由選貢	由吏
陳於玉 浙江嘉善縣人 由進士	畢元慶 浙江歸安縣人 由吏員	顧守言 浙江□虞縣人
茅一桂 浙江歸安縣人 由舉人	林大東 福建福清縣人 由監生	林繼遂 福建福清縣人
吳道長 江西南康縣人 由進士	程逖頤 廣東南海縣人 由舉人	潘維新 浙江烏程縣人
施一栻 浙江山陰縣人 由舉人	張應麟 浙江山陰縣人	方自修 浙江新城縣人
曾士懋 廣東人 由舉人	唐廷徵 浙江蘭溪縣人	張有信 浙江會稽縣人

由儒士

劉聘亮 福建同安縣人 由舉人
婁文晉 浙江會稽縣籍 嘉興府人
何世逵 浙江人

莫嘉義 廣西靈川縣人 由舉人
孫廷褒 浙江紹興府人
李自逵 江西安仁縣人

羅廷光 江西清江縣人 由舉人
楊中誼 浙江義烏縣人
胡尚彩 浙江淳安縣人 由監生

泰昌

林會 福建南靖縣人 由進士
王汝京 浙江山陰縣人 由監生
湯敬中 湖廣黃[illegible] 由[illegible]

天啓

任天爵 雲南[illegible]安縣人
張天[illegible] 浙江山陰縣人
俞伯鵬 浙[illegible]

由舉人
由儒士
由監生

駱方璽 浙江諸暨縣人由進士
吳廷楠 浙江仁和縣人由恩貢
袁堯封 江西安義縣人由監生

陳嗣清 浙江歸安縣人由貢生
辜文俊 江西南昌縣人
谷起元 河南南陽縣人由監生

魏公韓 湖廣黃岡縣人由進士
王冲 湖廣郧陽縣人由恩貢
唐日弘 浙江仁和縣人由監生

崇禎
文廷望 廣西全州人由舉人
陸伯瑞 浙江餘姚縣人

李芳聯 四川長壽縣人
方世泰 浙江會稽縣人

由進士

錢朝彥　浙江錢塘縣人　由進士

王學鏡　貴州石阡府人　由舉人

朱議漇　江西新建縣人　由舉人

縣嘉靖志稱盧信爲縣丞而列於知縣許淳爲訓導而列於教諭茲改正

大清

	句容縣知縣	縣丞	典史
順治二年	傅覲光　山東曹縣人由廩生（邑志升知府）	熊兆祥　江西南昌縣人由貢生	鄭淑友　福建莆田縣人由吏員
三年	馬瑾　山西長子縣人由進士	柳棟　浙江山陰縣人由貢生	趙國英　陝西西安府人由吏員
四年	方鑾　河南汝寧縣人由舉人	馮佩　陝西人由貢生	
五年	姜輔周　遼陽左衛人由貢士（邑志貢生）	胡萬年　江西南昌縣人由貢生	
六年			

本頁原闕，現據南京圖書館藏《康熙江寧府志》（清康熙七年刻本）補頁。

七年

八年

九年

十年　葛翊宸　浙江上虞縣人由拔貢

胡

邑志脫遺　胡萬年　江西南昌貢生

十一年

十二年　叢大爲　山東文登縣人由進士

十三年

十四年　韓有倬　順天大興縣人

本頁原闕，現據南京圖書館藏《康熙江寧府志》（清康熙七年刻本）補頁。

		由進士	
十五年			
十六年			
十七年	王玉汝	河南河內縣人由拔貢	
十八年			
康熙元年	何曆颺	福建晉江縣人由貢生	
二年			
三年	巢達翔	陝西涇陽縣人	

由舉人

四年

五年

六年

	句容縣儒學教諭	訓導
洪武	胡璉 江西萬安縣薦舉	許淳 邑人由儒士
	朱純 邑人由儒士	胡翹 邑人由儒士
	樊傑 邑人由明經	
永樂	戴祥	江源 邑人由儒士
	鄺子輔 湖廣郴州人由舉人	搖昌
	趙學拙 福建南平縣人由舉人	彭汝弼
宣德	趙克通	方肇
	陳信 浙江嘉興府人由舉人陞武學教授	

正統	陳　玹　江西南昌府人　由舉人陞教授	林　瑱　福建莆田縣人　由舉人陞教諭
	黎　真　直隸任丘縣人　由舉人陞教授	
景泰		林惟高
		蕭　敦　江西人
		徐光大　浙江會稽縣人　由明經歷御史
天順	蕭文奎　江西人	
	陳汝圭　福建侯官縣人　由舉人	
成化	徐　軫　福建侯官縣人　由舉人	方　雍　浙江桐廬縣人
	蔡　祥　江西人	王　禎　江西安福縣人
	常　清　山東濟寧州人	褚　永　廣東人

潘浚 江西安福縣人 由貢生陞[illegible]

石旻 直隸元城縣人

鄭賢 福建南平縣人 由舉人

吳儀 江西永新縣人 由

弘治

陳元 福建莆田縣人 由舉人

程文 江西浮梁縣人

曾昇 廣西

章頫 浙江台州府人

唐譜 湖廣

詹朋 浙江

正德

陳信 江西新淦縣人

黎暄 江西豐城縣人

袁一誠 浙江仁和縣人

陳蒼 河南泌陽縣人

耿尚忠 山東鄒平縣人

胡清 浙江泰順縣人

錢組 浙江鄞縣人

林顯 廣東化州人

應振綸 浙江象山縣人

徐隆 浙江錢塘縣人

嘉靖

馬呈瑞 福建莆田縣人

張世卿 山東[illegible]陽縣人

汪法 江西德興縣人

雷孟春 湖廣嘉魚縣人

孫隆 浙江鄞縣人

錢傑 浙江慈谿縣人

楊薰 湖廣房縣人

鄒魯 直隸濬縣人

蔡碏 江西金谿縣人由貢生

張錦 山東鄆城縣人

唐朝德 廣西全州人由舉人陞知縣

蔡廉

楊經　河南衛貢生

胡直　江西泰和縣人　由舉人登進士　歷按察使

楊凌漢　四川西充縣人　由貢生

周武相　廣西臨桂縣人　由舉人

王堯卿　河南洛陽縣人　由舉人

胡閏　江西新昌縣人　由貢生

楊隆　湖廣竹溪縣人　由貢生

史定　直隸定興縣人　由貢生

陳愈　河南裕州人由　貢生

楊維春　江西東鄉縣人　由貢生

謝章　福建邵武縣人　由貢生

蘭完璧　河南裕州人由　貢生

鄔維疆　江西新昌縣人　由貢生

汪文　浙江建德縣人　由貢生

曾袞　江西永豐縣人　由貢生

姜嫌　江西進賢縣人　由貢生

崔雲鵬 雲南保山縣人 由貢生

張問朋 湖廣

[illegible]慶

沈升 浙江太平縣人 由貢生

葉廣明 廣西宣化縣人 由貢生

胡完 浙江餘姚縣人 由貢生

曾祺 江西樂安縣人 由貢生

[illegible]啓

施岳 浙江歸安縣人 由貢生

胡允佳 浙江海寧縣人 由貢生

錢蒙 直隸太倉州人 由貢生

張翼鳴 直隸鳳陽府人 由貢生

金見龍 直隸華亭縣人 由貢生

張巽 浙江秀水縣人 由舉人

呂道炯 直隸太倉州人 由舉人

沈瑯 直隸青浦縣人 由貢生

周畤烈 湖廣黃岡縣人 由舉人

金恕 直隸丹徒縣人 由貢生

段弘璧 直隸金壇縣人 由舉人

唐文粹 直隸青浦[illegible] 由貢生

吳士亨　河南泌陽縣人由貢生

茅濡　直隸鎮江府人由貢生

陽聘　四川人由貢生

傅繼隆　直隸嘉定縣人由貢生

陸汝植　直隸銅陵縣人由貢生

張弘道　直隸武進縣人由舉人

沈鍾宿　直隸吳江縣人由舉人

吳艮治　直隸當塗縣人

李復初　河南人由貢生

王之夔　直隸丹徒縣人

鄭汝礪

汪珂　山東人由貢生

孫續　四川人由貢生

張明倫　江西人由貢生

趙思禹　臨城縣人由貢生

張汝舟　直隸五河縣人由貢生

吳啓愚　瓔山縣人由貢生

吳來相　直隸宣城縣人

張九錫　雲南人由貢生

常存仁　懷遠縣人由貢生

羅汝傳　直隸宣城縣人由貢生

泰昌

王師益　直隸揚州府人由貢生

李進　雲南人由貢生

天啓

鄧三畏　直隸六安州人由貢生

何躍龍　直隸太倉州人由貢生

許邦璧　福建人由舉人

李時芬　直隸望江縣人

徐懋奎　直隸常熟縣人由舉人

高維崧　山東人由貢生

何肇元　直隸武進縣人由舉人

詹仰斗　湖廣麻城縣人由貢生

王熙載　江西人由貢生

王晉　直隸鎮江府由貢生

教授

吳道新 直隸桐城縣人 由舉人

丁孺端 直隸常熟縣人 由舉人

邢武齡 直隸當塗縣人 由貢生

郭玉鉉 直隸亳州人

徐銘敬 直隸華亭縣人 由舉人

吳學謨 直隸休寧縣人 由貢生

李憲中 直隸繁昌縣人 由貢生

方士偉 直隸祁門縣人 由貢生

吳應雷 直隸貴池縣人 由貢生

鄭三杰 直隸建德縣人 由貢生

江寧府志 卷十七 詩

清

句容縣儒學教諭

順治

周　晃　四川成都府人由貢生

王德祈　淮安府鹽城縣人由貢生

張九儀　壽州蒙城縣人由貢生

關世隆　廬州府無爲州人由舉人

訓導

胡耆定　寧國府宣城縣人由貢生

張德謙　山東平原縣人由貢生

王廷禧　常州府無錫縣人由貢生

康熙三年訓導奉

裁

明	溧陽州知州		
國初	苟著孫 邑人		
	林公慶 浙江括蒼		
	王琳		
洪武	溧陽縣知縣	縣丞	主簿
	顧思邈	夏廸 浙江天台縣人歷都御史	鄧祖賢 江西太庾縣人由茂才
	吉希古		
	李阜	顏檜 山東曲阜縣人顏子五十八代孫	
	尚致中		
	張敏 御史謫		

孫子彰

盧何生　江西南豐縣人

趙銓　山東壽光縣人歷府司知

梁思忠　直隸寶應縣人由孝廉

永樂

盧文政　湖廣江夏縣人由舉人歷太僕卿

王仕敬　江西武寧縣人由吏員

李成

年號	姓名	姓名	姓名
	張貞		
	石確　直隸昌黎縣人		
宣德	李銘　直隸東光縣人	鄔璘　陞知縣	王侃　陝西人
	劉海　直隸遷安縣人		
正統	鄔璘　江西新昌縣人由吏員		丁直　浙江上饒縣人
			郭礪　山東新泰縣人
			張質　直隸永年縣人
			楊楫　湖廣潛江縣人
			鄧銓　江西興國縣人
			尹弼　直隸栢鄉縣人

景泰	龍儀 江西南昌縣人	栗敬 山西岢嵐州人	
天順	李溥 直隸長垣縣進士	熊奎 江西南昌縣人由吏員	李仁端 江西南昌縣人
	員賢 陝西咸陽縣人由貢生		宋必華
成化	靳璋 順天順義縣人由舉人	徐方 四川成都府人	薛欽 直隸贊皇縣人監生
		劉時 山東曹縣人	趙鎔 河南汲縣人由監生
	白忠 湖廣華容縣人由進士	秦福 直隸內丘縣人	羊敬 江西九江府人由吏員
		王咢 陝西人	
	陳福 湖廣漢陽縣人由進士陞主事	田甫 山西太原府人	楊順 直隸保[illegible]府人[illegible]生
		祁壽 河南汝州人由監生	

熊達 江西南昌府人由進士歷御史歷參政

弘治

沈瓚 順天大興縣人由進

龔思忠 湖廣永定縣人

祁貞

周浩 浙[illegible]縣人生

盧泰

張寧

李海

劉粵 陝西蒲城縣人由吏員

涂參 江西南昌府人由承

士

楊榮 四川永川縣人由進士御史謫陞通判

符觀 江西新喻縣人由進士歷參議

徐淮 廣西臨桂縣人由進士歷知州

田墀 河南襄城縣人由舉人陞御史

況璟 江西高安縣人由進

由監生

韓紘 山西石州人由監生

崔浩

陳操 浙江太平縣人

宋清 江西南昌府人

田畯 直隸博野縣人由監生

胡鑑 江西浮梁縣人由吏員

嚴清 湖廣漵縣人由生

王成 山西[illegible]人

	士		葛昇 生[illegible]
正德	黃雄 北直人由進士		
	張行甫 直隸大興縣人由進士		
	嚴時泰 浙江餘姚縣人由進士		
	周宗本 廣東人由進士		
	莊哲 福建晉江縣人由舉人		
嘉靖	湯廸 四川潼川縣人由進	梁九皋	羅廷相 江西吉水縣人

士

阿其麟　山西代州人由進士

郭廷臣　山西人由舉人

楊言　浙江鄞縣人由進士給事中謫歷副使

謝崑　福建同安縣人由進士

葉賢　江西貴溪縣人由舉人

邊宓　直隸任丘縣人由監生

許遲

周懋光　福建莆田縣人

完顏佑　河南人由監生

陳策　浙江慶元縣人由監生

羅金　江西人由吏員

沈孝孚　浙江餘姚縣人由吏員

由監生陞知縣

李復光

賈鑾　湖廣人

曾爵　湖廣人

高節

章錄

吳可久

韓獜　山東清平縣人由監生

胡可行

	盧金潤 廣東人由舉人	郭從華 浙江諸暨縣人由監生	喬嵒
	鹿仁 浙江蘭谿縣人由進士		張瀛 順天府人由監生
		盧相 河南許州人	談從忞 浙江德清縣人
	呂光洵 見府尹	許汝爲 浙江孝豐縣人由監生	徐鯤 浙江人
	王士翹 江西永新縣人由進士歷副都御史		王萬斛 山東人
		魏鉞 山西人由監生	彭駉 江西宜春縣人
		田經綸 順天府人	鄭紹英 廣東人
	沈鍊 浙江會稽縣人由進士歷錦衣衛經歷贈大理寺少卿	喻祐 四川人由貢生	殷伯 湖廣應城縣人
			孫鶚 浙江奉化縣人由監生

姜博　江西南昌縣人由進士歷僉事

蔡揚金　河南衛輝衛人由進士歷布政使

鄭一龍　福建惠安縣人由進士歷苑馬卿

林命　福建建安人由進士歷參政

蒙龜　廣西柳州府人由貢生

馬騰漢　陝西人由監生

文孟麟　江西豐城縣人由吏員

盧槐　廣西人由貢生

王諍　浙江永嘉縣人，由進士歷副都御史

林應節　福建莆田縣人，由進士歷參政

趙應元　浙江仁和縣人，由進士調奉新

隆慶

盧漸　浙江鄞縣人，由進士歷員外郎

鄒學桂　浙江餘姚縣人，由進士歷員外郎

鄒堯　浙江蘭谿縣人，由監生

蕭桐　順天涿州人，由貢生

馬應辰　河南蘭陽縣人

李光先　山西汾西縣人，由監生

鄭友善　湖廣澧州人

郎　由貢生

監工正

萬曆

帥蘭　湖廣江陵縣人由進士　張涵　浙江仁和縣人由儒士　劉嘉言　河南洧川縣人由監生

魏民臣　福建甌寧縣人由進士　姚柯　廣東歸善縣人由貢生　周希旦　廣西賓州人由貢生

王應麟　福建龍溪縣人由進士　周子愛　浙江餘姚縣人由知印　顏益潤　福建晉江縣人由監生

潘大復　浙江烏程縣人由進士　胡子溫　朱蘭　山東范[illegible]人由監

李原中　浙江秀水縣人　車民輔　艾仲齡　四[illegible]中

由進士

由貢生

董允升　浙江慈谿縣人　由進士

林可久　福建武平縣人　由貢生

韓謙　浙江蘭溪縣人由進士

吳某　浙江嘉興府人由吏員

崇禎

丁聖時　湖廣巴陵縣人　由進士

陳諒　廣東始興縣人由歲貢

吳某　浙江孝豐縣人由監生

李思恂　雲南人　由進士

孫某　山東鄒平縣人由歲貢

黃日芳

鄧林枝　湖廣漢陽府人

易世璧　江西人

許承欽　湖廣漢陽府人由進士

嚴御風　浙江歸安縣人由保舉

金和　浙江平湖縣人由進士

傅箕燾　廣東醴陵縣人由進士

李思謨　江西浮梁縣人由進士

由進士		由監
王如珪 浙江永嘉縣人 由舉人	黃正	馮潮 江西永寧縣人 由監生
李本固 山東臨清州人 由進士	郝敏問 浙江象山縣人 由歲貢	韓楷 山東昌邑縣人 由監生
李光祖 江西南昌縣人 由進士	劉仁溉 浙江雲和縣人 由選貢	公一鵬 山東蒙陰縣人 由選貢
徐縉芳 福建晉江縣人 由進士	錢一經	張應豸 浙江浦江縣人 由監生
夏煒 浙江烏程縣人 由進士	李夢龍	邵江 浙江蘭溪縣人 由吏

士　　員

江桂 四川內江縣人由進士　易士道　李承芳

馮登瀛 浙江秀水縣人由進士　駱元善　蔣明龍

倪楚玉 福建福清縣人由進士　王汝期　金永隆

王先 湖廣羅田縣人由進士　方嘉慶

天啓

戴爔 福建長[illegible]縣人

趙志科 湖[illegible]

大清

	溧陽縣知縣	縣丞	典史
順治二年	朱正色 浙江山陰縣人由監生	陳諸麟 遼東人由生員	戴啟恩 杭人
三年			
四年		李鳳鳴 順天大興縣人由吏員	沈一乾 浙江山陰縣
五年	吳元玠 浙江仁和縣人由生員	劉兆崧 河南睢州人由貢生	何元哲 浙江山陰縣人
六年			
七年		胡璘 順天大興縣人由吏員	陳必達 浙江山陰縣
八年			

九年	尚德	遼東人由生員
	丁正巳	浙江諸暨縣人由監生
十年	丘貢瀛	江西南豐縣人由舉人
十一年	林冲霄	順天大興縣人由貢生
十二年		
十三年	林文輝	福建侯官縣人由進士
	黃雯旦	福建莆田縣人由貢生
十四年		
十五年		
十六年	趙熛	江南安東衛人由[illegible]

	生
十七年	方期昱 龍東縣人由貢生
十八年	崔光嵩 山西人由貢生
	張瓚 山東武定州人由貢生
康熙元年	
二年	
三年	徐一經 湖廣江陵縣人由舉人

明	溧陽縣儒學教諭	訓導
洪武	秦約 直隸崇明縣人	王可貞 邑人
	呂升 浙江山陰縣人由舉人歷大理少卿	
永樂	梁混 江西泰和縣人	陳餘 江西泰和縣人
正統	陳仝	金富
	龔寬	郁復
	余遷 江西泰和縣人	
景泰	王貫 浙江處州府人	許仕 福建莆田縣人
天順	王稌 江西泰和縣人	王淙 浙江錢塘縣人由舉人陞助教

成化

趙璉 浙江上虞縣人由舉人

施俊 福建侯官縣人由舉人

聶瑋 江西豐城縣人由舉人

江濂 直隸棗強縣人由舉人

范繹 浙江天台縣人由舉人

包恕 浙江桐廬人由貢生

楊盛 河南臨漳縣人由舉人陞教授

孔文獻 湖廣光化縣人由舉人陞教諭

劉嵩 直隸鹽山縣人由舉人歷兵馬指揮

陳鏞 浙江定海縣人由貢生

劉致中 浙江黃巖縣人由舉人

陳宗泰 福建長樂縣人由舉人

夏盛 雲南金齒衛人由貢生

弘治

包玉 雲南大理府人由舉人

李良卿 福建閩縣人由舉人

楊敞 貴州宣慰由舉人

		李元宏 浙江黃巖縣人 由舉人
正德		陳軒 福建甌寧縣人 由貢生
嘉靖	吳昱 湖廣江夏縣人 由舉人歷知州	李奎 江西南城人
	孫憲 浙江奉化縣人 由舉人陞知縣	劉本 湖廣麻城縣人 由舉人歷知州
	張泮 廣東東莞縣人 由貢生	韓澄 浙江慈谿縣人 由貢生
	余人俊 福建將樂縣人	嚴佑 浙江奉化縣人 由貢生
	陳至德 廣東潮陽縣人 由舉人陞教授	毛渭 浙江人 由貢生 陞知縣
	陳應鶚 福建延平縣人 由舉人陞知州	趙濮規 浙江樂清縣人 由貢生
	李贊 江西豐城縣人 由舉人陞知縣	曾元炳 福建古田縣人 由貢生陞教諭
	林楚 福建漳浦縣人 由舉人陞知縣	應大經 浙江仙居縣人 由貢生陞學正

王以佐　福建閩縣人由貢生陞教授

隆慶

蔣煥　廣西全州人由貢生

遲銘　山東昌邑縣人

周松　江西萍鄉縣人

胡寶　江西餘干縣人由貢生陞教諭

黄黎　福建漳浦縣人由貢生陞教諭

孫位　福建閩縣人由貢生陞教諭

王良知　浙江山陰縣人由貢生陞教諭

咼文美　湖廣公安縣人由貢生陞教諭

顧元定　浙江嘉善縣人由貢生陞教諭

孫憲相　山東東平縣由貢生陞教

唐一元　湖廣東安縣由貢生陞學

[illegible]耀 湖廣零陵縣人 由舉人陞知縣	林若桂 福建南[illegible] 由貢生陞
王繼鳴 廣東海陽縣人 由貢生陞教授	董朝璣 福建松溪 由貢生陞教
	成詠 直隸典化縣人 由貢生
萬曆	
陳紀 四川成都府人 由舉人	洪文量 雲南左衛人由 貢生
陳高節	郭上卿
梅調鼎	譚魯
盧如載	郭益臣
王道	徐日乾
林翰英	嚴陽
陳世科	繆元亨

蕭以裕
趙世隆

楊萬廉　福建晉江縣人由舉人
魏光祚

陸可久
施于蕃

程元濟　湖廣黃岡縣人由舉人
王廷鶴

劉永基　浙江山陰縣人由進士
沈遜

金維基　直隸吳縣人由舉人
陳靚

天啓

徐弘謨　直隸宣城縣人由舉人
朱繼文

韓治　直隸長洲縣人由舉人
謝萬亨　直隸武進縣人

崔硯進　湖廣黃岡縣人由舉人
載時雍

崇禎

唐德興　直隸宜興縣人由舉人
周之禎

范汝慶 浙江蘭谿縣人 由歲貢
吳應簡 直隸貴池縣人 由舉人
陳自興 直隸青陽縣人 由歲貢
歸斯受 直隸崑山縣人 由舉人

方　鑾
孫懋述 直隸青陽縣人
盧士果 直隸山陽縣人
譚一龍 湖廣人
秦　玫 直隸霍山縣人
陳盛樸 湖廣景陵縣人 由恩貢
蘇孔卓 直隸邳州人
王問臣
顧名義 直隸泰州人
鮑欽詔 直隸桐城縣人

吳大麒直隸貴池縣人
張啓用直隸績溪縣人
程思南直隸徽州府人
王元霖直隸蕪湖縣人
王日新直隸碭山縣人

朝代	溧陽縣儒學教諭	訓導
大清		
順治	俞應昌 河南固始縣人由貢生	陸舜臣 浙江山陰縣人由貢生
	沈壽賡 寧國府宣城縣人由貢生	江允元 徽州府休寧縣人由貢生
	王輔聖 廬州府人由貢生	黃敦素 徽州府人由貢生
	吳遂 常州府宜興縣人由舉人	方廷春 池州府東流縣人由貢生
	瞿中錫 蘇州府常熟縣人由舉人	康熙三年訓導奉
	汪奮麟 徽州府休寧縣人由貢生	裁
康熙	史興玉 鎮江府金壇縣人由舉人	

明　溧水州知州

國初　鄧鑑

顧登

洪武　郭雲 湖廣隨州人改知縣

溧水縣知縣　縣丞　主簿

郭雲 再 歷指揮僉事　呂秀山　柯原立

殷成 初　黃銓 句容縣人由楷書

張復 泣

汪仲彰

高謙南 浙江平陽縣人

	趙文振	
建文	陳宗銘	浙江雲和縣人由賢良舉布政使謫調瀏陽
永樂	賈真	直隸廣平人
	朱必睻	
	鄭仲源	浙江臨海縣人
	廖以仁	
宣德	鍾孚	
	侯康	

年號			
	王賓		
正統	陳成	韋忠	楊禧賢
	王懌浙江山陰縣人	張智	李絨
	歐陽鳳	袁方	杜寬
			卓輿
天順	張昱廣東人	白琛	郭祁
	張健直隸真定府人	楊澥	馬聰
	蕭通江西泰和縣人由貢生		
	張瑾		

成化

夏環 江西豐城縣人由進士

王臣

潘珍

燕壽 陝西咸寧縣人由舉人

張春

王誠

王弼 浙江黃巖縣人由進士歷知府

周弁

白玘

李灝 陝西汾州人

李鑑

甯賢 直隸定邊衛人由進士

韓伯聚

楊傑

劉鳳

焦雄

		李芳
		楊昌隆
		劉仕弘
弘治		
張熊 江西德興縣人由進士	張璲 順天霸州人由吏員	史英
李文盛 直隸盧龍縣人由舉人	王鶴	白璽
		邢勉
曹玉 山東嘉祥縣人由進士		尚達
		王堂
陶𤏡 浙江秀水縣人由進士		高魁

士

胡玥　湖廣襄陽縣人由進士歷布政使

正德

張天錫　順天霸州人由進士

陳銘　浙江會稽縣人由進士

陳憲　江西餘干縣人由進士歷參議

何東萊　四川瀘州人由

趙璲

許芳

姚陽

朱政

周禮

金鑾

張懿

李達

武福

陰豸

盧悅

王宗仁

嘉靖

舉人

張依仁

王從善 湖廣襄陽縣人由進士歷叅政

孫麓 陝西澄城縣人由監生

黃旻 江西豐縣人由生

高翀 江西新淦縣人由進士歷都御史

王選 浙江鄞縣人由監生

胡寧 太倉衛人由監生

梅時用 江西星子縣人由監生

童久仁 江西廣信縣人由知印

張問行 直隸內黃縣人由進士御史謫歷都御史

江紹 浙江奉化縣人由監生

冄宦 山東章丘縣人由監生

胡鳳 湖廣黃梅縣人由進士歷副使

陳陽 四川蓬州人由監生

郭銘 河南唐縣人由監生

張仁 四川建昌衛人由監

饒珙 江西臨川縣人由監

杜朝聘　山東東阿縣人由進士歷主事

陳光華　福建莆田縣人由進士歷按察使

謝廷瓶　四川富順縣人進士給事中謫歷僉事

陳公陛　福建閩縣人由進士郎中歷副

生

俞慎　浙江仁和縣人由吏員

喬世禎　山東萊陽縣人由貢生

曾鳳儀　廣東和平縣人由貢生

趙珠臣　四川內江縣人由貢生

李文通　浙江縉雲縣人

生

劉繼儒　河南汝陽縣人由監生

李實　廣西武宣縣人由監生

鄭宗武　福建閩縣人由吏員

蕭露濡　河南汝陽縣人由監生

馬時中　河[illegible]

使　由吏員　由監生

鄧巍　湖廣瀏陽縣人由進士陞御史

包桐　浙江鄞縣人由舉人

欒尚約　山東膠州人由進士陞御史

曾震　四川合江縣人由進士歷參議

周之屏　湖廣湘潭縣人由進士歷提學

聶廷芳　江西清江縣人由監生陞衛經歷

余大韶　福建順昌縣人由監生

田自能　直隸博野縣人由貢生

劉潤　山東高密縣人由監生

周堂　河南鹿邑縣人由監生

姜從周　山東即墨縣人由貢生陞滁丞

孫祿　順天通州人由監生陞縣丞

鄭週　福建永定縣人由監

副使

陳文謨　浙江慈谿縣人由進士

賀一桂　江西廬陵縣人由進士陞御史

生

陳邦言　浙江建德縣人由吏員陞縣丞

杜藻　山東濟陽縣人由監生陞衛知事

鄒木　浙江餘姚縣人由承差

劉滦　湖廣麻城縣人由監生陞縣丞

申鎧　直隸肥鄉人由監生

[illegible]年

劉應雷 江西萬安縣人由進士

王之綱 湖廣夷陵縣人由舉人中書舍人謫陞知縣

程大器 河南確山縣人由貢生

馬麟 山西[illegible]左衛[illegible]貢生[illegible]善

陳洧 河南南陽縣人由貢生

馬應龍 雲南阿迷州人由貢生

王南山 順天密雲縣人由貢生陞典寶

萬曆元年

傅應禎 江西安福縣人由進士陞御史

郭一奎 江西安遠縣人由貢生陞典寶

鄧霑 浙江仁和縣人由監生陞縣丞

吳仕詮 浙江歸安縣人

胡行謙 湖廣蘄水縣人

婁愛 浙江會稽縣人由監

由進士　由貢生　生

陳子貞　江西南昌府人由進士
戴士克　浙江鄞縣人由例貢
陳鎬　浙江羅山縣人由歲貢

杜允繼　直隸順天府人由進士
傅滉　直隸定興縣人由恩貢
邵紳　浙江武義縣人由監生

喻言興　江西南昌府人由進士
袁時行　廣東博羅縣人由恩貢
閻守仁　直隸易州人由歲貢

徐必達　浙江嘉興府人由進士
王春澤　河南商水縣人由恩貢
徐性成　浙江上虞縣人由例貢

余士奇　廣東東莞縣人
朱紫雲　浙江秀水縣人
曾一傳　湖廣蒲水縣

由進士　　　由監生

王德坤　浙江烏程縣人　由進士	何復清　廣東南海縣人　由吏員	陳腆　福建海澄縣人由吏員
徐良彥　江西新建縣人　由進士	孫應捧　浙江嘉興府人　由監生	蔣元勳　江西泰和縣人　由吏員
天啓		
宋正修　江西新建縣人　由進士	陳善道　浙江山陰縣人　由吏員	王文澂　浙江永康縣人　由吏員
董懋中　浙江山陰縣人　由進士	文炳　四川石泉縣人由選貢	趙應和　江西南昌府人　由吏員
洪贊宇　福建晉江縣人	羅達　湖廣漢陽府人由歲	朱元佩　浙江會稽縣人

由進士

貢

由吏員

張錫命四川瀘川縣人由進士

楊彩鳳湖廣城步縣人由恩貢

周書浙江崇德縣人由吏員

崇禎

李可埴湖廣善化縣人由進士

王淘四川瀘州人由選貢

姚時俊浙江蘭谿縣人由知印

曾就義江西贛州府人由進士

王景文浙江分水縣人由監生

李孔珍北直邯鄲縣人由監生

龔士驥浙江義烏縣人由進士

趙建猷陝西西安府人由選貢

葉祥雲江西廣信縣人由監生

楊邦翰廣東南海縣人

董三槐北直興濟縣人

何仁天

由進士　由選貢

陳汝益　浙江溫州府人　由舉人
葛明臣　浙江仁和縣人　由吏員
劉京生　江西南安縣人

佘厥成　浙江鄞縣人　由舉人
陳士珍　雲南晉安州人　由廩監
高騰　浙江平湖縣人　由吏員

鄭洪炤　廣東南海縣人　由舉人
劉文允　浙江錢塘縣人　由副榜
吳士禎　浙江平湖縣人　由吏員

王觀瀛　浙江山陰縣人　由進士
錢大儀　浙江餘姚縣人　由貢生
汪[illegible][illegible]　福建晉江縣人　由吏員

游應龍　湖廣人　由舉人
袁之澄　浙江烏程縣人

由廩監

吳邦儲　湖廣興國縣人

陳堯文　浙江山陰縣人　由監生

陳登濟　福建人

大清	溧水縣知縣	縣丞	典史
順治二年	羅佳士 北直新安縣人由貢生	陳瑞圖 山東人由監生	方志道
三年	楊國禎 遼東景州人由貢士	段袗 山西太原府人由貢生	潘國棟
四年	王冑僴 山東淄川縣人由進士		
五年	安應晬 遼東人由生員	于昌禧 浙江人由吏員	萬國守
六年			

七年			張杲北直安肅縣人由吏員
八年			
九年	閔派魯河南祥符縣人由拔貢		
十年			
十一年			
十二年			
十三年			
十四年	畢輅直隸滄州人由舉人任		朱育恩浙江

十五年	饒應元 湖廣蘄水縣人 由舉人	劉維運 陝西中部縣人 由拔貢	李元敬 陝西□水縣人 由吏員
十六年			
十七年			
十八年			
康熙元年	馮泰運 直隸撫寧縣人 由拔貢		
二年			
三年			
四年			

五年

六年

明	溧水縣儒學教諭	訓導
洪武	姚崇文 直隸華亭縣人	朱潤 邑人
	蔡中	朱芾
永樂	王豚	
正統	張彥良 江西豐城縣人	吳復 福建閩縣人
景泰		劉釗 江西人
天順	楊澄 縣	周珦 江西吉水縣人
	韓和 江西鉛山縣人由舉人	陳弘識 江西吉水縣人
		陳睿 江西安福縣人由貢生
		陳安 福建閩縣人由舉人

成化	林挺	丘野 江西臨川縣人由舉人
	徐綬 河南杞縣人由舉人	郭鉉 浙江嘉興府人由舉人
	安靜 河南武安縣人由舉人	薛誼 福建閩縣人由舉人
	潘埜 廣西桂林府人由舉人	吳世溥 浙江天台縣人由舉人
弘治	張居敬 浙江新昌縣人由舉人	許洪
	曾憲 江西泰和縣人由舉人	翁紳
		徐爵 四川大竹縣人由舉人
		鄒江 浙江餘姚縣人
		劉文宗 河南汝州人由舉人
		王鋼 浙江慈谿縣人由貢生

正德	龔　棠　廣西全州人由舉人	盧　珊　山東蓬萊貢生
	丁　朴　直隸河間府人由舉人	馮萬濃　廣東海陽縣人由舉人
	唐世卿　浙江海寧縣人由舉人	谷　仁　湖廣邵陽縣人
	杜　鈞　本學訓導陞	杜　鈞　湖廣江夏縣人由貢生
	方　彥　福建莆田縣人由舉人	楊　鳳　江西泰和縣人由舉人
		楊　覲　四川新繁縣人由貢生
嘉靖	李　旦　湖廣永興縣人由舉人	王　庠　浙江遂昌縣人由貢生
	陳　誥　福建漳浦縣人由貢生	彭　璬　江西浮梁縣人由貢生
	曾嘉誥　湖廣麻城縣人由舉人	王　瑞　江西峽江縣人由貢生
	劉　翱　直隸任丘縣人由貢生	何　曇　浙江麗水縣人由貢生

李辨芳　湖廣華容縣人由舉人陞知縣
王艮翰　山西應州人由貢生陞教授
吳應隆　貴州銅仁縣人由舉人陞知縣
沈琪　浙江德清縣人由貢生陞教授
吳會　江西南安縣人由貢生陞教授
葉露新　雲南右衛人由舉人歷長史
張世華　浙江建德縣人由貢生陞學正

施大本　浙江德清縣人由貢生
陳策　福建同安縣人由貢生
張司直　直隸永平衛人由貢生
何如房　浙江建德縣人由貢生
張琯　福建平和縣人由貢生陞教諭
黃積慶　江西金谿縣人由貢生陞教諭
林爾　浙江平湖縣[illegible]由貢生陞教授
韋續　浙江蘭谿縣人由貢生陞學[illegible]
陳艮佐　四川新寧縣[illegible]由貢生陞教[illegible]
張思明

慶

楊文富 福建歸化縣人由貢生陞教授

丁永曉 湖廣武陵縣人由舉人陞知縣

萬曆

朱大愚 華亭縣人由貢生

高汝梅 浙江仁和縣人由舉人

王立道 長洲縣人由舉人

龐尚龍 廣東人由舉人

傅　恕 浙江人由貢生

馮應元 東莞縣人由舉人

甘廷魁 福[illegible]人由貢[illegible]教諭

姚　仁 遼東人

唐惟恂 湖廣東安縣人由貢生陞知縣

宋天朴 直隸滑縣人由貢生陞教諭

阮　化 浙江於潛縣人由貢生

呂光器 浙江新昌縣人由貢生

敖　璁 江西人由貢生

潘　聚 嘉定縣人由貢生

張　衷 福建人由貢生

陳宗器 江西人由貢生

宗　賢寧國府人由貢生　李大經崑山縣人由貢生

泰昌

孫承祿蘇州府人由舉人　張彝文

天啓

吳　煒由舉人　趙汝恒

袁允元江西人由舉人　卜應聘

傅時勉無爲州人由舉人　蔣之英崑山縣人由貢生

湯景明雲南人由進士　岑鳳鳴

蔣應昌雲南人　任　家

許用卿宜興縣人由舉人　羅應唐貴州人

崇禎

吳孝可當塗縣人由貢生　賈宗祿徐州人由貢生

吳來縉湖廣人由貢生　吳　憬淮安府人生

戴金章 宿遷縣人由貢生	李應台 太平府人由貢生
王奇 安慶府人由貢生	倪自治 桐城縣人由貢生
何應選 宣城縣人由貢生	程士榮 太平縣人由[illegible]生
	馮泰交 丹徒縣人由[illegible]生

	溧水縣儒學教諭	訓導
大清順治	劉成性 遼東人由貢生	程名達 儀真縣人由貢生
	王應期 直隸安肅縣人由選貢	陸 經 北直大興縣人由教習
	吳鳴玫 武進縣人由舉人	陳紹恩 寧國府人由貢生
	朱宏憲 全椒縣人由舉人	紀甲第 碭山縣人由貢生
	康熙三年教諭奉	劉有聲 泗州人由貢生
康熙	裁	張克遇 潛山縣人由貢生

明	高淳縣知縣	縣丞	主簿
弘治	宋澄浙江臨海縣人由舉人	錢瓛浙江烏程縣人由監生	孟晟山東益都縣人由吏員
	劉傑山東人由舉人	單璧河南固始縣人由監生	王海直隸任丘縣人由吏員
	林琦福建福寧州人由舉人	劉景直隸蠡縣人由監生	宋麟山東濟南府人由吏員
	熊吉江西臨川縣人由進士		張吉湖廣桃源縣人由監生
正德	李岫順天宛平縣人由舉	吳璘河南魯山縣人由監	劉真直隸博野縣人由吏

人

生

員

王廷相 河南嵩縣人由進士給事中謫陞御史

王堂 山東護衛人由監生

劉芳 四川成都府人由監生

廖威 湖廣興山縣人由舉人

閻相 陝西渭南縣人由知印

閻茂 河南洛陽縣人由舉人

何天衢 湖廣偏橋衛人由監生

閻宗禮 直隸清豐縣人由監生

黄大源 福建莆田縣人由進士

馬雲 河南宜陽縣人由監生

頓鋭 涿鹿左衛人由進士

翟廷爵 由貢生

施懋 山東東陽縣人由舉

周鼎 浙江人由監生

	人	
	陳民山 福建莆田縣人由舉人	
嘉靖	劉啓東 河南羅山縣人由舉人	易文 江西臨川縣人
	胡愷 浙江餘姚縣人由舉人	王用仁 山東人
	伍鏜 福建晉江縣人由進士	王楠 北直人由監生
	祝廷玉 福建侯官縣人	張璁 北直景州人由吏員

由舉人

劉汀　直隸南宮縣人由進士

潘湜　江西上高縣人由監生

陶秀　江西南城縣人由舉人

甘惠　湖廣崇陽縣人由舉人

胡儒　由舉人

黄餘慶　江西安義縣人由舉人

	王杰　浙江烏程縣人由進士	
	程仁　浙江金華府人由監生	
	黄德裕　江西浮梁縣人由舉人	
	陸隅　浙江湖州府人由舉人	
	方沂　江西浮梁縣人由舉人陞知州	

薛孟李　浙江嘉善縣人由舉人

李德望　江西新淦縣人由舉人

隆慶

鄧楚望　湖廣麻城縣人由進士歷知府

鄧楚望　副使謫陞知縣

王伯璉　江西永豐縣人由吏員

段以中　山東穀□由□

江和　江西進賢縣人由進士調錢塘

姚志學　直隸永年縣人由貢生陞工正

夏大勲　廣東饒平縣人由舉人

李鸞鳴　浙江義烏縣人

張佐治 福建平和縣人 由進士 調長興

由監生

王體升 浙江錢塘縣人 由舉人

萬曆

李來 湖廣荊門州人 由舉人

張淳 直隸河間縣人 由監生

王居正 山西臨津縣人 由監生

蕫艮遂 湖廣京山縣人 由舉人

顧行 浙江錢塘縣人 由監生

葉清 福建邵武縣人 由監生

蕫岐鳳 雲南石屏州人 由舉人

蕫文煌 由歲貢

徐瑤 山東人 由監生

王憲臣 浙江人 由監生

徐升 直隸雄縣人 由監生

劉煬 浙江山陰縣人由選貢
丁日近 福建晉江縣人由進士
趙瑄 浙江臨安縣人由舉人
項維聰 浙江永嘉縣人由進士
宋祖騰 福建莆田縣人由進士

艾有駱 陝西米脂縣人由監生
唐熙載 直隸曲周縣人由選貢
王昃瞻 浙江淳安縣人由吏員
吳朝賓 河南睢州人由選貢
張鍾 湖廣人由貢監
張應麟 福建人由監生

王應時 湖廣羅田縣人由監生
董裕 山西人由監生
袁昂 直隸東名縣人由監生
曾堡 山東德州人由吏員
劉繼舛 山東德州人由吏員

沈化 直隸廣平府人由舉人

周易升 福建人由監生

龔廷華 江西人由貢生

黃名卿 江西建昌縣人由舉人

唐登儁 四川富順縣人由進士

李允任 福建福清縣人由舉人

泰昌

譚經濟 雲南石屏州人由舉人

周汝慧 北直人由貢生

徐大齡 浙江人由監生

天啓

陳璧 江西商城縣人由舉人

陳安國 浙江人由貢生

莊鐸 廣西桂林府人由舉人

崇禎

梁一浮 浙江樂清縣人由舉人

陳禹德 浙江人由監生

費雲鳳 江西人由選貢

黃仲謙 江西南昌府人由舉人

張學周 四川人由選貢

羅一蘇 雲南人由選貢

杜冠世 陝西西安化縣人由貢生

趙文徵 浙江紹興府人由監生

方廷涓 江西浮梁縣人由進士

沈天梁 浙江嘉興府人由監生

周光壽 浙江武康縣人由舉人

屠大棟 浙江會稽縣人由都吏

李素 江西宜春縣人由進士

大清	高淳縣知縣	縣丞	典史
順治二年	呂福生 浙江山陰縣人 由貢士	屠大棟 浙江會稽縣人 由都吏	徐榮清 浙[illegible] 由吏
三年	丁啓泰 河南永城縣人 由功貢	吳之文 浙江山陰縣人 由監生	徐提元 浙江會稽縣人
四年	崔掄奇 河南夏邑縣人 由進士		
五年			
六年			
七年			

八年			
九年			
十年	[illegible]訓 直隸寧津縣人 由拔貢	孫旭芳 浙江山陰縣人 由監生	
十一年		耿維巳 北直涞水縣人 由歲貢	
十二年			
十三年			
十四年			繆振鵬 浙江仁和縣人 由[illegible]
十五年		蔣[illegible]謙 遼東海州衛人 由貢監	

十六年		順治十六年奉	
十七年	孟復生 直隸河間府滄州人由歲貢	裁	
十八年			繆仁 浙江錢塘縣人由吏員
康熙元年			
二年	葉自蟓 浙江義烏縣人由儒士		
三年			
四年			
五年			
六年	張大垣 陝西三原縣人		

明　高淳縣儒學教諭　訓導

年號	教諭	訓導
弘治	陳貴 廣東歸善縣人 由貢生	張玗 浙江山陰縣人 由舉人
		劉大本 四川內江縣人 由貢生
		項覺 浙江青田縣人 由貢生
		江晳 浙江常山縣人 由貢生
		徐遵 河南固始縣人 由貢生
正德	王輔 山東歷城縣人 由貢生	江純 江西貴溪縣人 由貢生
	于鳳 江西新淦縣人 由舉人復補合肥 贈主事	楊德修 四川長寧縣人 由貢生
		姚文材 福建莆田縣人 由監生
	鄧富 江西新淦縣人 由舉人	劉淵 浙江奉化縣人 由監生

徐一夔 浙江山陰縣人 由舉人　俞　槩 浙江桐廬縣人 由監生

楊學書 山東武定州人 由舉人　潘　佐 浙江烏程縣人

黃　豫 福建侯官縣人 由舉人　吳朝暘 江西永新縣人 由監生

嘉靖

賈宗魯 山東嶧縣人 由監生　饒廷用 湖廣華容縣人 由貢生

楊　移 湖廣武陵縣人 由舉人　蔡　階 江西金谿縣人 由貢生

張　鑾 浙江錢塘縣人 由舉人　朱　宏 江西南城縣人 由貢生

楊　暉 福建侯官縣人 由舉人　鍾靈鼎 江西萬載縣人 由貢生

徐　圭 浙江錢塘縣人 由舉人　柴　芝 浙江江山縣人 由貢生

蔡　芳 湖廣沔陽州人 由貢生　謝　魁 福建連城縣人 由貢生

漆　煌 江西新昌縣人 由舉人　徐　錫 河南均州人 由貢生

胡文心 浙江仁和縣人 由舉人　　徐公輔 浙江開化縣人 由貢生

劉龍 廣東東莞縣人 由舉人　　錢相儒 浙江德清縣人 由歲貢

劉松 湖廣孝感縣人 由舉人　　劉綬 江西泰和縣人 由貢生

隆慶

李九成 江西貴溪縣人 由貢生　　劉本仁 湖廣上津縣人 由貢生

李應蛟 浙江錢塘縣人 由舉人陞助教　　朱寅 湖廣漢陽府人 由貢生

萬曆

陳道 浙江錢塘縣人 由貢生　　張尚賓 江西萬安縣人 由貢生陞教授

陳汝霖 四川內江縣人 由舉人　　錢學 廣東東莞縣人 由貢生

傅之德 吳縣人由舉人　　查熹 江西星子縣人 由貢生

焦廷魁 太平縣人由貢生　　李亨陽 四川安縣人由貢生

楊勝梧 桐城縣人由貢生　　施伯祚 直隸宿州人由貢生

陳　儆　桐城縣人由貢生

保光先　河南葉縣人由貢生

廖　鶚　廣西靈川縣人由貢生

方文明　歙縣人由貢生

孫如塤　山東恩縣人由貢生

羅　泮　山東新城縣人由貢生

許夢芝　長洲縣人由貢生

鄭　儒　陝西西安府人由貢生

凌子儉　歙縣人由舉人

黃兆熊　吳縣人由貢生

王同祖　通州人由貢生

衛可徵　山陽縣人由貢生

吳　濤　蕪湖縣人由貢生

龍守禮　蕪湖縣人由貢生

陸時選　蘇州府人由舉人

王文炯　涇縣人由貢生

王三傑　懷遠縣人由舉人

時大舉　虹縣人由貢生

天啓

李大戴　浙江永嘉縣人由貢生

唐三省　含山縣人由貢生

李章元　江西廣信府人由舉人

張其蘊　沛縣人由舉人

崇禎

郭維瀚　豐縣人由貢生

曾　裕　江西泰和縣人由舉人

趙碩來　涇縣人由舉人

汪　鉉　安慶府人由舉人

李長倪　興化縣人由舉人

劉　崇　豐縣人由貢生

沈文淵　貴州人由貢生

張大行　廣德州人由貢生

朱國棟　蘇州府人由貢生

吳與臣　福建建寧縣人由貢生

王與鉉　長洲縣人由貢生

許爾芳　歙縣人由貢生

李大方　江西人由貢生

孫在憲　貴池縣人由貢生

許大成　歙縣人由貢生

施承芳　青陽縣人由貢生

俞應試　繁昌縣人由貢生

丁　煜　鳳陽府人由貢生

趙三祝　廬州府人由貢生

莫天洪

祖大明　遼東人由貢生

許昌緒　寶應縣人

寶胤茂　貴州人由舉人

大清

高淳縣儒學教諭	訓導
林七寶福建建寧縣人由舉人	吉甫丹陽縣人由貢生
東時泰丹陽縣人由舉人	徐應星江陰縣人由貢生
曹承芳溧陽縣人由貢生	于越金壇縣人由貢生
虞嵊金壇縣人由舉人	程嘉謨績溪縣人由貢生
查天助安慶府太湖縣人由恩貢	趙師孔徐州人由貢生
康熙三年教諭奉裁	吳之仲安慶府望江縣人由歲貢

卷十七

明	江浦縣知縣	縣丞	主簿
洪武	劉進	黃克庸	
	楊立		
	仇存仁		
永樂	龐俊		
	周益		
宣德	劉英	李文煥 山西廣寧縣人 由貢生	張肅 直隸滿城縣人
	吳文達 山東樂安縣人 由人材 歷通判		
正統		陳端 浙江蘭溪縣人	蕭增 山東人
	嚴廸	賈琮 浙江永康縣人	

文彬 廣西臨桂人由舉人

景泰

羅信 河南固始縣人由貢生

尚聰 湖廣襄陽縣人由貢生

張宋道 江西南昌府人

勞鉞 江西德化縣人由進士歷知府

天順

王廸 直隸故城縣人由貢士

丁潮

潘源盛 廣東南海縣人

彭烈 江西吉水縣人由進士御史謫歷布政使

石清

成化

袁綱 四川雙流縣人由貢

張聰 山西嵐縣人

韓紹祖 山東[illegible]丘縣

生

雷以時　河南西平縣人由進士

王欽　直隸清苑縣人由監生後裁革

趙績　直隸縣人由……生

馬文麟　河南鈞州人由貢生調江陰

楊正　江西人

張鳳　江西宜春縣人由進士歷知府

林資　浙江秀水縣人由進士

蕭育　江西泰和人由舉人

馬炳然　四川人由進士

弘治

胡昉　浙江蕭山縣人由進士

章文韶　浙江黄巖縣人由進士

馬文盛　湖廣漢陽府人由進士陞通判

正德

吳華　江西臨川縣人由進士

秦銳　浙江山陰縣人由進[illegible]

[illegible]

楊思和　湖廣孝感縣人

高越　江西雩都縣人由監生

胡孝卿　河南[illegible]山縣人[illegible]由監生

趙秉禮　山西[illegible]川[illegible]上[illegible]

曹鎰　順天[illegible]

士		張憢 四川巴縣人
	董遵 溧陽教諭陞	金溥 直隸撫寧縣人
	魏頲 湖廣蒲圻縣人由舉人陞知州	
	孫綬 河南鄭州人由進士	
	宋文載 浙江淳安縣人由舉人	
嘉靖	王立 直隸吳橋縣人由舉人	王卿 湖廣清浪衛人
		李經緯 河南中牟縣人
	耿瑤 河南盧氏縣人由監生	萬綬 河南太康縣人

士

周錡 浙江鄞縣人由舉人

林繼皐 福建閩縣人由進士

陳文浩 福建閩縣人由進士陞主事

劉縉 廣西桂林府人由舉人

高祉 江西宜春縣人由舉人

姚鸞 陝西溪州人

黃栖 浙江蕭山縣人由貢生

楊熊

丁天章 山西廣昌縣人由貢生

陳有孚 浙江紹[illegible]由[illegible]歷[illegible]

司守約　湖廣興國州人由監生

黃昭　江西南昌府人由舉人

張峰　歷通判

侯國治　廣東南海縣人由舉人歷知府

黃晥　浙江浦江縣人由貢生

蕭惟馨　廣西桂林府人

由舉人陞知州

隆慶

李大淵 福建晉江縣人由進士歷府同知

王之綱 見溧水陞通判

萬曆

周一經 江西貴溪縣人由進士陞主事

沈孟化 福建永定縣人由進士

余乾貞

吳庠 江西上饒縣人由監生

沈渠 浙江山陰縣人

彭珪 湖廣黃岡縣人由監生

王壯 浙江[illegible]縣人由[illegible]生

夏希尹 福[illegible]

	孔祖光 廣西桂林府人由舉人	周鳴珩
	梁祖齡 四川溫江縣人由進士	周效賢 浙江
	鄭道 浙江餘姚縣人由舉人	戴士允 浙江人
	王守正 山東沂州縣人由進士	吳諾 浙江人
	倪壯猷 浙江平湖縣人由舉人	祝大賓 浙江人

徐可求 浙江西安縣人 由進士
楊可忭 江西人 由貢生

梁可述 四川仁壽縣人 由舉人
劉廷蓀 江西人

劉汝立 湖廣襄陽府人 由舉人
何三錫 浙江人

田璽 山東曹縣人 由舉人
葉遇陽 江西人

馬茂良 廣東人 由舉人

天啓

郎達 浙江人 舉人
許三德 浙江

蔡胤之 [illegible]

由舉人

楊天申 湖廣人由舉人

葛純一 北直人由舉人

蔡兆祥 廣東人由舉人

孟名世 湖廣人由進士

張懋忠 北直曲縣人由舉人

盧與奐 直隸廣平府人由舉人

余樞 江西新建縣人由舉

方瓊 廣[illegible]人

陳承恩 浙江人

人

崇禎

黏洪錄 福建泉州人由舉人

李維樾 浙江瑞安縣人由舉人

張堯年 雲南人由舉人

田安國 湖廣人由舉人

	江浦縣知縣	典史
順治二年	沈之瀾 由本縣教諭陞	范如源 浙江紹興府人 由吏員
三年	高爽 山東東昌府人 由進士	
四年		
五年		
六年	劉天澤 遼東撫順人由貢生	王贊青 直隸保安州人 由吏員
七年		
八年		
九年		
十年	閻宗尼 北直真定府人 由進士	陸光彩 浙江紹興府人 由吏員

年	姓名	籍貫出身
十一年	齊敬修	陝西漢中府人 由貢生
十二年		
十三年		
十四年	許立達	湖廣武昌府人 由貢生
十五年		
十六年		
十七年	程瑞	江西南昌府人 由舉人
十八年		
康熙元年		
二年		

三年	徐龍光　山東東昌府人　由貢生
四年	
五年	
六年	

明	江浦縣儒學教諭	訓導
永樂	祝廷心 浙江麗水縣人 由舉人	孫謨 浙江錢塘縣 由舉人
宣德	孫閆 江西廬陵縣人 由舉人歷督學 御史	孫琪 浙江嘉興府人 由舉人
正統	平璉 湖廣沔陽州人 由舉人	余春 浙江遂安縣人 由舉人
景泰	蔣瑛 浙江錢塘縣人 由儒士	羅處恭 江西永新縣人 由儒士
天順	錢金 浙江會稽縣人 由舉人	陳經 江西廬陵縣人 由儒士
		鞠昂 直隸河間府人 由貢生
成化	吾哻 浙江開化縣人 由舉人	張思孔 四川眉州人由 貢生
	陳則安 福建莆田縣人 由舉人	鮑鯆 浙江鄞縣人由 貢生

敖　憲　湖廣華容縣人　由舉人
黄思恭　四川安岳縣人　由舉人

弘治

曹　珩　浙江奉化縣人　由貢生
蘇　範　廣東順德縣人　由舉人
林　符　福建莆田縣人　由舉人
譚　夔　廣東南雄縣人　由舉人

陳　贇　江西玉山縣人　由貢生
洪　忠　福建莆田縣人　由舉人
張恩孔　四川眉州人由貢生
廖　蘭　湖廣安鄉縣人　由舉人
李　寛　直隸武强縣人　由貢生
陸廷玉　浙江錢塘縣人　由貢生
季　彪　江西餘干縣人　由貢生陞教諭
漏　真　浙江山陰縣人　由貢生
鄭　岳　福建福清縣人　由貢生
劉　惠　河南汝陽縣人　由貢生

正德		趙　鉞　山東莒州人　貢生
	何　瑶　廣東南海縣人　由舉人	王　僑　福建莆田縣人　由舉人
	蔡邦紀　廣東海陽縣人　由舉人	莫　鈍　廣西荔浦縣人　由舉人
	劉　虔　四川巴縣人　由舉人	王　進　直隸廣平府人　由貢生
	梁　麟　河南許州人　由貢生	楊　鸞　浙江湯溪縣人　由貢生
	陳應奎　福建閩縣人　由舉人	凌　雲　浙江遂安縣人　由貢生
		龍壽山　江西萬載縣人　由貢生
		楊宗南　江西分宜縣人　由貢生
嘉靖	林　桴　浙江瑞安縣人　由貢生	孔彥綬　浙江臨安縣人　由貢生
	陶　悅　廣西儀衛司人　由舉人	鄒　賢　江西南昌府人　由貢生

胡恕　湖廣沅州人由舉人

謝循　江西永豐縣人　由貢生

吳讓　江西浮梁縣人　由舉人

包一龍　浙江松陽縣人　由貢生

伍僎　湖廣松滋縣人　由貢生

王賓　江西豐城縣人　由舉人

王振朝　江西贛縣人由　貢生

周廷賓　廣東從化縣人　由舉人陞學錄

陳靜觀　湖廣宜都縣人　由舉人陞知縣

楊恢　四川新都縣人　由貢生

林恭　江西湖口縣人　由貢生

余喬　福建永安縣人　由貢生

陳潛　福建莆田縣人　由貢生

董士齊　湖廣應山縣人　由貢生

習象　河南洛陽縣人　由貢生陞教諭

黃鍾　江西南昌府人　由貢生

戴乾　浙江昌化縣人　由貢生

徐圻　浙江龍游縣人　由貢生

張時相　四川松潘縣人　由貢生

劉允璋　江西永新[illegible]　由貢生

熊汝諧 湖廣崇陽縣人由舉人陞知縣

隆慶

謝朝元 貴州婺川縣人由貢生

何世傑 四川彭水縣人陞教諭

萬曆

馮科 浙江秀水縣人由貢生

謝元順 武進縣人由貢生

曾子孝 浙江人由貢生

朱冕臣 浙江嘉善縣人由貢生

徐桐 浙江人由舉人

戴邦 泰州人由貢生

陳堯訓 湖廣人由舉人

陵賓 浙江人由貢生

謝君恩 直隸永年縣人由貢生

盧如客 滁州人由貢生

張問明 福建人由貢生

柴愚 海州人由貢生

蔣俊 湖廣人由貢生

蔡士登 湖廣人由貢生

孫承祖 青陽縣人由舉人

林喬 湖廣人由貢生

天啓

姚　謨　舒城縣人由貢生

李春融　滁州人由貢生

何居聖　廣東人由貢生

高養正　直隸雄縣人由貢生

李日叢　山東人由貢生

崇禎

陳　寵　安東縣人由貢生

張希仲　常熟縣人由貢生

邢之表　蕪湖縣人由貢生

陳廷策　儀眞縣人由舉人

江浦縣儒學教諭　訓導

順治

沈之瀾浙江烏程縣人由貢生　盧弘雋廣德州人由貢生

宋中鴻遼東海州人由貢生　董國憲北直真定人由恩貢

王之采贛榆縣人由貢生　江弘袞徽州府人由貢生

趙　淶江陰縣人由貢生　楊祚昌廣德州人由貢生

陳文龍巢縣人由貢生　賈遇時含山縣人由貢生

周　裳太倉州人由舉人

康熙

汪湛斯歙縣人由拔貢

康熙三年奉

裁

明	六合縣知縣	縣丞	主簿
國初	胡有源		
洪武	陸梅 四川中江縣人由貢生	端章甫 南直滁州人由薦擢陞知縣後裁革	李實
	李仲美	徐昭文	
	歐陽得基 湖廣龍陽縣人由舉人		
永樂	胡銘惠		李貞
	王翺		
	皮以貞		

年號	姓名		姓名
	劉衡　山東曹州人由舉人		
	黃裳　山東臨清縣人由貢生		
宣德	林至　福建福清縣人由進士		王凱
	史思古　浙江象山縣人		
正統	黃淵　河南淅川縣人由貢生		宋秉彝
景泰	劉茂　江西贛縣人由貢生		呂所
天順			李疇

任	張恒湖廣襄陽府人由貢生		李隆由東[illegible]人由貢[illegible]
	唐詔山東陽信縣人由貢生陞府同知		王瑄山東陽信縣人由貢生
	周南浙江縉雲縣人由進士陞御史歷布都御史		邢端山西朔州人由監生
	婁宏廣西賓州人由舉人		劉璉四川蒼溪縣人由監生
	楊澤直隸河間府人由進士陞主事		

弘治

安鑑 順天永清縣人由貢生

謝湖 廣東海陽縣人由進士評事謫歷參政

鄧績 江西泰和縣人由舉人

翁諫 浙江壽昌縣人由舉人

張諧 福建閩縣人由進士

正德

趙宗實 [illegible]太[illegible]人

楊顯

劉恩 山西沁水縣人由監生

武通 山西陽曲縣人由監生

潘琰 山西[illegible]人

後[illegible]

陞南御史

茅宰 浙江山陰縣人由進士陞主事

周徽 浙江鄞縣人由舉人歷員外郎

何廷陳 浙江富陽縣人由貢生

黎循典 湖廣華容縣人由舉人御史謫

邵漳 浙江餘姚縣人由進

士歷參議

董邦政 山東陽信縣人由貢生陞僉事

管嘉福 山東高密縣人由進士歷府同知

宋鑒 浙江烏程縣人由舉人陞知州

張熙 直隸清苑縣人由舉人陞教諭

鄒宗賢 浙江臨安縣人由舉人

萬廷瑆 江西安福縣人由舉人陞主事

陳越 廣東東莞縣人由舉人補瑞金

李楚 福建福清縣人由舉人

林幹 福建懷安縣人由舉人歷府同知

嘉靖

金克厚 浙江僊居縣人由進士歷員外郎

何宏 廣東順德縣人由舉人降教授

周文燫 福建閩縣人由舉人

史朝富 福建晉江縣人由進士歷知府

劉格 廣東從化縣人由舉

人調信豐

[illegible]

章世禎　江西餘干縣人由舉人陞知州

董潤　山東濟寧州人由舉人

李箴　浙江臨海縣人由舉人陞南評事

萬曆

邵廷臣　福建福清縣人由舉人

俞應星　浙江新昌縣人

由舉人

陳汝霖　四川內江縣人　由舉人

陳載春　山東歷城縣人　由進士

毛裕燕　廣東博羅縣人　由舉人

黃夢鴻　廣東番禺縣人　由舉人

蕭時鳴　湖廣江夏縣人

由舉人

張必振　山東青城縣人　由舉人

劉文定　湖廣興國州人　由舉人

蕭象烈　江西廬陵縣人　由進士

米萬鍾　北京錦衣衛籍陝西安化縣人　由進士

徐士俊　江西上饒縣人　由進士

張啓宗　江西新喻縣人　由舉人

楊彩鳳　湖廣內蘄縣人

馬政和　北直真定衛人　由舉人

沈綰　浙江會稽縣人　由舉人

天啓	董允升	浙江慈谿縣人由進士
	甄偉璧	河南許州人由舉人
	蔡如葵	貴州人由選貢
	謝命賞	宣府前衛人由選貢
崇禎	喬國禎	山西平陽府人由舉人
	鄭同元	廣東潮州府人

由進士

仲聞韶　浙江秀水縣人　由舉人

饒若棠　江西進賢縣人　由舉人

來煥然　浙江蕭山縣人　由舉人

沈起蛟　浙江長興縣人　由舉人

	六合縣知縣	典史
順治二年	曾淳化 江西金谿縣人 由舉人	莫可成 浙江仁和縣人 由吏員
二年	劉慶運 北直延慶州人 由選貢	楊春遠 陝西西安府人 由吏員
四年	婁維嵩 北直真定府人 由進士	紀文斗 陝西西安府人 由吏員
五年	陳肆 遼東人 由貢生	章文尚 浙江杭州府人 由吏員
六年		
七年		
八年		
九年		
十年	李大生 北直順天府人 由拔貢	

十一年	
十二年	
十三年	劉廣譽 滿州人由正紅旗進士
十四年	
十五年	
十六年	羅紹虞 江西南昌府人由舉人
十七年	冀北哲 山西大同府人由舉人
十八年	
康熙元年	顧高嘉 浙江秀水縣人由進士
二年	

三年	四年	五年	六年							

六合縣儒學教諭　訓導

年號	教諭	訓導
永樂	許安 浙江錢塘縣人 由舉人	蘇祥遂 浙江遂昌縣人 由舉人
	葉彬 福建建安縣人 由貢生	陽汝賢 湖廣茶陵州人 由貢生
正統	魏璜 浙江慈谿縣人 由舉人	陳堉
		何瑄 江西人
景泰	張疇 浙江黃巖縣人 由舉人	江朝立 四川銅梁縣人 由舉人 歷教諭
天順	杜璠 浙江人 由舉人	李芳
		謝俊
成化	木昱 浙江錢塘縣人 由貢生 陞教授	荀贇
	瞿璪	鄭儀和 福建莆田縣人 由貢生

周灝 江西貴溪縣人 由舉人

應紀 浙江太平縣人 由舉人[illegible]

易永恒 四川內江縣人 由貢生

曾莊 江西泰和縣人 由貢生

林賢 福建龍溪縣人 由貢生

吳忠 江西鄱陽縣人 由貢生

弘治

余友諒 江西[illegible]縣人 由貢生

高福 江西安福縣人 由貢生

張敬 山東觀城縣人 由舉人

金魁 浙江太平縣人 由貢生

周仁 河南上蔡縣人 由舉人

邊鴻 山東濰縣人 由貢生

王亨 浙江仁和縣人 由貢生

田宣 浙江山陰縣人 由貢生

正德

凌本 湖廣襄陽府人 由舉人

劉紀 河南人 由[illegible]

洪淵 福建龍溪縣人由貢生
王渠道

方錦 江西貴溪縣人由貢生陞教授
祝璡 江西德興縣人由貢生陞[illegible]

陳淇表 湖廣武陵縣人由貢生陞教授
施豫 浙江開化縣人由貢生陞教諭

湯元永 浙江平陽縣人由貢生
蕭輅 山東德州人由貢生陞學正

王鎮 福建閩縣人由舉人歷員外郎
許琥 浙江永嘉縣人由貢生陞教授

張健 浙江上虞縣人由貢生陞教授
馬珂 浙江平湖縣人由貢生陞教諭

郭褭 福建莆田縣人由貢生
徐夢熊 浙江山陰縣人由貢生陞教諭

林澄 福建莆田縣人由舉人歷同知
何桂 湖廣沅江縣人由貢生陞教諭

劉蒸 江西吉水縣人由貢生
王聆 山東蕭臺縣人由貢生陞教授

徐演 福建邵武縣人由貢生陞教授
馮縉 廣東東莞縣人由貢生

姚　英　福建浦城縣人　由舉人歷知州

徐　丙　浙江長興縣人　由舉人歷知縣

李　椿　浙江麗水縣人　由舉人

嘉靖

高繼耀　江西南昌府人　由舉人歷推官

顏　新　河南淅川縣人　由貢生陞知縣

牛　奧　順天寶坻縣人　由貢生陞教授

涂本通　湖廣華容縣人　由貢生

鄭仁慈　廣東潮陽縣人　由貢生陞教諭

湯　治　江西永新縣人　由貢生陞教諭

帥子卓　江西奉新縣人　由貢生

王　敏　浙江義烏縣人　由貢生陞教授

王　洛　浙江雲和縣人　由貢生

王自新

焦仲實　陝西扶風縣人　由貢生

王宗彝　四川達州人　由貢生陞教諭

霍孝先　山東青城[illegible]　由貢生[illegible]

慶

關鶚　直隸南宮縣人　由貢生

吳邦　浙江錢塘縣人　由舉人陞推官

萬曆

黃九川　浙江蕭山人由貢生

朱建侯　浙江嘉興府人　由貢生

孔弘仕　浙江平陽縣人　由貢生

李素貴　江西新淦縣人　由貢生

龍民勤　江西泰和縣人　由貢生陞教諭

張鍔成　河南羅山縣人　由貢生陞教授

張綋　山東齊河縣人　由貢生陞教諭

桑子美　江西寧州人由　貢生陞教授

盧文衢　山東人由貢生

錢蒙　太倉州人由貢　生

石如圭　江西人由貢生

華拱極　雲南蒙化縣人　由貢生

湯杞　來安縣人由貢　生

應有恒　含山縣人由貢　生

方育德　江西貴溪縣人由進士

周詩　崑山縣人由舉人

封汝才　沭縣人山貢生

伊景禹　崑山縣人由舉人

吳道盛　宜興縣人由貢生

天啓

黃繼先　浙江淳安縣人由貢生

趙仲陽　雲南楚雄府人由貢生

陸京　武進縣人由貢生

龔洪　江西建昌縣人由貢生

崇禎

李春榮　浙江嵊縣人由貢生

朱繼忠　宿州人由貢生

余元亨　江西奉新縣人由貢生

金應秋　浙江嘉興府人由貢生

楊璜　浙江山陰縣人由貢生

許其賢　當塗縣人由貢生

王三輔　湖廣蘄水縣人由貢生

胡永欽　湖廣宜城縣人由貢生

黎啓光　湖廣京山縣人由貢生

商雨　山東武城縣人由貢生

朱元復　華亭縣人由貢生

[illegible]丹[illegible] 婺源縣人由舉人

沈[illegible]慎 山東沾化縣人由

唐騰鳳 廣西全州人

汪士龍 黟縣人由舉人

張壎 浙江仁和縣人由舉人

王曰俞 常熟縣人由舉人

唐蔄 含山縣人由貢生

王祉 四川峽江由貢生

周之禎 歙縣人由貢生

張士奇 南陵縣人由貢生

蔡鼎臣 宿遷縣人由貢生

蕭衢亨 雲南宜良縣人由貢生

張守貞 當塗縣人由貢生

姚時倓 四川成都府人由貢生

張叔鏡 江西新淦縣人

韋文炤 懷寧縣人由貢生

方繼美 祁門縣人由貢生

張國政　浙江山陰縣人由貢生

陳有蘊　高郵州人由貢生

陶孔教　懷遠縣人由貢生

葉　蘭　盱眙縣人由貢生

任亞龍　徐州人由貢生

任盡臣　貴州印江縣人由貢生

馮嶽劉大年李署皆未履任俱不得書淮安志云然

並無考六合論卷有嶽無論天台海州志可考

大清　六合縣儒學教諭　訓導

順治　朱紱江西進賢縣人由舉人　張幼艮揚州府人由貢生

黄聖果常州府人由舉人　馮大德鳳陽府人由貢生

楊志遠丹陽縣人由舉人　張闇然亳州人由貢生

曹開顯無爲州人由舉人　盧士厚廬江縣人由貢生

康熙　何大鵾揚州府人由貢生

楊士弘安慶府人由貢生

康熙三年奉

裁

論曰由漢代以迄今茲維斯士者姓名具在可指而

陳也春秋以前但載棠君建武以後乃得李守豈上世俗猶混悶無績官長之經綸與鄉政皆簡樸民無得而稱耶六朝建都往往領郡者非其親王即其宰輔考諸史牒紀載極詳南宋偏安金陵重鎮鎖鑰之寄皆簡名卿當時爲官擇人有至三經四任者倚之誠重且慎也明興號爲京兆位亞列卿分曹授官亦異諸郡三百年中流風善政法守昭然其彰彰者豈莫能諼也然亦有庸庸無奇數十年之後問其官與里民有不能遍舉者矣

本朝戡定江南更化圖治一二鉅公武功之後數以文

緇黃白之徒駸駸乎離水火而登袵席也不朽之業豈不在人哉但使後之人指而稱之曰某也清而[illegible]某也才而潔某也寬而不弛某也嚴而不刻某也龔黃某也召杜則紙上之銜名即境中之治譜也可不慎與

封爵表上

古以三封瑞以五寶錫姓分茅恩施瀚浩武穆文昭[illegible]貴世考礪山帶河子孫永保作封爵表

封于本郡

	漢
王	
公	
侯	堂邑陳嬰 東陽人高帝六年受封食邑六百戶封六年薨謚安 見史記漢書功
伯	
子	
男	

臣等表下同

祿　嬰子高后五年嗣十八年薨謚共

午　祿子文帝三年嗣尚館陶公主武帝立其女為皇后四十八年薨謚夷

季須　午子元光六年嗣十三年爵除

句容劉黨

長沙王發子元光六年封二年薨謚哀無後國除 見漢書王子侯表下同

丹陽劉敢 江都王非子元朔元年封六年薨謚哀無後國除

湖孰劉胥行 江都王非子元朔元

年封十六
年薨謚頃
胥行子
聖元鳳五
年嗣免國
除

秣陵劉纏

江都王非
子元朔元
年封十五
年薨謚終
無後國除

溧陽劉欽

梁王定國
子建昭元
年封

昺 欽子嗣免國除

溧陽史崇 杜陵人建武中封謚莊 以下金陵志

顯 崇子嗣

芊 顯子元初三年嗣謚頃

洽 芊子嗣

澤 嗣

鉉 嗣改封蘭山

溧陽陶謙 見下

溧陽潘璋 發千人獻帝時受孫權封 吳志

溧陽卤元 見下

丹陽孫徵 吳主權再從弟權追錄其父功封無子 吳志

		晉
		江寍陸曄 吳人咸和四年以平蘇峻進爵 金陵志
聯 亂弟嗣後爵除	李何輿 見下　遐 　溧陽何蔣 見下	丹陽孫楷 吳人嗣臨成侯咸寧二年來降以車騎將軍封 吳志　秣陵戴淵 廣陵人以功賜爵後

為王敦所害謚簡　晉書

丹陽張闓見下

永世王俊　琅琊臨沂人任太子舍人封

梁

秦郡蕭攜　宗室初封永豐侯承聖元年受武陵王紀封邑三千戶　以下

江乘陸法和　承聖元年以都督刺史封加司徒尋降齊　[illegible]

溧陽杜龕　杜陵人大寶三年受貞陽侯淵明封加鎮東大將軍　以[illegible]

	魏
侯本傳	丹陽劉昶 宋宗室來奔和平六年封 丹陽蕭贊 梁宗室叛降永安二
丹陽元景隆 魏宗室來降歷刺史改封彭城	秦郡公宗愛 宦者正平元年在瓜步封後進馮翊王再行弒逆伏誅 丹陽蕭寶夤 梁宗室來奔景明四

	唐	五代
年封累官太尉尋走死		
年任東楊州刺史封號齊王以反誅		蔣李從鎰 南唐主璟子封國公煜立進封鄧王 五代史 鍾山李建勳 南唐主璟時以司徒
	溧陽史淳 見下	
	溧陽史務滋 見下	

賜號 金陵志

宋

昇受益 金陵吳淵見下 建康魏良臣 溧陽錢時敏 溧水吳潛 溧陽

眞宗子天禧二年以壽春郡王行江寧尹充建康軍節度管內觀察處置等使進封昇王為皇太子改名禎後即位廟號仁宗 宋史

金陵吳潛見下 見下 見下 見下

建康秦堪檜孫 高宗時封郡侯

金陵吳淵

金陵吳潛

溧水吳潛

建康秦檜

紹興二十五年封郡王尋死後追奪王爵改謚繆醜續綱目

元

溧陽班都察居玉里伯里山因以爲氏至順二年以曾孫燕帖木兒追封

昇土土哈追封延國公謚武毅進句容王□□元年

容牀兀兒

容帖木兒曾

化任楚康牧馬戶達魯花赤以子阿爵忽都贈榮祿大夫大司徒上柱國追封國公

句容見下

明

溧陽聰　代憲王子	蒼童　牀兀兒孫襲　以上元史	句容[illegible]兒　初封[illegible]國公至大二年進封至順二年以子燕帖木兒加贈揚王

[illegible]以[illegible]性[illegible]昭

江寧	句容	高淳	
盧煉 趙莊王子 謚恭懿	憲[illegible] 遼莊王子 尋嗣王	謨[illegible] 韓王子	

金陵志成周封爵有吳越楚唐有吳王杜伏威
揚行密齊王徐知誥是邦雖嘗隸之然非專封
也張昭侯婁韓當侯石城孫謙侯永安顧雍
于丹陽邈昔方輿當麗松江寧國湖州鎮江
郡溧陽志孫洪封赤平六合嘉定志司馬燕
堂邑新安鄉史俱無考故缺之

郡人受封

漢

王	
公	
侯	烏程夏鄉抗 徐　丹陽人 桓帝時 以平賊封 遷都尉 溧陽侯陶謙 丹陽縣人 獻帝時封 歷徐州牧 以上漢 書
伯	
子	
男	

吳

溧陽矦丙元 丹陽人吳主權封

永平何洪 句容人吳主晧母昭憲后之弟永安六年晧立以后故封

邈 洪子嗣爵爲監軍

溧陽何蔣 洪弟永安六年同洪

主

宣城何植　蔣弟永安六年同蔣封累官大司徒　以上吳志

撫陵史嵩　溧陽人歷中郎將

陽羨史部　溧陽人任屬國都尉　以上金陵志

晉

宛陵陶璜 秣陵縣人歷刺史

臨湘紀瞻 秣陵人初封都鄉侯以討陳敏功進封縣侯謚穆

友 瞻孫嗣爵歷廷尉

安陽薛兼 丹陽人以佐翼勳賜

康樂陶回 秣陵人以破韓晃功封

汪 回之子嗣爵

宣陽張混 闓之子嗣伯爵

以上晉書

爵鄉侯。

丹陽張闓　丹陽人以佐翼勳賜爵縣侯後改宜陽伯

關內葛洪　句容人元帝以平賊功賜爵

秣縣史淵　溧陽人任太守封

當安史諒　溧陽人以討蘇峻封

山陰史憲

宋

溧陽人任太守

始興南亭劉係宗 丹陽人元徽初封歷寧朔將軍

陳

始安淳于量 建康人梁[illegible]沐縣侯光[illegible][illegible]年[illegible][illegible][illegible]陵

湖南吳超 秦郡人以功封縣侯贈州刺史諡節

新陽[illegible]曾眞 律[illegible]元[illegible][illegible][illegible][illegible]軍

唐

縣公太建五年又進郡公

南平吳明徹　秦郡人以功封新安侯天嘉五年進爵公太建五年進郡公歷司空侍中

邵陵吳惠覺　明徹子以功累官刺史至德元年嗣郡開國侯

溧陽史溢　溧陽人　金陵志

潁川許儒　句容人以弘文館學士封縣男　唐書

宋

裴國李琮　江寧人歷上柱國封隴西郡開國侯追封國公　宋史下同

建康魏良臣　溧水人歷參知政事贈光祿大夫追封□開國侯謚敏肅　宋史

溧陽錢時敏　溧陽人權兵部侍郎封縣開國伯　金陵志

金陵吳淵　溧□人□觀□□大

義烈秦鉅　江寧人嘉定十五年

溧陽史□滋　溧陽人景龍四年任侍中

隴西李回　江寧人封縣開國男累官參知政事

溧陽李□　溧陽人封縣開□男　金陵志

學士封金陵侯復進公爵拜參知政事贈少師　以死節追封淳祐十三年加封顯節

許國吳潛

溧水人嘉熙三年封縣開國男淳祐四年進封子七年進金陵侯十一年進公開慶元年進崇國慶國改今封

元

英毅闞文興　建康人至順二年以死節追贈

句容趙鑑　溧水人追封縣男

明

穎國楊洪　六合人累官左都督正統十三年以功封昌平伯食祿千石十四年進封侯景泰二年賜世券加鎮朔大將軍追封國公謚武

昌平楊傑　洪子嗣侯爵

俊　傑庶兄以功歷左都督嗣爵

珍　俊子嗣爵改世指揮使

彰武楊信

溧陽紀廣　句容人以功歷右都督景泰中追封謚僖順

武強楊能　六合人左都督鎮朔將軍天順元年以功

丹陽[illegible]　句容人初以死追封

襄
名臣錄

寧國公王鎮
上元人以皇后父歷都督同知弘治五年加贈諡康穆
吾學編下同

六合人都督同知總兵官天順四年以功封伯賜券食祿千石成化十三年贈侯諡武毅

封食祿千石無子改世指揮使

彰武伯楊瑾
信子嗣伯爵
吾學編

瑞安王源
鎮子嗣都督成化二年封伯弘治五年追封果加太傅食祿千石贈太師諡榮靖

瓚
源子嗣爵
宜府志

儒
瓚子嗣爵

炳
儒子嗣爵歷掌左府南京後府總督

安平方鋭 江寧人嘉靖十九年以皇后父封伯二十一年進封祿千石

京營

崇善王清 源弟任都督同知弘治十年封祿千石

安仁王濬 淸弟任左都督正德二年封祿千石

瑞安王橋 源子嗣伯爵

桓 濬子嗣爵

慶陽夏儒 上元人以皇后父任都督同知正德二年封祿千石	臣 儒子嗣爵加太子太保	安平方鍅 鍅子嗣伯加太子太保

溧陽恩寵志趙葵封益國公陳康伯魯國公虞祺贈秦國公攷諸本傳貫長沙弋陽仁壽一統

賦註淮南王英布十國紀年吳王楊行密吾學
編湖廣總志宋嘉侯朱亮祖俱爲六合人蓋緣
英山合肥六安誤也茲不復著云

論曰古昔聖王制御海內統一萃黎列五等爵豈徒
榮之而已哉以赤子付賢能其興之故不出戶牖而
化馳若神由此道也後世之封爵異矣漢諸侯王惟
衣食租稅魏晉而降徒寄空名然國家以此策勳勵
士之志功名者亦以此聲施後世即表中所列同姓
懿澤亡論已其餘皆一時卑犖之士乘時際會以致
功名斯亦足尚也

江寧府志卷之十七

江寧府志卷之十八

宦蹟傳一

置牧設尹凡以爲民下逮丞尉于民益親皎然如日靄然如春其人往矣其政維新作名宦傳

漢

李忠字仲都黄縣人建武六年爲丹陽太守是時海內新定海濵江淮多擁兵據土忠到郡招懷降附其不服者悉誅之旬月皆平忠以丹陽越俗不好學嫁娶禮儀衰於中國乃爲起學校習禮容春秋鄉飲選用明經郡中向慕之墾田增多三歲流民占著者五萬

餘口三公秦課爲天下第一遷豫章太守

晉

温嶠字太眞祁縣人初渡江與諸名士親善王敦欲謀逆深忌嶠請爲左司馬嶠恐見害繆爲綜其府事以昵於敦會丹陽尹缺因説敦曰京尹輦轂喉舌宜得文武兼能公宜自選其才若朝廷用人或不盡理敦然之問嶠誰可作者嶠曰愚謂錢鳳可用鳳亦推嶠嶠僞辭之敦不從表補丹陽尹嶠猶懼錢鳳爲之姦謀因敦餞別嶠起行酒至鳳前鳳未及飲嶠因僞以手版擊鳳幘墜地叱曰錢鳳何人温太眞行

敦不飲敦以爲醉兩釋之臨去言别涕泗横流出閤
復入如是再三然後即路及發後鳳入説敦曰嶠於
朝廷甚密而與庾亮深交未必可信敦曰太真昨醉
小加聲色豈得以此便相讒貳由是鳳謀不行而嶠
得還都具奏敦逆謀請先爲之備及敦構逆加嶠中
壘將軍持節都督東安北部諸軍事敦表誅姦臣以
嶠爲首王含錢鳳奄至都下嶠燒朱雀橋以挫其鋒
明帝怒之嶠曰今宿衛寡弱徵兵未至若賊豕突危
及社稷陛下何惜一橋賊果不得渡嶠自率衆與賊
夾水戰擊王含敗之復督劉遐追錢鳳於江寧事平

封建寧縣開國公進號前將軍

褚翜字謀遠陽翟人蘇峻之亂京邑焚蕩人物凋殘乃以翜爲丹陽尹翜收集散亡甚有惠政遷都之議始寢

劉惔字眞長相縣人永和中遷丹陽尹爲政清整門無雜賓時百姓頗有訟官長者惔歎曰居下訕上此弊道也古之善政司契而已君雖不君下安可以失禮若此風不革百姓將往而不反悉寢不問性簡貴有人倫鑑每奇桓溫才而知其有不臣之志及溫爲州惔言於會稽王昱曰溫不可使居形勝地其位

常宜抑之昱不納及温伐蜀時咸謂未易可制
爲必克或問其故云以蒱博驗之其不必得則不
恐温終專制朝廷及後竟如其言嘗薦吳郡張憑卒
爲美士疾篤百姓爲之祈禱年三十六卒于官孫綽
爲之誄云居官無官官之事處事無事事之心人以
爲知言

庾龢字道季鄢陵人亮之子升平中代孔嚴爲丹陽尹
表除重役六十餘事民賴之遷中領軍

羊曼字祖延南城人少知名蘇峻作亂加前將軍丹陽
尹率文武守雲龍門王師不振或勸曼避峻曼曰朝

廷破敗吾安所求生勸衆不動爲峻所害
劉穆之字道和莒縣人從劉裕起義事平遂受心膂之寄時晉綱寬弛威禁不行盛族豪行小民窮蹙重以司馬元顯政令違舛桓元科條繁密穆之斟處時宜隨方矯正不盈旬日風俗頓改領堂邑太守義熙八年加丹陽尹裕擊劉毅以諸葛長民監留府總攝後事裕疑長民難獨任留穆之輔之加建威將軍長民果有異謀而猶豫不能發乃屏人謂穆之曰悠悠之言皆云太尉與我不平何以至此穆之曰公泝流伐而以老母稚子委節下若一毫不盡豈容如

意乃小安裕擊司馬休之中軍將軍道憐知留府事
無大小一決穆之遷尚書右僕射尹如故十二年
北伐留世子爲中軍將軍監太尉留府轉穆之左
僕射仍爲尹入居東城穆之内總朝政外供軍旅決
斷如流事無壅滯賓客輻輳求訴百端内外諮禀盈
堦滿案目覽辭訟手答牋書耳行聽受口並酬應不
相參涉皆悉贍舉又數容接賓客言談賞笑未嘗倦
苦裁有閑暇手自寫書尋覽篇章校定墳籍十三年
卒於官
南北朝

徐羨之東海郯人劉穆之卒宋高祖命爲丹陽尹羨之起自布衣以志力局度居廊廟朝野推服遷尚書令揚州刺史

謝方明陽夏人宋永初中尹丹陽善治郡所至有能聲代前人不易其政必宜改者則以漸移變使無迹可尋

蕭摹之南蘭陵人宋元嘉時爲丹陽尹上言佛入中國已歷四代形像塔寺所在千數材竹銅綵糜損無極無關神祇有累人事請自今欲鑄銅像及造塔寺者得列言須報乃得聽爲之文帝從其請

何尚之字彥德灊縣人宋元嘉中爲丹陽尹立宅南郭外置元學聚生徒東海徐秀廬江何曇黃回潁川荀子華太原孫宗昌王延秀會郡孔惠宣並慕道來遊謂之南學會劉湛欲領丹陽乃徙尚之爲祠部尚書

羊元保南城人宋元嘉中爲丞世令累官丹陽丞轉尹廉静寡欲頻授名郡爲政雖無幹績而去後常見思不營財利處家儉薄

劉秀之字道寶莒人宋元嘉十六年除建康令性纖密善糾摘隱微吏民不敢欺以幹理著稱吏部尚書沈演之每稱之於文帝秀之爲治嚴肅以身率下大明

二年遷丹陽尹先是秀之從叔穆之爲丹陽與子弟於聽事上飲宴秀之亦與焉聽事柱有一穿穆之謂子弟及秀之曰汝等試以栗遥擲此柱若入穿後必得此郡穆之諸子並不能中唯秀之獨入時宮禁市百姓物不時給値市道嗟怨秀之以爲非宜陳之甚切廣陵王誕爲逆秀之入守東城遷尚書右僕射

袁粲初名愍孫江夏人慕荀奉倩爲人改名粲字曼倩宋明帝時領丹陽尹粲負才氣愛好虛遠雖位任隆重不以事務經懷家居負郭每策杖逍遥當其意得悠然忘返郡內一家頗有竹石粲率爾步往不通主人直造竹所嘯咏自得主人出笑語款洽俄而率去

有識至門方知是袁尹齊高革命粲義不事二姓
舉兵被害
徐陵郯縣人仕梁為安右將軍丹陽尹性清簡祿俸與
親族共之家至乏絶
王沖臨沂人起家梁秘書郎侯景平授中權將軍丹陽
尹習於德令政尚平理雖無赫赫之譽久而見思
杜稜字雄盛錢塘人事陳武帝於京口梁紹泰中為丹
陽尹武帝即位任遇益重武帝殂時內無嫡嗣外有
彊敵侯瑱安都徐度等並在軍中唯稜任建康獨典
禁兵乃與蔡景歷等秘不發喪奉迎文帝天嘉元年

以預建立功改封永城郡侯尹如故稜歷事二朝並
見恩寵末年不預征役優游建康賞賜優洽卒時年
七十

袁樞字踐言陽夏人也家世顯貴貲產充積而樞獨居
處率素非公事未嘗出遊榮利之懷澹如也陳天嘉
中領丹陽尹在官清愼門無雜交而性復周密每有
舉薦多會文帝意外人無知者

唐

盧祖尚樂安人武德中爲蔣州刺史甚有能名遷壽
都督

顧貞卿字清臣曲阜人肅宗時爲昇州刺史清嚴正直風采凛然人不敢干以私時劉展有異謀貞卿慮侵軼江南乃選將訓卒繕戎器爲水陸備都統使李峘以爲生事密奏之詔徵爲刑部侍郎及展舉兵渡淮峘敗没議者始多貞卿而絀峘

徐知誥字正倫徐州人也天祐十四年爲昇州刺史時江淮初定州縣吏多武人務賦斂爲戰守知誥獨好學接禮儒者能自勵爲勤儉以寬仁爲政民望歸之徐温聞昇有善理往視之見其府庫充積城壁修整乃徙治之知誥後復姓李氏改名昇爲南唐烈祖

宋

楊克讓字慶孫[illegible][illegible]人開寶八年平江南命克讓知昇州時初定之後克讓每視事自旦至暮決斷如流無有凝滯當官以清幹稱加兵部員外郎

賈黃中南皮人太平興國二年知昇州爲政簡易部內甚治一日案行府署中見一室扃鑰甚固啓視之得金寶數十櫃直數百萬乃李氏宮閣中遺物也即表上之太宗謂侍臣曰非黃中廉恪則亡國之寶法而害人矣賜錢三十萬視事五年召歸闕累

馬亮字叔明合肥人景德初自潭州徙知昇州事屬歲
旱民饑湖湘漕米數十舟適至亮移文守將發以賑
民因奏灝江諸郡皆大歉而吏不之救願罷官糴令
民轉粟相賙在郡務求民瘼舊俗失意相讐往往乘
風縱火亮發覺誅惡少數人又治城東北乃唐德昌
宮故地獲錢二百餘斤籍之以備供帳亮四守是郡
有智略敏於政事官至太子少保諡忠肅

張詠字復之鄄城人有治才眞宗朝以禮部侍郎知昇
州供奉官鄭志誠使昇州還言黃雀飛蔽日又聞空
中若水聲眞宗因出書示王旦曰此皆民勞之兆張

詠在彼吾無慮矣城中多火詠廉得不逞之人潛肆燔爇者斬之由是遂絶三年春州民以詠秩滿願借留即授工部尚書令再任仍賜詔褒獎殿直范延貴還金陵詠問沿途好官延貴以萍鄉宰張希顔對詠曰何以知之對曰自入縣境橋道完田野闢市無賭博更鼓分明以是知其必善政也詠大笑曰希顔固善矣天使亦好官也即日同薦於朝皆號能吏詠尋言州當水陸要衝有兇惡累犯者請並許刺配是秋以江左旱歉命克昇宣等十州安撫使出手札令進禮部後以疾代還詠剛方自任爲治尚嚴樂[illegible]

節眞宗嘗稱其材任將帥以其不盡其用云

薛映字景陽家於蜀進士及第初通判昇州累遷樞密
直學士知州事映學藝吏術俱優章奏尺牘下筆立
成爲治嚴明吏不能欺每五鼓冠帶黎明據案決事
雖寒暑無異時官以牛賦民出租牛死租不得蠲映
上章言之眞宗矍然曰朝廷豈知此邪因令諸州條
奏悉蠲之後官至集賢院學士

薛顏字彥囘萬泉人眞宗天禧二年改昇州爲江寧府
顏知江寧府事有邏者晝劫人反執平人以告顏視
其色動曰若眞盜也械之果引伏轉右諫議大夫歷

光祿卿

王隨字子正河南人天聖初自楊州徙知江寧府隨外若方嚴以寬爲治練習民事皆能用其所長歲大饑時轉運使移府發常平倉米計口日給隨不聽曰民饑由兼并閉糴以邀高價耳乃大出官粟私價遂平處士侯遺於茅山營書院教授生徒積十餘年自營糧食隨奏欲於茅山莊田內量給三頃充用從之在郡二年後官至同中書門下平章事

李若谷字子淵豐縣人明道間加集賢院學士知江寧府事在郡多惠政吏民懷之有卒挽舟過境若[illegible]

其寒瘠留養視之須春溫遣去民匄於道者以[illegible]
諸僧寺助給春爨未朞召還上言乾元節每年[illegible]
絹各一千伏緣當府不產錢以是配買累歲災傷人
民貧困已將省庫紬絹二千匹上進候豐稔仍買銀
進始詔銀依市價不得損民史稱若谷性資端重治
民多智慮愷悌愛人去後益見思終叅知政事
張奎字仲野臨濮人慶曆八年江寧府治火諫官言金
陵始封之地守臣視火不謹宜擇才臣繕治之遷右
諫議大夫知府事奎簡材料工一循舊制不踰時完
鋤姦植良恩刑並施江表稱治還判吏部流內銓終

樞密直學士奎治身有法度風力精強所至有治績
吏不敢欺故知名一時

張方平字安道南京人皇祐初知江寧府慷慨有氣節
當官亮直未嘗以詞色假人在府二年入判流內銓
拜參知政事

李宥知江寧府民有告人殺其子者曰吾子去家時著
若巾今巾是矣人自誣服宥疑召問卒申其枉

劉湜字子正彭城人皇祐四年江寧饑擢知府事湜奏
運蘄州米五十萬斛以貸饑民

包拯字希仁合肥人嘉祐初知江寧府性峭直惡

刻務敦厚雖甚嫉惡而未嘗不推以忠恕與人不苟合不爲辭色悅人平居無私請於人親黨皆絕之雖貴衣服器用飲食如布衣時召權知開封府累官樞密副使

王琪字君玉華陽人嘉祐間知江寧府先是府多火災或託以鬼神人不敢救琪召令廂邏具爲作賞捕法未幾得姦人誅之火患遂息琪性孤介不與時合數臨東南名鎮政尚簡靜每疾俗吏飾厨傳以沽名譽故待賓客頗闊閒造飛語毀謗終不自恤云

梅摯字公儀新繁人初令上元嘉祐三年知江寧府摯

性淳静不爲矯厲之行政迹如其爲人尋徙河中

馮京字當世江夏人嘉祐五年知江寧府諸縣公事至郎歷究之不以付獄報下捷疾一無壅滯人服其敏明年以翰林學士召還累官樞密院

呂溱字濟叔揚州人治平間知江寧府精識過人辯訟立斷豪右歛跡一時名輩皆推許云

傅堯俞字欽之須城人熈寧中知諫院遇事輒言五年改知江寧人以爲法令未安者必多更改堯俞到郡一遵條約曰君子素其位而行諫官有言責郡知守法而已司馬光以清直勇稱之

陞佃字農師山陰人元祐七年知江寧府人有盜殺其兄者誣三人爲同謀皆抵罪一囚父稱寃通判以下皆曰獄已成不可變佃爲閱實三人皆得釋由是人服其明

曾肇字子開南豐人元祐閒知江寧府肇儒者有吏才文學法理咸精能在郡多善政紹聖元年改知瀛州

蔣靜字叔明宜興人崇寧五年知江寧府抗直不畏强禦茅山道士劉混康以技進賜號先生其徒爲姦利奪民墓塲强市廬舍詞訟至府吏觀望不敢治靜悉抵於法人皆稱快

沈錫字子昭揚子人大觀三年以徽猷閣待制知江寧府張懷素誅朝廷疑其黨有脫者由是怨家多誣告郡獄爲滿錫至察其妄者罪之因疏於朝他郡繫者皆得釋歷知海泰洪宣四州以通議大夫致仕

李彌遜字似之建炎二年江寧牙校周德叛執帥宇文粹中殺官吏嬰城自守勢猖獗彌遜以江東運判領郡事單騎扣賊圍以蠟書射城中招降賊通款開門迎之彌遜諭以禍福勉使勤王時李綱行次建康與謀誅首惡五十人撫其餘黨一郡帖然

呂頤浩齊州人建炎三年始改江寧府爲建康頤[illegible]

江東安撫制置使兼知府事時苗傅劉正彥爲逆逼
高宗避位改元詔至江寧頤浩曰是必有變其子抗
曰主上春秋鼎盛二帝蒙塵沙漠日望拯救其肯遜
位於幼冲乎灼知兵變無疑也頤浩即遣人寓書張
浚曰時事如此吾儕可但已乎浚亦謂頤浩有威望
能斷大事書來約會兵討賊時江寧士民洶懼頤浩
乃檄楊惟忠留屯以安人心且恐傅等挾帝繇廣德
渡[redacted]王先爲控扼備上言今金人乘戰勝之威群盜恣
蠭起之勢興衰撥亂事屬艱難豈容皇帝退享安逸
請亟復明辟以圖恢復遂以兵發江寧舉鞭誓衆士

督感厲將至平江張浚乘輕舟迓之相持而泣咨以大計頤浩曰事不諧不過赤族爲社稷死豈不快乎浚壯其言即舟中草檄進韓世忠爲前軍張俊翼之劉光世爲游擊頤浩浚總中軍光世分軍殿後頤浩發平江傅等恐懼乃請高宗復辟師次秀州頤浩勵諸將曰今雖反正而賊猶握兵居内事若不濟必反以惡名加我翟義徐敬業可監也次臨平傅等拒戰頤浩被甲立水次出入行陣督世忠等破賊傅正彦引兵遁頤浩等以勤王兵入城都人夾道聳觀以手加額朱勝非罷相以頤浩守尚書右僕射[illegible]

淮御營使改同中書門下平章事紹興八年高宗
還臨安除少傅兼知建康行宮留守頤浩引疾求去
除醴泉觀使贈太師封秦國公謚忠穆
權邦彥建炎中知建康府劇盜張琪殘虐徽州邦彥遣
裨將討平之爲政以治辦見稱
葉夢得字少蘊吳縣人紹興初爲江東安撫大使兼知
建康府時建康荒殘兵不滿三千夢得奏移統制官
韓世清軍屯建康崔增屯采石閻皐分守要害遣張
偉招諭王才降之以其衆分隸諸軍濠壽叛將寇宏
陳下陽受朝命陰與劉豫通夢得諭以禍福皆聽命

及豫入寇下擊敗之僞齊兵遁八年除江東安撫制置大使兼知建康行宮留守奏防江措畫八事一申飭邊備二分布地方三把截要害四約束舟船五團結鄉社六明審斥堠七措置積聚八責官吏死守又言建康太平池州緊要隘口江北可濟渡去處其一十九願聚集民兵把截要害命諸將審度敵形并力進討金兵進逼歷陽張俊諸軍遷延未發夢得見俊請速出軍曰敵已過含山萬一金人得和州長江[illegible]可保矣俊趣諸軍進[illegible]聲勢大振金兵退屯昭關年金復入寇迭至拓[illegible]得團結沿江民兵數萬

據江津遣子模將千人守馬家渡金兵不得渡而去
初建康屯兵歲費錢八百萬緡米八十萬斛榷貨務
所入不足以支至是禁旅與諸道兵咸集夢得兼總
四路漕計以給饋餉軍用不乏故諸將得悉力以戰
詔加觀文殿學士

趙鼎字元鎮聞喜人紹興二年代李光知建康府事時
孟庾韓世忠皆駐軍府中多招安強寇鼎素有剛正
之風庾世忠加禮敬兩軍肅然民賴安堵商旅通行
高宗嘗謂王庶曰鼎鎮撫建康回鑾無患他人所不
及也未幾移洪州

張浚字德遠綿竹人紹興六年命浚渡江徧撫淮上諸
戍浚入覲力請幸建康三十一年春金騎充斥王權
兵潰劉錡退歸鎮江遂改命浚判建康府兼行宮留
守浚至岳陽買舟冒風雪而行遇東來者云敵方焚
采石煙燄漲天慎無輕進浚曰吾赴君父之急知直
前求乘輿所在而已乘小舟徑進過池陽聞亮死餘
衆猶二萬屯和州李顯忠兵在沙上浚往犒之一軍
見浚以爲從天而下浚至建康即辦行宮儀物請[illegible]
輿亟臨幸高宗幸建康浚迎拜道左風采[illegible]然[illegible]
皆倚以爲重高宗幸荊還臨安勞浚曰卿在此[illegible]

[illegible]兗節制鎮江江州池州江陰軍馬金兵十萬[illegible]海州浚命將往救大破之招集忠義及募淮楚壯勇以陳敏爲統制且謂敵長於騎我長於步衛步莫如弩衛弩莫如車命敏專制弩治車孝宗即位召浚入見改容曰久聞公名今朝廷所恃唯公賜坐降問浚從容言人主之學以心爲本一心合天何事不濟必兢業自持使清明在躬則賞罰舉措無有不當人心自歸敵讎自服孝宗悚然曰當不忘公言除少傅進封魏國公尋召浚子栻赴行在浚附奏請上臨幸建康以動中原之心隆興中加尚書右僕射同中書門

下平章事兼樞密使都督如故累贈太師諡忠獻
陳俊卿字應求興化人紹興八年登進士遷中書舍人
孝宗志在興復方以閫外事屬張浚浚以俊卿忠
義沈靖有謀克江淮宣撫判官兼權建康府事奏曰
吳璘孤軍深入敵懸衆拒戰久不決危道也兩淮事
勢已急盍分遣舟師直擣山東彼必還師自救而璘
得乘勝定關中我及其未至潰其腹心此不世之功
也會王和議方堅詔璘班師亦召俊卿隆興初建
督府於建康俊卿除禮部侍郎參贊軍事張浚
舉北伐俊卿以□未可已而邵宏淵兵果潰

保[illegible]州王和議者幸其敗橫議搖之俊卿從[illegible]
秩知建康府逾年歷觀文殿大學士累章告歸[illegible]
五年復除特進起判建康府兼江東安撫俊卿去建
康十五年父老喜其再來爲政寬簡罷橫征時御前
多行白劄用左右私人特送俊卿奏非便孝宗手札
獎諭除少保判建康如故八上章告老以少師魏國
公致仕贈太保謚正獻
洪遵字景嚴鄱陽人乾道七年以端明殿學士權知建
康府令民酤米正額外不輸耗聽自持斛量庾人不
能爲奸時虞允文當國有北征志先調侍衞馬軍出

屯其在府者五軍謀築營砦無慮萬竈邏徧行郊野求砦地無妨民廬舍冢墓區畫既定始興役營卒譁妄言揺衆斬之三軍無敢譁有晝入旗亭挺刀椎壚者械付獄驛上奏未下統帥懼得譴請自治之孝宗怒罷統帥遵亦坐貶未幾五營成復原官仍拜資政殿學士

李椿臨安人乾道初知建康府兼本路安撫使上書極言防江十策皆直事宜不涉浮泛孝宗許之

張燾字子公德興人初以忤秦檜罷歸十三年檜死起知建康建康積歲盈內庫錢帛鉅萬悉爲奏[illegible]

復知建康金人窺江南民驚徙過半聞燾至人情[illegible]
安詔條上恢復事宜燾首陳十事大率欲預備不[illegible]
持重養威觀釁而動期於必勝尋除同知樞密院
劉珙字共父崇安人淳熙二年知建康會歲祲首奏蠲
夏稅糧六十萬緡秋苗米十六萬六千斛禁止上流
稅米過糴得商米三百萬斛貸樁管及總司錢遣官
糴米上江得米四萬九千斛籍主客戶高下給米有
差又運米村落置場平價賑糶舊貸無取償起是年
九月至明年四月闔境數十萬人無一捐瘠流徙者
進觀文殿學士屬疾請致仕孝宗遣中使以醫來疾

書草遺奏言恭顯叔文近習用事之戒今以腹心耳目寄之此曹朝綱以紊士氣以索民心以離咎皆在此陳俊卿忠良確實可任重致遠張栻學問醇正可拾遺補闕願亟召用之孝宗嘗曰前宰執治郡往往不以職事關懷陳俊卿在福州劉珙在建康于職業極留意治狀著聞未可換易其爲上所知如此珙將明果斷喜愛盡言事有小失下吏言之立改臨鎮民愛之若父母聞訃罷市巷哭相與祠之

張枃知建康府遇事不凝滯多隨宜變通以治稱

徐誼知建康府兼江淮制置使時金人攻廬楚不下[illegible]

人流江南在建康者以數十萬計誼晝夜撫循之
備禦地方賴之
葉適字正則永嘉人開禧間詔諸將四路出師適告侂
胄宜先防江不聽未幾諸軍皆敗乃除適知建康兼
沿江制置使適請于朝乞節制江北諸州及金兵大
入一日有二騎舉旗若將渡者淮民倉皇建康震動
適謂人心一搖不可復制惟刦砦南人所長乃募市
井悍少并帳下願行者得二百人使采石將徐緯統
以往夜過半遇金人蔽茅葦中射之應弦而倒矢盡
揮刀以前金人皆錯愕不進黎明知我軍寡來追則

已在舟中矣復命石跋定山之人劫敵營得其俘馘
以歸金解和州圍退屯瓜步城中始安又遣石斌賢
渡宣化夏侯成等分道而往所向皆捷金自滁州遁
去時羽檄旁午而適治事如平時軍需皆從官給民
以不擾兩淮民渡江者給錢米其來如歸兵退進寶
文閣待制兼江淮制置使措置屯田遂上堡塢之議
初淮民被兵驚散日不自保適歲於墟落數十里內
依山水險要爲堡塢使復業以守春夏散耕秋冬入
堡凡四十七處又度沿江地創三大堡石跋則屏蔽
采石定山則屏蔽靖安瓜步則屏蔽東陽下蜀[illegible]

溧陽東連儀眞緩急應援首尾聯絡東西三百里南北三四十里每堡以二千家爲率教之習射無事則戍以五百人一將有警則增募新兵及抽摘諸州禁軍二千人并堡塢內居民通爲四千五百人共相守戍而制司於每歲防秋別募死士千人以爲劫砦焚糧之用三堡既成流民漸歸尋奪職奉祠後官寶文閣學士通議大夫

黃度字文叔新昌人嘉定初知建康府兼江淮制置使至金陵罷科糴輸送之優活饑民百萬口除見穀二十餘萬擊降盜卞整斬盜胡海首以獻招歸業者九

萬家佽胄常募雄淮軍巳收剌者十餘萬人別屯數千人未有所屬度憂其爲患人給錢四萬復其役遣之遷寶謨閣直學士加朝議大夫累疏乞休不許除禮部尚書

馬光祖字華父金華人寶祐三年以寶章閣直學士知建康府始至官即以常例公用器皿錢二十萬緡支犒軍民減租稅養孤寡招兵置砦給錢助諸軍婚嫁屬縣稅折收絲綿絹帛倚閣除免以數萬計與學校理賢才辟召察屬皆極一時之選拜端明殿學士知江陵府去而建康之民思之不巳開慶元年復命知

資政學士再知建康士女相慶光祖益思寬養民力興廢起壞知無不為蠲除前政逋負錢百餘萬緡[illegible]利稅課悉罷減予民修建明道南軒書院及上元縣學樽節費用建平糴倉貯米十五萬石又為庫貯糴本二百餘萬緡發糴常減於市價以利小民修飭武備防拓要害邊賴以安其為政寬猛適宜事存大體公田法行光祖移書賈似道言公田法非便乞不以及江東必欲行之罷光祖乃可進大學士兼淮西總領召赴行在遷提領戶部財用兼知臨安又以沿江制置江東安撫使知建康郡民為建祠六乞致仕不

討歷參知政事知樞密院致仕謚莊敏光祖練兵豐
賦三至建康終始一紀威惠並行百廢修舉逮今遺
愛猶在民心
趙善湘紹定初知建康府𢫟防江軍寧淮軍及平叛寇
皆有功遷江淮安撫制置使
吳淵爲江東安撫使兼知建康府興利除害究心軍民
列上二十五事詔下奇之弟潛大府卿兼沿淮制置
知建康府論保蜀之方護襄之策防江之筭備[illegible]
宜甚有條理詳人物志
董槐定遠人淳祐間知建康府時軍政弛弗治乃[illegible]

三等以教射歲餘盡爲精兵
姚希得字逢原潼川人開慶中知建康希得按行江干慰勞士卒衆皆歡說溧陽饑發廩賑濟全活者衆初寧江軍自建康太平至池州列砦置屋二萬餘間屯戍七千餘人理宗聞之一再降詔獎諭加寶章閣學士
胡旦字周父渤海人爲昇州通判時江南初平汰李氏時所度僧十減六七旦曰彼無田廬可歸將聚而爲盜悉黥爲兵遷左拾遺
蔣堂字希魯宜興人太平興國中通判昇州淸約如寒素太宗召爲

宸制誥問曰卿舟惟載惟石瘤木器可見清節

呂蒙正字聖功河南人太平興國中通判昇州陛辭有

旨民事不便者許騎置以聞賜錢二十萬代還歷官

參知政事

陳少連字希逸開封人天聖中張士遜守江寧辟通判

府事少連通敏有才遇事無大小決遣如流不爲權

勢所屈遷爲御史臺推直官

滕宗諒字子京河南人通判江寧府宗諒尚氣節[illegible]

自任好施與卒家無餘財所蒞州喜建學學者[illegible]

淮間

沈遘字文通錢塘人通判江寧府遘以文學致身而
於治才歸奏本治論仁宗曰近獻文者率以詩賦
若此十篇之書爲可用也除集賢校理歷龍圖閣直
學士
楊邦乂字晞稷吉水人舉政和中進士值時多艱每言
及國事詞旨慨慷以節義自許調建康府教授改知
溧陽會叛卒周德執府帥宇文粹中將攻溧陽邑人
震恐趙明者里中豪也以事繫獄邦乂出之於庭諭
曰汝能殄賊貰汝罪且官汝明許諾飲卮酒縱之明
約其素所善者果擒賊邦乂以勞授通判建康府事

建炎三年金人至江上杜充爲御營使駐節建康李梲以戸部尚書督軍餉相率迎降邦乂獨不屈大書衣裾曰寧作趙氏鬼不爲他邦臣授其僕曰持此見吾志吾必死之梲等强擁上馬見完顔宗弼使之拜邦乂不從明日授以舊官邦乂以首觸柱流血曰世豈有不畏死而可以利動者幸速殺我又明日宗弼與梲等宴立邦乂庭下邦乂曰若等爲天子守土敵至不能抗更與宴樂尚有面見我乎有劉團練者以幅紙書死活二字以示邦乂奮筆書死字金人相顧動色然未忍加害已而再見宗弼邦乂不勝憤詬罵

望大罵宋弼怒殺之剖取其心明年事聞贈直祕閣即死所立廟賜額褒忠官其子二人紹興七年加贈徽猷閣待制賜田三頃

元絳字厚之錢塘人明道初調江寧推官時江淮旱災官發廪米爲糜以哺流民絳躬自給視饑病者數萬皆得以濟攝上元令民有號王豹子者豪占人田畧男女爲僕妾有欲告者則殺以滅口絳捕寘於法有妻告夫爲人所殺訊之實不殺絳敕其妻曰歸治而夫喪陰使信謹吏躡其後望一僧迎笑切切私語絳命取僧繫廡下詰妻姦狀即吐實人問其故絳曰吾

見妻哭不哀且與傷者共席而稱無血屬是以知之安撫使范仲淹表其材除秘書省著作佐郎知永新縣累官參知政事

李及字幼幾范陽人調昇州觀察推官資質清介所治簡嚴喜薦下吏而樂道人之善寇準薦其才擢大理寺丞

元

岳天禎冠氏人大德十年爲建康路總管値歲饑官廩中無儲粟乃諭富戸出鈔二萬錠賑濟饑民賴以全活者甚衆時米價騰湧牙儈旁緣爲奸天禎杖[illegible]

錢縣者召商旅飲之酒以義諭之佑值乃平郡中立
祠祀遺愛至大二年卒于官

明

楊元杲滁人洪武初扈蹕渡江以行省員外郎陞應天
府知府時尚未改尹練達政體智慮周密爲時所稱
鄭沂不知何許人明初爲監察御史洪武三年沂上言
京師爲天下根本四方之所瞻仰爵位之設當使内
尊而外卑内重而外輕所以隆國勢而安天下也今
爲京知府與在外知府向無内外之統宜改爲京
尹則國體尊而爵位重矣上從之四年遂以沂爲府

尹六年致仕

顧佐太康人永樂十八年以陝西按察副使陞應天尹公廉有威重當官嚴毅風采凜然一時勳貴豪猾皆爲斂手時方之包孝肅歷左都御史湔滌積弊黜陟賢不肖百僚憚之時稱爲顧獨坐

薛均湖廣蘄水人永樂中授應天府尹廉明持正買地種蔬旦暮荷鋤往耘日飽菜茹文皇密使人廉之[illegible]其狀笑曰人皆行樂惟朕與均苦耳然庭無廢[illegible]天先是租不時納嘗募者皆以罪去均到官[illegible]完報最之乞歸

鄺埜字孟質宜章人宣德十年以陝西副使陞應天尹

上言京郡秩正三品特給銀印與在外府治不同凡

有政務面奏特旨及承行六部都察院劄付乃監察

官巡視遇有公務輒便進呼恣肆凌壓非國體宜定

式如古京兆尹便疏入從之埜以養民為務凡市征

口稅皆酌其平豪猾不得倚勢輕重公私便之正統初

進兵部左侍郎己巳親征埜力諫阻比出關數請回鑾與王振忤卒死土木之難景泰

中贈少保

謚忠肅

曾宗志字懋功天台人由進士成化十年為應天尹先

是七邑民阻饑逋賦數萬石宗志勸貸以輸而賑其

貧者溧水有奸民武斷于鄉爲人所患有司莫敢誰
何崇志擒治之中貴人王敬怙勢以鹽二萬引懇鬻
沮壟利崇志厲色拒之憚弟詳稚一介不苟取予怨
有不讐而德無不報尤加意青衿介儒學櫺星三門
猶其創建云
子晁字景瞻錢塘人忠肅公謙之子景泰初以父功廕
府軍千戶謙死坐謫龍門成化初謙事白加贈予[illegible]
因復晁官請改文資授武庫員外郎歷陞應天[illegible]
聰明特達好學崇禮興利鋤弊一以仁愛爲心[illegible]
家難而聲問不[illegible]人[illegible]之

文瑩常山人弘治五年爲應天尹時百姓殷富民俗淳愛鮮犯法瑩亦坦直不立威嚴與民言若家人民懷之

吳雄仁和人弘治十四年爲應天尹風局嚴整以肅清爲任時大璫守留臺者恃勢多所侵擾縣官不敢違雄一切裁之以法勢少沮嘗曰任怨吾不辭但不至瘠吾百姓耳後亦不能害云

王震字威遠邢臺人弘治癸丑進士授戶部主事歷陞河南左布政十六年陞應天府尹奏罷上元江寧花園夫千餘人省諸官寺獄具銀千餘兩豁江灘蘆葦

千餘頃以佐赤縣里甲費事書上乞骸骨歸
王爌字存約黃巖人弘治壬戌進士嘉靖初爲應天尹
應天賦徭繁重富人多投內監神帛堂以避而積累
貧者爌奏革織匠銅匠竹匠守庫薪夫等八百餘人裁
齊庶人之供億節中使之浮餼籍記縣司丁錢使諸
司不得恣取冗費爲之一清他如議罷京邑種馬議
發內帑絲織神帛議內府局監不當索用紅站船隻
議輕荒稅蕪流亡議料田出賦均貧富疏數十上[illegible]
切時病每一奏下民歡呼若更生與胥吏語未嘗[illegible]
怒色而受錢事覺即案治如法又以其間挍[illegible]

等者躬課之郡齋自是多掇巍科皆嬪教也仕三
餘年所論薦多當世名流平居恂恂若無甚可否至
臨大節決大疑則毅然不可奪升沉利鈍視之泊如
有京兆遺愛錄傳于金陵
柴奇字德美崑山人正德辛未進士以南京光祿少卿
陞應天府丞值尹闕攝篆五月巡撫陳祥薦之陞府
尹清查官占埋沒地還之民間以絕權勢起佃之謀
積科試羨餘開拓貢院規模爲之一新
孫懋字德夫浙江慈谿人正德辛未進士爲南吏科給
事中值武宗南幸懋與參贊喬公宇悉心調護時宸

濠艦泊龍江與逆黨錯繫江彬等日導上夜遊將伺便竊發懋伏行宮請廻鑾疏數十上指斥彬罪尤切會彬生日武遨懋同賀懋厲聲曰吾不能置彬死而乃賀其生耶彬甚銜之然亦以此不敢動嘉靖間任府尹下車以鋤强暴抑兼并爲務內府上納及織造凌虐頗爲民累乃力爲裁省鋪戶供應貽害頗甚疏輕其役他如驛遞夫船倉塲歲計及民壯工匠在官者冒濫甚多悉爲清革懋嚴明有體若飾自持間三十年如一日以老乞歸卒贈副都御史賜祭葬

劉自强河南人操持嚴峻人不敢干以私嘉靖中爲

天尹值歲旱自強撤葢步禱涕泣告神甘雨如注[illegible]顛更生甲子試士自強置火爐于堂凡有私札卽[illegible]火焚之南太宰某以薦書納官封中遣吏持往付[illegible]曰彼此衙門不相干涉何文移爲揮去之吏固請[illegible]封自強怒自起擊之其公嚴如此

汪宗伊字子衡湖廣崇陽人嘉靖戊戌進士爲兵部郎以執論嚴嵩事忤時宰自免歸隆慶初起官歷應天府尹宗伊仁心爲質視民如傷而吏事精敏綜覈無遺條畫上江二縣徭賦歲省萬餘金著爲額先是城居坊民本無土田因里甲凋敝代供諸司破產相屬

其役改爲僱役立碑二縣歲徵二千金于庫官收吏支而諸司沓至縣不能給復取之坊民溢額强半宗伊毅然裁減二縣歲徵九百金責報循環并里甲賦役具疏上聞報可于是濫差不及坊民以紓遷大理卿進戶部尚書卒

方良曙字子賓歙人由進士授工部主事榷荆州木乾時方構三殿需大木蜀商恐見稽咸自匿良曙至任吏請榷舟以充課額良曙曰吾職榷木非榷舟也奈何移害于人蜀賈聞廉聲翕然就榷課無虧額仍有所羨良曙悉免之論聲載道進郎中讞畿輔獄多所

平反歷轉應天府尹釐剔井井甫及兩月有希
旨者劾以老令致仕艮曙聞之曰吾意也即日巾車
返里中
徐申字維嶽一字文江吳縣人萬曆丁丑進士授海陽
令召入爲御史三按畿省歷陞應天尹值御府傳造
龍旂帘屏諸供具費以鉅萬計賦額外無所措手申
上疏極諫不得請乃增置錢局鼓鑄借餘貲供之起
運外得羸金六千有奇以抵諸費而民不擾上江兩
邑坊廂久爲民厲申條奏革之歲省光祿九庫及宴
會修造不經諸費六千餘金省科場供應千餘金增

號舍三百而民不知役又奏減丁銀嚴繩詐冒禁止鋪行勒諸石爲永惠礦稅興朋煽沓擾申力爲調停以代征歸有司且裁其額商始不能肆而三課更有餘務以給河工糴倉穀省編戸又六千餘金大風拔近畿民家木姦人誣其坎爲盜礦擄劈趣之斧鑿浸及山麓申白民寃宣言此陵脉所自來誰敢奸之乃斂手退八縣馬場山久爲民業有奸弁煽諸璫請買價上納申昌言正拒之得報罷帑藏錢糧出入故難核申立指掌册躬自會稽綱目井井隱冒那移一切無所中嘗語人曰府藏故不紬吾一核之而[illegible]

數千金立辦在心計何如耳數延見鄉先達究問民
所疾苦與利害興革所宜故能周知而復善應如此
晉通政使請告歸
黃承元字與參浙江秀水人萬曆丙戌進士游歷藩臬
幾二十年授應天府尹下車之始首咨民瘼亟議興
革考嘉靖甲子舊例請增科舉至三十餘人入學至
二十餘人又獨府帑增號舍二百間使士無蓬號輪
號之苦凡科場一切供億悉出帑金平值貿易不以
累民所給諸生茗餌羹糝之屬無不精好以至油燭
石硏皆官爲辦之貧生得沾實惠往年遇科場官之

徵發民之將輸上下怔營幾無寧日承元在事都城寂若無聲而事皆克辦時已拜撫閩之命爲停驂以終事他如嚴署篆之選革加耗之弊禁保家之害詰胥吏之奸遏鼓鑄之利焚織造之籍精考校之法拔幽滯之才爲尹僅踰年而德化風行士民至今思之不忘云有生祠在貢院之左

姚思仁字羅浮浙江秀水人萬曆癸未進士爲應天府尹剛毅清正風裁凛然人畏而愛所治有罡黨害民巡視御史不能治思仁盡行訪捕有立斃者有配遣者遍榜通衢遠邇稱快衙蠹曹懷馬回等私立保歇

名色凡府縣拘提人犯擅行收禁非刑索詐思仁知之收曹懷等寘于法立羈候所以收輕犯民免其患朔望謁聖後必與諸生立詢時務次及德行文藝諄諄訓誨藹若父子膏火不繼者捐俸給之己未歲蝗蝻爲災無以納糧思仁下令捕之每蝗若干準糧如數貧民不能自存者設法賑給全活甚衆民間有唐朝宰相明大京兆二姚媲美民生再造之謠晉工部尚書加宮保年九十餘

徐必達字元伏浙江秀水人萬曆壬辰進士天啓初歷官應天府尹值大婚選淑女于江南中使御命必達

裁諸賄贈食饗所撙節減舊額十之五歲鄉試庀館垣餼厨傳悉心經畫不煩里甲往例八縣京邊錢糧先解府庫稱兌輕重由庫官吏辦驗成色由銀匠叢弊非一必達創爲各縣印官與解官親相交兌之法其歲支各項應入庫者聽解役當堂自兌發出即用原封庫吏無所上下其手府試童生卷皆自備必達特官備以惠孤貧而置溧陽溧水學田以廣樂育皆凡糴穀備賑平糶救荒清勘合以蘇驛困革商税以通貿易實心實政周悉詳明嘉興錢相國謂其用心鬻閔孳孳窮簷而不爲裕蠹府奸剔蠹節浮濫[illegible]

下而不爲胥蠹苛細眞實錄也

談自省字季曾鎭江丹徒人萬曆甲辰進士爲應天尹以去家窘迺謝絕私交葺弊廬好與舉百務如甓鋪商之困寬緜稅之征雪冤間諸生誣誤之冤清奸胥積年侵欺之蠹商民共戴以首拮逆祠爲魏璫所忌授意御史劉弘光劾之乃清愼無過無可摭拾以其與原任吏部主事程公國祥姻婭指爲邪黨削奪同籍輿論惜之

劉之鳳字岐陽河南中牟人萬曆癸丑進士崇禎初爲應天尹清廉謹愼日用滌蔬與寒儒等交際餽遺悉

行屏絕治百姓極寬而御下極嚴積胥見之無不股慄棘闈舊有夾牆凡入試以軍士守之鳳于鎖闈後撤去防軍自行邏察見牆外疊鳥金紙小燈籠者四密以四小木標其處而令人按所在窮詰之得王假官丁燈等四人皆積棍包攬傳遞者也題參盡法夾牆之弊永絕

劉餘祐字玉孺順天人萬曆丙辰進士餘祐性豪爽不矜細節而藻鑑洞然所拔士皆名流留心民事勸課耕農值歲祲積穀救荒全活數萬人命諸荒政皆[illegible][illegible]祐經始而後人踵行增益之民受其賜歷官兵部[illegible][illegible]

書

王公亮直隸華亭人洪武初以能書舉任吏科給事中陞應天府治中念草昧之初民心未定乃剗剔煩苛壹意綏輯以卓異聞遷府丞益自淬勵舉所諳民情吏治斟酌施行之人大悅服永樂改元調四川右布政公亮體貌魁梧舉止都雅居官廉重得大體有明京兆丞能拊民者公亮爲稱首云

寇天敘字汝水山西榆次人正德戊辰進士授南大理評事陞寧波知府政績卓異超陞應天府丞時武廟南幸供億浩煩府尹胡公感勞成疾天敘與大司馬

喬公宇同心協力處之有方上親觀迎春于南郊天敍治具郊外俯伏廊下諸嬖幸欲以遲慢劾之俾其跽直而止時江彬寵冠一時百司往賀生辰行四拜禮天敍獨長揖彬御之曰假其私無所得天敍每日小帽一撒坐堂上自供應朝廷亦毫不妄費彬有所需遣人來天敍語之曰南京倉庫久虛百姓窮苦無可措辦府丞所以微服特罪專候拏問耳彬卻不[illegible]動乃曰寇公真君子也于是他嬖幸亦皆斂迹[illegible]衆欲厚賂諸幸臣天敍終不從獨以迎駕至[illegible]能有所加也中外皆服其才力大軍既歸天[illegible]一[illegible]

民事興學均賦休息地方嘉靖初查舉七事如[illegible]
堂匠十庫花園進鮮船隻等項冗役冗費一旦裁[illegible]
上下稱快甲申歲大饑人相食天敘竭力賑濟設粥
廠以食流民尋瘟疫大作給藥以救親行巡視夜以
繼日不以爲嫌又嘗奏折兌運糧以蘇民困皆獲允
行天敘在應天三載初值車駕駐蹕九月後值荒歉
二年竭力致身不避艱險士民倚重爲保障官至兵
部有傳
楊璨字仲玉松江華亭人嘉靖中爲應天府丞時府尹
陳公錫屢疾在告璨數署篆節財賦平物價郡人稱

便焉故事优家多假手獄卒甘心繫囚舉時巡獄中令凡囚有病非畀藥不効勿狀全活甚衆江寧丞王震巳陞他縣貪酷事覺囑者旁午舉曰彼邑之民何罪焉竟坐以法溧陽民彭鶴齡嘗忤母舅舅誣爲盜詞服贓少瑑察其情曰鶴齡貌非甚貧何利于此訊得誣狀立出之其懲奸釋冤類如此

衛一鳳字伯瑞潞州人由進士萬曆中歷任應天府丞單車臨任所携二三童僕自奉寒儉嚬笑不苟錢穀出入一覽洞然嘗小恙晝卧榻上見一女子爲煮[illegible]一鳳詫而問之女子長跪泣訴曰妾前任張公[illegible]

爲嫡所甃埋後園東牆下魄滯官舍魂不得往生以公正直神鬼所欽求移葬郊外庶游魂得歸耳言訖不見一鳳令人如言啓視果得其屍顏如生治棺改葬焉歷晉南大司馬請告歸

李覺斯字曉湘廣東東莞人萬曆癸丑進士崇禎初爲應天府丞與大京兆詹公士龍立公館于城東會諸鄉約修明六諭進民間之秀而敎之一時佻達之習頓改轉南太僕駐滁陽值流賊犯江北覺斯練率鄉勇斬級千奪馬數百賊望風而靡

徐石麒字寶摩嘉善人天啓壬戌進士除工部營繕司

主簿管節慎庫忤權璫奪職崇禎初補原官歷陞應
天府丞清理學校士風丕變時南都有絲商馬戶兩
大差徭率僉報大戶以充一經僉役家業立破石麒
憫之仿古僱役法令歲納銀若干以資貼備衆皆稱
便更有餘資江浦通江支河約三十里年久淤塞春
冬水涸商販往來必從陸運所費加倍石麒以前餘
資僱夫挑濬直通大河行人利之稱爲徐公河云入
爲刑部尚書以救諫臣姜埰熊開元罷歸

錢士貴字元中松江人由進士崇禎中爲應天丞時
屢不登士貴勸諭積穀力行賑濟貧民得以更生

不能納償久繫獄中者士貫捐金代納俸入不能
至變里中產以足之囹圄爲之幾空

張璋字席之一字二無萬曆巳未進士崇禎庚辰任應
天丞時南畿大旱公私交詘流冗萃處米價至石三
兩有奇璋悉心賑濟于城內外立粥塲十餘所俾飢
民隨遠近就食所活數十萬人辛巳又饑璋踵行不
倦冬賜作絮衣以給寒凍爲芟舍以庇流移分遣醫
士設藥房數所以治疫疾時多棄小兒于道璋令民
間收養餼以官粟經理荒政精悉無遺仍以餘力興
學造士開觀社與諸生講學課藝人文一振性廉其

食惟饘糲陞副都御史士民持瓣香擁送者十餘里不絕壽卒于官謚清惠

金蘭字楚畹紹興人天啓乙丑進士歷陞應天府丞崇禎辛巳壬午間旱疫並作蘭力行荒政與魏國徐弘基及部寺諸公捐俸捐貲設廠開賑仍那措金錢糴米江楚相續賑濟諸如慈幼局冬生房給藥施棺一切善政皆踵張公璋之後而加詳焉大司農上其事從優紀敘蘭初以監察御史督學南畿憐才愛士出自至誠虛公詳慎不謬成見有初閱置後列而要[illegible]之取冠多士者有被黜而探訪宿名取卷[illegible]

丙進試物者于試卷後刊云鑄國名器以錫永之已
于國憲逢天休命而淹寒士必有天殃禁其事士簡
此又善形家言造三台閣于句容之西郊以爲它出
大元榜發楊公瓚芳果中會試第一人
龐嵩字振卿居南海爲唐鄉學者稱爲爾唐先生嘉靖
甲辰由鄉舉授應天府通判晉治中先後八年大京
兆欽屢攝府事初至歲大旱爲督賑委悉實惠活給
公粟既竭貸之鄉先生富民誠意懇惻人多應者全
活六萬七千有奇已而編其積逋冊備勞來復業者
十餘六千有奇郡民苦役重偏議寬之量令甲首輸

鐵免其買辦付之印籌以防侵漁清寄居客戶以助
夫役移僻驛馬匹以甦衝繁查冒籍優免及詭稱官
戶女戶匠戶寄莊戶以實丁口八邑皆蒙惠焉時江
寧苟仙永豐二鄉數有水患居民餘七戶而已歲課
莫辦嵩爲築堤閘萊得田三千六百畝立惠民莊召
貧民佃之流移盡還而全邑無代輸之苦百姓至今
賴之折獄無細大必得其情戚畹王濟寧人彭若龍
占良人妻殺人居間者萬方嵩拒不聽並論死嵩早
王陽明湛甘泉兩先生之門至是建會規于新泉書
院日與諸生講學一時文行之士成就爲多著有日

□所見義勇爲畢縣行縣所至肅然一蔬片檄□□

攝民人目爲麗青天云

李棠字英援福建平和人初令粤長寧倅浙衢皆有惠政萬曆壬子擢判京兆轉江防治中嘗攝理刑及兩縣事於訟獄多所平反辨雪王廷珂陳德等冤獄民稱爲神明溧水糧卒糧戶交鬨幾起變棠奉檄往按片言立解勘平高淳相國圩水利至今賴之學田租爲奸佃冒占查核還之社學十六所歲久湮廢力復之乙卯科場大京兆黃公倜鋪戶賠累之苦盡行裁革悉出官辦棠實襄之蓋若晉擢掌鹽理賦給餉皆

清白無所繫丙辰夏蝗冬饑巽遍行捕禱歲事無眚
以勞瘁卒于官
趙其昌順天永平人由舉人崇禎十六年爲應天治中
時江防廢弛其昌按冊稽察修墩臺製械器營伍一
新每收放兵餉按季支散羨餘即以易錢逐名分給
毫無染指兵士戴之奉批鞫訟詞隨到隨審案無留
牘凡赴各部各院控訴者皆求批江廉呼爲青天[illegible]
寇北犯南都震恐其昌以廉能受委修城隍詰[illegible]
地方賴之
孫春字孟陽萬全衛人天啓中以鄉貢授應天府[illegible]

通判清操自勵攻駒考收恪盡乃心公平不苛民受
其惠每行縣較閱止食公廩一毫不取于民蒔疏公
解以自給其清廉如此
郎文煥字儆愚浙江烏程人由選貢歷任應天府判素
著文名兼優政績大京兆姚公思仁甚器重之每有
疑事必與商榷居官廉正凡鞫批詞不輕罰贖鍰以
媚上官愛重學校每委校觀風精心批閱拔識英俊
多售去登清要者爲水衙司主事在籍不染陞雲南
知府
陳聯璧字珏菴湖廣應山人由廕授應天府通判辛巳

壬午歲大祲民飢相食時鄰境遏糴大京兆以璧廉而有才姿任湖廣糴米分設五廠平價以賣復為廬蓬以居就食流民輕省刑罰減徹騶從鼓舞富戶輸粟相濟故連歲凶荒民賴全活後遷刑部主政歷官河南憲副

余若楠河南人由鄉薦萬曆中授應天府推官加意學校生童月有課藝為政剛柔互劑清正不私直指按臨詞訟浩煩若楠奉委鞫勘十行俱下左右手皆[illegible]書或兩手並用批決如流嘗委署溧陽時[illegible]甚急若楠星馳至縣比戶勸諭紳民感動[illegible]

千金南北皆有所濟縣民刁悍詞多訐若楠集衆于庭勸令息爭止訟民服其化有余青天之稱陞戸部主事遮道泣送者千餘人

劉大川字卬浦北直易州人由舉人任應天推官父斯澤官南大宗伯生七子皆以門蔭仕至二千石大川獨立志讀書登鄉薦居官愛民如子好士下賢不事鞭朴請託盡謝同官敬而畏之轉戸部主事職總巡追比甚寬而糧額具足陞鄖陽太守值單輿勞瘁卒于官

彭期生浙江人萬曆丙辰進士歷任潛县崇禎中謫授

應天推官不攜家室僕從自隨而已既至官屬邑例
供薪米却不受題壁云家鄉有赦水移向任所來誰
能不飲食竊恐是民財其清介如此遇事明了毫無
停滯每聽訟必于法外行仁不妄入一罪不輕用一
刑而人自凜凜不敢犯有地棍沙四者充當江寧驛
馬户爲直指所訪斷贓定罪矣顧四去而驛遞廢弛
累鄉民二十四家朋當既而并及一鄉四鎮賠擾無
安梲期生訪知其故出四于獄諭之曰汝能改過從
趨此驛吾宥汝四聞言感激期生捐金予之責令
整數日之內得馬四十匹供應不匱請于直指

其賊罪四亦感恩改行卒為善人大京兆缺明並署篆遴正嘉以來先達李公應楨沈公越等十人送入鄉賢以志景行後擢兵部職方每夜私行詰奸究嚴扃鑰以忤權貴乞休

大清

李正茂字生周順天人順治二年為應天府尹改江寧府知府時百務草創一無成規可守正茂創設各署建修利涉上方石城等橋竭力經營不辭勞費瘡痍初定人心惶惶正茂一意撫循保全善類革減重刑不肯輕定一死獄每存心施政必質之神明無敢以

惡爲喜怒是以多所利濟竭力撫輯地方安堵在任數年抑豪惡禁羅織定賦則絶竿牘校士秉公士民至今思之

林天擎字玉礎遼東人順治四年爲江寧知府一意愛民綜覈利弊胥吏歛手時軍興旁午百費取給天擎咄嗟立辦于民無擾以舊國子監改創府學興起人文晝大中橋界萬家安居六合冶山妖逆惑衆天擎立擒之凡滿漢有訟片言折之輙心服而去大[illegible]獄剖決如神晉守憲正己率屬懲訐訟革委[illegible]分設粥廠活饑民二百餘萬蠲免災傷招撫[illegible]

車往來供億浩煩天擊游刃有餘民忘其勞歷陞
廣雲南延綏南贛等處巡撫子本元雲南曲靖知本立丙午舉人任本府
庚子武進士第一人
協鎮廣東都督僉事

趙廷臣字君鄰遼東人順治初任江寧府江防同知廷
臣仁厚明敏吏不敢欺江防實轄運務時漕撫沈公
欲以黃快船丁僉充運甲廷臣不可請于當事乞循
舊册運丁歸還黃快丁歸黃快船軍衛無擾荷允
題請永著爲令又優恤士子凡列名庠序者復其丈
兄子弟槩不僉運士民頌德撫院陳公練水師于直
江口廷臣訓練有方江瀯帖然會十年編審江寧令

以奉行不善報罷廷臣奉委署篆精心查核見積弊種種有糧少而丁多者有糧多而丁少者有無糧而納丁者悉行釐正照糧輸丁當堂編審即喚花戶至前塡寫丁產實數給發印票胥吏無所肆其飛詭至今遺愛猶在人心歷陞浙省總督輯兵愛民善政可枚舉遠邇旄倪無不頌德云

江寧府志卷之十九

宦蹟傳

上元

晉王雅字茂遠東海郯人少知名晉孝武時累遷左衛將軍丹陽令丞著政聲性好接下敬慎奉公孝武深加禮遇雖在外職侍見甚數朝廷大事多參謀議帝每置酒宴集雅未至不先舉觴其見重如此

南北朝江秉之字元叔考城人宋主義符即位出爲秣陵令以善政著名徵建康令爲治嚴察京邑肅然

顧憲之字士思吳人宋元徽中爲建康令時有盜牛者

被主認盜者亦稱巳牛前後令莫能決審之至覆其狀乃令解牛任其所之牛逕還主宅盜始伏辜發姦摘伏多如此類時號神明至於權要請託長吏貪殘據法直繩無所阿縱性清儉彊力爲政甚得民和故時飲酒者得醇旨輒號爲顧建康言清且美焉

徐[illegible]字明遠以詩名嘗爲秣陵令

[illegible]徽字休猷吳郡人以尚書都官郎出補建康令清平[illegible]無私爲太祖所喜遷司徒左西曹掾後爲始興太守

[illegible]秀之字道寶東莞莒人少孤貧有志操元嘉十六遷建康令除尚書中兵郎重除建康令性儉約

擿微隱爲政有聲
劉元明齊時爲建康令清儉絕人日惟食蔬素性不喜飲酒嘗曰大禹聖人猶絕旨酒况吾人乎吏政爲天下第一
沈瑀武康人善吏事嘗役民勞而無怨開湖熟縣方山埭赤水塘所費減材官所量數十萬
王沉齊秣陵令清廉戒慎身居榮祿而家處貧乏以儒飭吏民有犯法者剖析清詳不刑而服
何遠字義方剡縣人梁武初平建康以遠爲令性清介秋毫無所受妻子饑寒如下貧者民祠祀之

樂法才字元備淯陽人幼有美名遊建康造沈約約見而稱之梁天監中爲建康令不受俸秩比去任將至百金縣曹啓輸臺庫武帝嘉其清節曰居職若斯可以爲百城表矣

褚球字仲寶陽翟人少孤貧篤志好學有才思仕齊爲溧陽令在縣清白公俸之外一無所貪梁天監中復令建康強直不畏權要吏民稱之

江革字休映考城人幼聰敏有才思梁天監中建安王偉尹丹陽以革爲記室除建康正頻遷秣陵建康令爲治明肅豪彊憚之

劉澄魏昌人博學善屬文梁時爲秣陵令有善政及卒民思之不忘

孔奐字休文山陰人梁元帝時補揚州治中從事史侯景新平每事草創憲章故事無復存者奐博物彊識甄明故實問無不知儀注體式牋表書翰皆出其手齊軍至後湖四方擁隔糧運不繼三軍取給唯在建康乃除奐爲貞威將軍建康令時累歲兵荒戸口流散勍敵忽至徵求無所陳霸先刻日決戰奐乃令多營麥飯以荷葉包之一宿之間得數萬包軍人宿飽遂大破敵後累宰大郡皆以清廉著稱

孫廉建康令傅翾爲吳令問曰聞丈人發奸擿伏惠化如神何以致此答曰無他也惟勤而清清則憲綱自行勤則事無不理其爲政如此

陳司馬申字季和溫縣人梁邵陵王綸尹丹陽以爲主簿屬太清之難父母俱沒遂終身蔬食陳大建九年除秣陵令在職以清能見紀有白雀巢於縣庭

蕭引字升休蘭陵人陳後主時建康多盜乃以引爲令民懷附之宦官李善度蔡脫兒等多所請屬引一切不許族子密時爲黃門郎諫曰李蔡之勢在位皆畏憚之亦宜少爲身計引曰吾立身自有本末安能爲

李蔡改行就令不平不過解職耳竟坐免

唐卜吉光啓中爲上元令安和不擾公餘之暇輒閉戶讀書而政事亦辦在職數年民懷思之

宋戴嗣復仁宗時知上元縣在任勤敏守廉百姓愛之明道初爲館閣校勘

方楷景祐初釋褐歷三任以考課遷尉衛寺丞知上元縣嘗親獲羣盜不干賞曰吾縣令爲天子舉職耳功何有哉乾道中曾孫滋以敷文閣待制居守金陵後五世孫叔恭復試是邑

李闢之紹興三十二年知上元開明彊敏才任有餘首

言金陵鍾山慈仁三鄉實鄰大江田疇化爲水面乞
除虚掛二税從之時金人南侵帝勞軍江壖百司患
府幬幃餼廩之屬無一不備以辦理聞特蒙召見上
奏章剴切深中時弊
趙時僑嘉定十五年知上元律已以嚴臨民以公不嚴
而威令行不擾而催科辦撫字之暇百廢皆飭
曹之格淳祐十二年知上元留心政術奸蠹秋毫必察
豪猾斂迹昧旦即起坐廳事校治簿書有訟者立
剖斷獄無繫囚境内頌其平
鍾蕢英景定二年知上元創建學宇均民賦税[illegible]

姚希得皆重之明年惟政鄉麥秀兩岐蠶英上其瑞
理宗敕獎之

元

出賢尹上元留心民事夙夜弗怠庶務咸得其理訟
獄既清昨俗以安斂惠廉明著於一時

明

陳輿字聚奎慈谿人永樂中知扶溝有善政擢督府
都事以赤縣煩劇須幹理吏乃改上元輿被知遇自
奮勵朞月縣中大治有婦與外遇而殺其夫者將殯
矣輿於喪所擒婦詰問得實誅之人以爲神後改刑
部主事仁宗監國時素聞輿能及即位輿入奏事迎
謂曰此上元陳知縣乎其受知若此

姜德政江山人明達曉吏事景泰中知上元撫循惸獨勸課農桑諸所不便於民者皆爲釐革有古良吏風又以農隙修縣治重建明道祠人不知役

王定安大興人成化中知上元平易爲理人思之

馬艮陝西人成化中爲上元丞量宏才敏節用愛人出於眞誠處事果決有難爲者必以身先之至巳之利害不計也由是有名擢本縣令

程爀字文純南城人嘉靖間知上元廉幹有治材時[illegible]億頗繁公私困弊爀加意節省損浮費十之五六[illegible]決疑獄毀淫祠爲社學自縣治達句容塗中而[illegible]

賡行者病焉嚮以贖金修治之其善政爲諸[illegible][illegible]
滿之日囊止俸金七兩自騎一驢二蒼頭隨之[illegible][illegible]
許翺等持八十金候嚮于大柳驛進之嚮笑曰[illegible][illegible]
民恐父母餓死耶持歸訓子孫讀書可也取其馬鞭
鞭驢而去

袁鑑字廣昭廣東揭陽人嘉靖二十八年由鄉貢授上
元令居官守廉儉愛民如子日食惟蔬菜妻子衣布
敝之服囊無餘資審賦役均平無私吏民皆愛之不
忍欺

房韞玉字以輝山西靈石人鄉貢嘉靖三十八年任上

元時坊廂積弊年久而上官多取辦於中有司憚於更張民不堪命韞玉不避譏嫌力申諸司爲之節省民得蘇息生員趙善繼耆民陸辛等率衆建惠澤祠祀之

林大爀字朝介福建莆田人鄉貢萬曆元年授上元令爲人聰明仁恕簿書積案一覽無餘吏胥郎大猾[illegible]亦莫能窺其意指臨事聽斷如神革去坊廂長[illegible]丁銀省浮費什之七八民感其德立生祠祀之

賈應龍號蟄菴河南祥符人以乙榜轉陞上元令[illegible]端慤和藹慈祥有樂[illegible]人之譽鄉民愚多溺女[illegible]

里保呈報防戒之又作歌句申勸之始多存活[illegible]以
賣女鬻者舊時民載坊廂編有丁銀或貧不能納以
致流亡應龍思有田畝家力尚可支條陳上官將丁
銀盡推入田畝丁困始甦至誠愛士每遇攷校不受
請囑士民感之
大清郭士賢遼東人由貢士順治六年任上元縣八年
歲大祲流亡相繼糧額莫辦士賢申請將各院罰贖
銀兩[illegible]糴米入倉不足則以巳俸益之二年之中
一水一旱皆用此法民力不困而國儲亦不虧最爲
良法

宋藺鄰字楚輔丹陽人以廕授上元丞會金人犯江上元當敵衝調度百出鄰不擾而辦留守張浚王綸皆重之後知建康府

趙壘之建炎中爲上元丞金人過江諸將引去壘之帥鄉兵迎敵死之贈奉議郎德祐初有程洙者上元主簿建康陷亦死于官

明

袁龍直隸合肥人成化中由監生任上元丞明達[illegible]行將廢龍捐俸修治居縣久民愛之如父母爲之[illegible]

袁撫民

劉元泰字孟達四川內江人萬曆十四年以官生[illegible]

潔已愛民才亦精敏委署縣事深知吏胥叢弊[illegible]
民害征斂正供外革去冗費清理軍伍裁冗書十六
人民恐其陞去競詣上官保留之
[illegible]
程顥字伯淳河南人舉進士授鄠縣主簿嘉祐間調
上元攝縣事嘗言一命之士苟存心於愛物於人必
有所濟以故治多善政茅山池有龍如蜥蜴而五色
民俗嚴奉顥捕而脯之使人不惑見持竿粘雀者命
即折其竿鄉民遂不敢畜飛鳥邑田近美爲貴家富
室以厚價薄其稅而買之小民苟一時之利久則不
勝其弊顥畫法不擾而稅大均且塞隄以從民便每

訟日不下二百爲政者疲於省覽無暇及治務顯處之有方不閲月訟爲之簡水運經邑境舟卒病者則留之爲營以處歲率數百人至者輒死顯察其由蓋計留然後請於府給券乃得食比有司文具則困于饑已數日矣乃預白漕司給米貯營中至者即與之食自是生全者大半

【漢】蔣子文廣陵人嘗自謂已骨青死當爲神漢末爲秣陵尉逐盜至鍾山下被傷而死後人見子文于道侍從如平生以爲神而祀之代著靈異

【明】隋吉不知何郡人洪武中上元縣典史上言農民之

中有一夫一婦受田百畝或四五十畝者當春夏耕種方殷或不幸夫病而婦給湯藥農務既廢田亦隨荒及病愈則時已過矣上無以供國賦下無以養室家窮困流離職此之由請命鄉里小民或二十家或四五十家團爲一社每遇農急之時有疾病則一社協力助其耕耘庶田不荒蕪民無饑窘百姓親睦而風俗厚矣上善其言命戶部通行曉諭

江寧

宋蘇頌字子容泉州南安人慶曆三年知江寧縣時建業承李氏後稅賦圖籍無藝每發斂高下出吏手頌

因治訊他事互問民鄰里丁產識其詳及定戶籍民或自占不悉頌警之曰汝有某丁某產何不言民駭懼皆不敢隱遂刻㓺成賦一邑簡而易行諸令視以爲法凡民有訟事頌喻以鄉黨相親緩急相助之義民往往謝去時監司王鼎王緯楊紘於部吏少許可及觀頌施設則曰非吾所及也調南京留守推官

纂義問字審言壽昌人紹興中知江寧時秦檜爲相擅威福所親有被劾者同官欲縱之義問曰釋是則何以服他人卒從之遷通判江州

王鏜番陽人景定初知江寧縣舊無學鏜甫下車慨然以興學爲任適朝命置學官鏜曰有師無學非所以稱上旨卽建學於縣廨北又置田若干畝以備廩餼焉

劉垕閩之建安人尚書文簡公鑰之子寶慶三年知江寧縣事縣當制府之下應酬調遣爲令難其人垕爲政愷悌慈祥不擾而事辦制閫以賢能薦于朝俾兼幕府

元

王裳保定人大德間知江寧修築堤圩以政績聞秩滿遷建德路推官

耿允昭洪武間知江寧上言江寧上元二縣在輦轂之下宜建學校以教京師子弟於是命置應天府學教授一員訓導四員生員六十人應天有學自此始

張士彬山陽人洪武間以才行卓異薦知江寧有政績擢監察御史以直聞

張安仁字仁夫九江府人洪武初以人材授江寧
爲人清謹忠實時國家新造建設縣宇旁午不
仁平明坐廳事饔飧皆就公案百務具辦治
在任五年卒

紀爾宇宗魯山西人洪武中以薦舉任江寧知

仁恕民犯法者惟以善言曉譬嘗謂民曰令爲民父母未有父母不慈其子者恒恐不體子意不免以相繩且失朝廷子養元元之意有部民負內府廚料不能償鬻妻以納官肅聞之惻然曰有司不能導民於善致使破家誰之咎也遂出妻簪珥令民贖妻還後肅卒于官民夫婦號哭如喪父母喪還民置主于私室奉祀之

王愷字時舉蒲圻人靖難兵至應天求堪治劇者廷臣咸舉愷授江寧知縣時初定之後庶務旁午愷有精力而勤敏果斷處之裕如由是政績著聞命巡察畿

南一日上問錢穀出納愷對纖悉不遺後擢左春坊
中允
張德中字大本浙之鄞縣人永樂間以工部主事改知
江寧縣不事繩法一以愷悌寬仁爲本日理簿書斷
獄訟競競然惟恐有誤每午夜而起思晝所爲民有
犯罪當流者其母愬身老無他奉養乞留以全餘生
德中曰得罪發寘者法也留養者情也古人申情于
法中以長其仁不執法于情外以成其忍遂杖一
之扁其堂曰思牧自號曰江寧牧禮部舉修永
典書成還秩以疾卒

[illegible]會稽人天順間知江寧廉明有威斷事至剖决如流邑中稱平以經術自任政事之暇諸生執經問業者日常數人擢督學副使

袁陽字健甫直隸滿城人弘治十一年以進士令知縣下車即有政聲舊坊廂編役率十年分當四季後俱應太繁未及期月即易民愈坐困陽深憐之爲白于府凡諸司取用必先赴府給票下縣方准應付若徑投縣者不得私與自是取者頓減得復舊期以憂去任服闋補上元尋卒民至今思之

崔尚義直隸長垣縣人由鄉貢嘉靖十二年任江寧令

律已甚正吏畏民懷刻箴門屏以自儆

三事箴有序

昔人以清慎勤三事爲當官之法其識體要哉清則本正而人服慎則心存而理得勤則萬事理而有功持是三者於治乎何有後世徇名忘實無怪政無實効予承乏之宰江寧適見事冗民貧慨欲與治而才力不逮因箴以自警一曰清嗟維居官守身如女守一失焉他美何齒民愚而神視我犬豕凡百馳張自行自止未叔賦蒼蠅用警貪夫之無恥迷而不悟用戒貪鄙間有知之實無名有或勉強于初鮮克未久或巧取于暗外示能守或貪功名而飾廉取崇牘而弄麗若此不情畢竟掣肘一歲俸薪約九十兩數口之家奥著不爽更欲罔上害民子孫乞丐可想凡我居官戒無欺罔二曰慎凡事慎則立不慎則把敝之戒之齋要昌已處官如家使民如子當爲則爲念厥終始傳有之無怠無荒昭示政理亦有柔姧不恤臧否人曰行則行人曰止則止惴惴小心迎合意旨見義不爲犯也慎而無禮嗚呼事變無常隨事著已無適無莫義之與比就中濟之以詳密慎不過此三曰勤業精于[illegible]而荒于嬉行成于思而毀于隨周公待旦萬世[illegible]師

[illegible]同寀輔關百里之安危昔人遊山飲酒亦尚[illegible]
[illegible]乎勤乎人苦未知不擾情乎牧愛乃馳志于[illegible]
[illegible]往迎來夫廩不訾勞勞終日真向大乞兒僥倖
[illegible]日夜圖惟時人曰勤尋以爲癡苟有志于循良甫
求三事
無齡

何价字維藩湖廣衡州舉人嘉靖三十三年知江寧縣自嘉靖中年以來羔鴈漸侈人工事上而輕剝下价獨謝絕請託惟務節省民財挺然在風塵中

金傑浙蘭溪貢士嘉靖三十七年來令江寧性恬澹持正懷慈行仁不忍鞭朴迎送供億常以儉節而致色忤傑見民多可傷不能瘠民以奉上居官未半歲一夕因謗上官歸中途援印于吏遂去不知所之後人

傳其隱九華山事仙學云

雷學尹字尚志湖廣隨州舉人萬曆十一年任江寧令軫念民瘼勤督庶務嘗曰有司一不屑于猥瑣即狐鼠得肆毒噬估脩馴象等四門暨脩理板橋公館諸大小公廨皆躬自步算嚴覈課程費無冒破而工就實用時水田澇壞民苦荒饑爲設脩圩歛目事均而易集陞南戸部主事

劉必達號桯石陝西三原人由舉人知江寧縣風裁凌厲不畏强禦明了善斷故案無留牘而四境晏然旱禱雨即應歲以有秋蝗蟲爲災必達體大京兆

公意嚴行捕滅使無遺種連年大熟尤加意學校賑
貧扶懦輕徭役豁贖鍰善政頗多足稱古之遺愛云
田有年號心海陜西人由舉人任江寧令居官清絕一
塵氣岸骨立故事初謁守備太監用廷參禮有年獨
長揖監無如之何揚州獲一狂僧攀誣庠生余中鰲
魏國族人徐維禮等私蓄兵器謀爲不軌大司馬錯
愕命有年搜究年躬往查核都無所有據實詳報四
生得免
郭廷輅字時制文水縣監生嘉靖中爲江寧丞職司清
軍舊任職者多以候審廢民業甚或恣吏胥爲奸廷

軫律己既約御民以靖欵欵有法清而不擾時又審編戸籍派均而人服稱佐令之賢者焉

黄光涵皖之太湖人嘉靖中爲江寧丞嘗攝簿事簿故職儲有例金每里甲之長歲代編戸輸漕因以例金餌簿從中朘削不可勝言光涵惡其厲民也獨正色不受啇之令石公允珍轉聞上官勒石著爲令

元梅鼎大德五年主江寧縣簿時縣境值江潮泛漲歲凶民無賴鼎設法賑濟民不流移在任闢治塗巷脩葺公宇若嚳家室不惜勞瘁常俸之外毫無所取尤善理刑人畏而敬之涖政三年以賢蹟著聞遷充江

南行臺令史

陳益字汝謙太平縣人至順中任江寧主簿在任以清謹稱時民饑疫死者枕籍益出郭見遺骸惻然爲之掩瘞焉

〈明〉馬應祥字伯圖陝西榆林衛監生嘉靖中主江寧簿追徵糧差不問餘羨謝絶糧里常例不取兑運軍儲或爲軍官折剉旗甲欺侮曰吾爲百姓無怨言無何卒官邑人哀之

宋劉宰字平國金壇人紹熙初爲江寧尉時民俗惑于巫覡宰下令保伍互相糾察奸無所容收業爲民民

歲旱賑荒多所全活去官篋中惟詩囊而已調冀州

司法累遷直顯謨閣

句容

晉劉超字世瑜臨沂人以忠謹清慎爲元帝所拔恒侍

左右遂從渡江轉安東府舍人元帝即位補句容令

推誠于物百姓懷之常年賦稅主者常自四出詰[illegible]

百姓家貲超但作大函付之使各自書家產投函[illegible]

訖送還縣百姓依實投上課輸所入有踰常年[illegible]

亂死節

南北朝孫謙字長遜東莞莒人宋時爲句容令清[illegible]

記縣人號曰神明後歷二縣五郡所在廉潔□
□牀施蘧篨屏風冬則布被莞席夏無幃帳卒官
年九十二

周羅睺字公布九江潯陽人年十五善騎射好鷹狗任
俠放蕩收聚亡命陰習兵書仕陳爲句容令後齊師
圍吳明徹于宿豫羅睺躍馬突進莫不披靡斬首不可勝
計明徹之敗羅睺全衆而歸進爵爲侯仕隋功名甚
顯

岑植鄧州人文本孫也爲句容令明達善斷尤悉民
情僞纖毫必察黜陟使源乾曜薦于朝

宋龔宗元吳人天聖間進士知句容縣發奸擿伏政稱神明部使者不入其境

趙時侃金壇人慶元四年爲句容令初縣增科和買大爲民害侃白郡守吳琚府帑歲出萬三千緡爲之代輸又修學宮取没官田以養士邑人祀之學宮

葛秉德祐元年知句容縣事元伯顏陷建康招諭句容秉兵敗自繫獄死之

元趙靖至大中爲句容縣尹首建學校縣額歲辦紅花若干頃非土所有民頗苦之靖爲請于上官獲免

謝潤者尹是縣[illegible]以政績著聞

程朞泰定二年尹句容以撫字爲政諸所不便于民者亟除去治後有廢址乃植桑萬株民趨效之有古良吏風

明劉義諸城人明察曉吏事景泰間丞句容以政績優異進知縣凡民間奸滑豪斷皆知其主名有犯即捕治之里中肅然又俗以奢侈相高尚婚喪多踰制者乃嚴爲約禁人多化之

徐廣晉州人成化間知句容抑强扶弱作養士類有聲畿輔間

李鎡字天曉西華人由進士爲句容令心存仁恕政尚

清勤嘗遍書訓詞勸民爲善捐俸市藥以濟貧病買地立阡以葬窮民成化二十二年召授監察御史

樊垣字伯師四川宜賓人由嘉靖癸丑進士授句容令英年長材剸繁理劇綽有餘裕時值倭夷猖亂三六横遭焚溺垣懼容無城難守乃請諸當道設法[illegible]之額完倭五十六人由容邊界走小丹陽直犯京[illegible]率衆登陴晝夜捍禦卒免蹂踐之禍

徐九思字子慎貴溪人嘉靖中知句容性清介[illegible]俗凡供億務從簡約事當興革毅然必行九年一[illegible]民甚便之擢主事

丁賓字廷禮號改亭嘉善人隆慶辛未進士爲句容令
首建義倉行鄉約清田賦減繇役儲羨餘歲省民供
本折各七千七百有奇治七年以卓異入爲御史歷
陞南都察院提督操江華債弁科減月糧之弊除上
江二邑廂坊僉役之條濬浦口諸河以利涉廣京口
外塢以通漕復鎮江石橋勒船禁以救溺疏丹陽朱
港濫泥河洪以溉田治南北四百里孔道甃石蔭楡
柳以便行旅其居官實政大抵如此又捐田以賑學
宮力行同善會歲無虛月年九十有一三受存問卒
贈太子太保謚清惠

唐楊於陵字達夫陝西人漢太尉震之裔孫也擢進士調句容主簿器局峻整居官清介絕俗未嘗從人俛仰時韓滉節度浙西性嚴急惟見於陵歎然乃以其子妻之

宋胡崇徽州黟縣人淳熙四年進士第授句容簿制置使吳潛辟爲閫幕委行經界法於溧陽不履畝而人無所欺歷官太常寺丞兼尚書右司郎官

張侳建隆二年爲句容縣尉上書陳十事其畧曰一崇簡大以行君道二畧繁小以責臣職三明賞罰以勸懲四愼名器以杜威權五詢言行以責忠言[illegible]

均賦役以安黎庶七納諫諍以容正直八究毀譽以遠讒佞九節用以行恭儉十克己以固舊好尤在審先代之治亂考前載之褒貶纖芥之惡必去毫釐之善必爲審取與之機濟寬猛之政進經學之士退掊克之吏察邇言以廣視聽好下問以開閉塞斥無用之物罷不急之務此而不治臣不言矣帝嘉納之擢監察御史

溧陽

漢潘乾字元卓陳國長平人光和中察廉爲溧陽長有惠政崇禮興教郡人爲立校官碑稱其履孤竹之廉

蹈公儀之潔布政優優令儀令色矜孤恤老表孝貞

節推泮宮之教反決拾之禮自漢至今千餘年碑多

刓闕不可讀尚家藏而人誦之焉

南齊樂豫為永世令即溧陽卒于官有老嫗擔藪貨于市

聞之棄藪而泣曰失樂令我輩應死耳一市皆泣

隋達奚明大業初為溧陽令盡心民事嘗疏鑿溼瀆以

備旱潦

唐柳均字正平河東人嘗令溧陽訪求民瘼惠政周洽

有古良吏風

陸偘吳郡人大曆中為溧陽令有政聲陸宣公之父也

宋羅彥輔字經世當塗人嘉祐進士補溧陽令值歲饑
道殣相籍亟請發長平粟賑之且勸富家分穀全活
甚衆部使者將上其事彥輔曰救灾令職也何以賞
爲終知睦州事
鄭驤字潛翁玉山人元符中知溧陽縣歲饑民轉徙他
郡漕司按籍徵稅驤曰稅出于民民亡稅何從出令
不捐逋賦民亡愈多使者不能屈時又議鑿河渠自
建康導太湖水入江壞民田廬調江浙二十五州丁
役費萬計時遣官視可否驤力言其害議遂止遷通
判梓州嵐軍

章元任字莘民宣城人紹聖進士爲溧陽令時水潦爲災民流離轉徙迄無寧居元任發官粟并諭大姓出穀作糜以飼饑民全活者甚衆官至朝奉大夫

李衡字彥平江都人進士爲溧陽令先是吏與民不相浹每夏秋二税督責甚嚴而逋負者歲積衡至專以德化視民若家人民大悅服輸税時先期與民約榜之縣門民讙趨之税額皆辦有訟者隨輕重諭遣之囹圄無重囚隆興二年金犯淮堧人相驚曰寇深入矣他郡守多送其孥衡獨自浙右移家入縣民心大安時江淮間賊盜蜂起而縣境晏如轉運使韓元吉等

列上治狀詔進一秩
陸子遹山陰人嘉定十二年令溧陽溧陽俗故武健而
信淫祠巫覡有白雲宗者以妖術誘致良民轉相慿
結子遹至廼與學校習禮讓擇民之秀者教之而使
勸化其愚謂諸巫曰是不兩立有我無若輩乃誅鋤
其魁者一二人所據民業悉歸其主縣境肅然乃以
農暇治溝瀆新公署郵傳橋路皆井然可觀溧陽賢
令至今言子遹
【明】盧何生字允廸南豐人洪武間知溧陽縣以洗寃澤
物自任治事期月刑政爲清有刺事官校過縣挾勢

宗賄賂何生密以聞上立誅之由是賢何生縣積逋役萬計民貧無從出何生諭富家貸輸又令籍荒田墾為己業逋皆完在邑四年有不悅者屢言其短上不聽益勞勉之

鄔璠新昌人宣德間初為溧陽丞能修其職尤鋤抑强梗使不得暴良善有訟者即命持牒與仇家俱來願解者聽胥隸不得至里門民大懷服會職滿當去民詣闕借留一年陞知縣後卒于官百姓立祠祀之

熊達字成章南昌人由進士任始建鄉賢祠于學捐置義塚以絕水葬開濬溧車溼以通水利民感其德考

選御史官至參政

楊榮字以仁永川人由進士以御史謫知溧陽縣有威采濬百丈溝八百餘丈中存九壩以利灌溉又建義倉于城南菴地陞衡州府通判

符觀新喻人弘治間知溧陽留心政術勸課農桑輕徭薄斂民至今思之

呂光洵字信卿浙江新昌人由進士嘉靖中爲溧陽令時縣中逋賦甚多率有糧無田光洵立法丈量分官民二則賦役以清光邃于理學在任三年上下以學道聞初置學田以贍貧士官至工部尚書

沈鍊字子剛會稽人嘉靖間知溧陽性嚴明疾惡至甚
有犯立捕治不少貸民間惴惴會奸猾畏罪造飛語
中傷之尋調去後爲錦衣經歷論分宜父子見殺隆
慶初優恤贈大理少卿
李光祖萬曆間任溧陽令溧民健訟本業荒廢故多逋
賦公至訟無留獄獄無留民敎民築圩捍水催輸先
予以期民懷其德表章先賢徐文英洪武時所稱窮
御史者也歷任八載陞南京吏部主事卒于官
夏廸洪武初試政刑部授溧陽丞吏畏民懷縣逃逋
㳫逋賦積多民有鬻妻子以償者公憫之乃勸借（以下缺）

殷實戶得米十萬七千先足官賦次贍其妻子歸焉
明年復任刑部民留之不得至揮涕以行云
宋
劉穎字公實西安人紹興二十七年進士調溧陽主簿時張浚留守建康金師初退府索民租未入者穎白浚師旅之後宜先撫字當盡蠲逋賦浚喜即奏免因遣其子栻與游累遷刑部侍郎寶謨閣直學士
孟郊唐貞元中進士授溧陽尉迎母奉養作遊子吟以自悲縣南有故平陵城幽邃岑寂郊日乘驢往坐積水傍苦吟至日西始還令不佳所爲白府以假尉分其半俸卒以窮去

陳景周宋嘉定進士授廸功郎溧陽尉溧陽地曠事繁巡徼之吏倍於他縣民負氣喜鬭獄多滯因景周謂察獄在初而初情惟尉能得故職所當親雖猥不憚言有可證雖微必察邑是以無寃民更新廳題名記劉宰爲之敘以政明令嚴公且清稱之

溧水

唐岑仲林鄧州人中書令文本孫爲溧水令以政績著聞時兄羲令金壇仲翔令長洲皆有聲而仲林尤見表樹宰相宗楚客囑監察御史曰勿遺江東三岑

竇叔向金城人以左拾遺爲溧水令優于治善屬文

績爲諸邑冠其子五人咸秉訓誨成顯宦而叔向之
政最著
白季康太原人嘗令溧水以誠信化人不尚威嚴而性
清介不取邑人至今思之
〈宋〉周邠字開祖元豐四年知溧水縣事稅賦外秋毫無
擾于民有張華者亦以清介稱
李朝正字治表由太學登第紹興間知溧水縣有異政
秩滿民泣留高宗曰近時縣令以政績被薦輒别除
差遣莫若進秩久任之庶幾民安其政乃召對遷一
官賜五品服還遺逞辭乞易所得章服封母從之戸

部侍郎王鉞薦之言朝正昨任溧水縣曾措置均稅簡易不擾至今並無詞訟除太府寺簿累官至戶部侍郎

（明）郭雲隨州人洪武中任溧水州尋改知縣兵燹之後邑甚凋敝雲至力任之建置縣署百廢具興而持以廉潔士民咸悅後以膂力謀略被召改南陽衛指揮撫綏軍民咸以樂業

高謙甫平陽人洪武初知溧水徵收不擾差役均平以廉能稱

燕壽咸寧人成化間知溧水臨下以莊簿書秩然政平

訟理吏不能欺

劉應雷江西萬安人由進士隆慶三年任時傍邑有以糧數千石俾嫁溧水者雷力爭當道以勝氣臨之執益堅決事竟直又丈量田畝無尺寸漏因高下制賦克當見于歌謠被召去卒于塗民立祠祀之

陳子貞字懷雲江西南昌人萬曆十六年進士令溧水以實心爲政愛民如子待士若師勸善簡訟講學課文不矜清儉不尚虛文邑祠祀之行取御史旋督學江南最有聲

徐艮彥字季艮江西新建人萬曆戊戌進士補溧水縣

應天八邑俱有解京皇磚之役歲僉富戶轉解多至破家艮彥請于田糧少增分毫悉付蘇州府慣燒匠作總解以免駁換之弊議行而民便凡上官經臨一切供應什物設處官置立爲定則不使貽累坊長每年會計清算申明胥吏不得影借聽訟不形喜怒使民情得以上達而贖鍰多免每嘆溧水東南諸水直瀉無情西北風氣不聚倡義民建塔以塞水口于是民多豐饒行取御史以忤璫被謫崇禎初起大理

陞工部侍郎

張錫命號月沙四川潼川人萬曆丙辰進士授溧水

邑有收折田糧事前令歷歷申請未獲報可錫命曰此巳有成議不難力請于上取邑民張曉前疏申請之京兆嘉與徐公力懇撫按題請得折收如高淳例合邑歡呼其他善政不能備紀後擢南臺御史

大清王與佩字六符山東淄川人由進士順治四年任溧水令初履任即有神明之譽時值丈量奸民李思藉爲訟端佩概置不理民獲以安奸胥積年侵蠹財賦莫可稽覈佩廉爲清算纖毫無容欺隱守爲良法

閻派魯字伯宗河南府[illegible]人順治十年任溧水令敦儒禮士尤精人倫鑒治溧六年多善政先是里糧多寡

不齊每遇徭役照里分派民苦不均派會編審力爲剗平誓于神前勒成一書曰均里平徭册溧民獲甦縣西南濱湖田嚙于水者十萬餘畝民苦虛賦累萬曆天啓間曾兩經改折後復徵本色民力益不支順治十二年鄉耆葉有弘等以復折額派會慨然身任申請具題邀恩永折著有復折全書丁艱服闋補徽州崇明令會遘疾未任卒

饒應元字善仙湖廣蘄水人崇禎庚午舉人順治十七年任溧水令天資長厚而事有執持有妖婦曹氏以他方來以邪教愚民從者如狂應元摘其奸申詳

之弊發頓息初民間戶役不均應元審編定三十八
石爲一拼兩石爲一丁從此無偏重偏輕之弊丁內
糧去

明

張璲順天霸州人弘治間由吏員任縣丞倜儻有大
志而守甚介民諷云世方用人以格君何自苦爲也
應之曰格能限璲官耳能限璲乎後陞州同不及赴
而卒蕭然遺橐官爲殮之後有張令名錫者其族子
也

宋

潘振任溧水縣尉建炎三年金人陷溧水振死之

高淳

明劉啓東字伯陽河南羅山人由舉人嘉靖二年知高淳縣性精敏善經畫憐民間養馬之苦欲歸之宣城因令代出驛傳銀一千八百兩及斷還馬場田七千餘畝民賴以安又建學宫創制各署設壇社築七門百廢具興淳治郁然改觀

甘惠崇陽縣人由舉人嘉靖十九年來令高淳有善政愷悌臨民周恤貧士治西有渡行者病涉惠造爲梁民稱之曰甘棠橋

胡儒廣西儀衛司籍由舉人嘉靖二十二年任高淳縣連歲大旱道殣相望乃捐俸賑救悉停徵科本年

糧至次年秋收始免因被劾邑民赴京泣保得□眞
溪丞尋擢江浦令
方沂江西浮梁人由舉人嘉靖三十六年知高淳縣實
心愛民時大潦永豐鄉被水獨甚則盡蠲其里役漕
糧鉠兌乃悉發庫銀糴補民賴以全入計無貲稱貸
雇夫役而行砥節奉公至今頌之
董岐鳳雲南石屏州人由舉人萬曆十四年來爲高淳
令性明察悉究奸弊時大水諸圩盡沒迺懇訴於京
兆許公爭遠得疏請內帑銀三千兩修築買當塗湖
灘作遮浪埂以捍南蕩圩田一萬七千餘畝至今賴

之

宋祖騰字爾英福建莆田人萬曆甲戌進士由偃城調高淳令周悉民隱獄必得情吏民安之三十六年大水民居湮沒百年未見之災祖騰架大航不避風浪沿鄉救撈兼督丞尉吏役各拯多命安揷民間飢者粥病者藥又力請于上悉緩諸徵發常豐倉穀三千石平米價不致湧貴各鄉特祠以祀

周光霽字澹菴湖州武康人由舉人崇禎中知高淳縣馭下精肅獄訟平恕連歲大旱儲積皆盡民間至屑榆爲粥掘白土以食稱觀音粉斗米千錢而上督[illegible]

急時貿圩諸鄉尚有薄收光霽自立印券貸之輸將如期明歲秋登悉還無逋人稱其才畧

晏朝賓萬曆二十二年以選貢爲高淳丞愷悌馭下樂易近民勤于職任治事之暇盡意書史詔事奉上委鞫當情而止勿取贖鍰以迎上意署縣徵輸而外不與詞訟民賡樂業

江浦

嚴廸餘姚人明宣德中由貢爲江浦縣令冰蘖以持已敦篤以撫民歷任九年終始一節時承國初草創黌序卑圮慨然捐捧創新考備乞歸囊惟圖書家仍茅

芟人皆高之

羅信固始人景泰初知江浦縣誠實不欺民有事至縣庭者皆爲期約遣之不施鞭朴民大信服縣治圮壞信更新之歷任數載始終如一

勞鉞德化人景泰間知江浦以興學育才爲先獎勵後進惟恐弗及一時士風彬彬任六載擢湖州知府

彭烈字肇烈江西廬陵人景泰辛未進士授御史以劾巨奸出知江浦縣事清操勁節奕然有聲爲治寬嚴適中事至不動聲色處之允協居三載政通民和陞官廣東左布政

耿瑤河南盧氏人清惠公九疇裔也嘉靖五年以鄉
授江浦縣廉公有威吏胥畏服察邑衝疲加意節省
忩諸使非理淩轢核其郵符非實者卽碎去不爲應
申准各縣協濟夫銀若干迄今賴之

沈孟化福建永定縣人萬曆辛未進士爲江浦令才識
通敏志操端方造士撫民悉本實心因本縣田賦不
均申請清丈戴星履畝不遺遐僻覈欺隱酌坍荒以
見在之田均額徵之稅上不虧課下不病民累陞賡
有[illegible]政

耿[illegible][illegible]泰州人萬曆戊午鄉試授江浦令蕙心潔守力

行實政服官數載民不知有吏士無有師保如華火
耗絕支取省行廚修文廟治城學皆實見施行乙亥
流寇之變歟保障焉
李維樾浙江瑞安人崇禎間由舉人授江浦令捍禦流
寇華有成績勸輸賑荒德政在民重修縣志最爲嚴
簡足稱良吏云
李文煥山西廣靈縣人宣德九年由歲貢授縣丞持己
公廉蒞事剛果尤勤撫字拳拳以興廢救弊爲務[illegible]
奏徙壇壝大修庠序治蹟懋著士民慕之弘治[illegible]
縣胡昉祀于尊賢祠

六合

周伍尚楚人世以忠顯食采于棠為其邑大夫尚為人廉慈仁孝政多惠愛時稱為棠君費無極譖其父奢于楚平王殺之尚死其難

漢鍾離意字子阿會稽山陰人建武中舉孝廉遷棠邑令意仁於用心縣人防廣為父報讐繫獄其母病死廣哭泣不食意憐傷之乃聽廣歸家使得殯殮丞掾皆爭意曰罪自我歸義不累下遂遣之廣殮母訖果還入獄意密以狀聞廣竟得以減死論光武嘗以良吏稱之歷任尚書僕射

晉范廣字仲將順陽人舉孝廉元帝承制以爲棠邑令邑丞劉榮坐事當死家有老母至節廣輒聽暫還榮亦如期而反縣堂爲野火所及榮脫械救火事畢還自著械後大旱米貴廣散私穀賑饑人至數千斛遠近流寓歸之戶口十倍卒于官

南北朝劉懷慰字彥泰平原人齊高帝欲置齊郡於京邑議者以江右土沃流民所歸乃治瓜步以懷慰爲齊郡太守懷慰至郡修治城郭安集居民墾廢田二百頃決湖灌溉不受禮謁民有餉新米一斛者懷出所食麥飯示之曰旦食有餘幸不煩此因著[illegible]

論以達其意高帝聞之手勅褒賞進督秦沛二部後卒明帝嘗謂徐孝嗣曰劉懷慰若在朝廷不憂無清吏也

唐康公失名咸通九年任六合令時久旱民不聊生遂齋戒虔誠朝夕懇禱弗應乃跨白馬投江而卒後霖雨沾足秋大熟耆庶爲之立祠

宋薛季卿以兵部侍郎知眞州六合縣事縣瀕大江民多逐魚鹽之利不勝則相聚爲盜鄉閭患之季卿嚴捕賞之格前後盡獲終季卿之世無爲盜者

朱定國字興仲廬江人宋神宗時由進士知六合縣事

王安石方興水利有建議開馬昌河通滁州者提舉官從之定國言壞民廬田勞民筋骨工費甚大獲利甚微固以爲不可使者以定國首沮所論不悅屢困之卒不變定國因請于朝願得管庫以自便而他使者奏留不行定國嘆曰據可以仰祿而不知者數見困去可以遠害而知我者友見留吾命何窮耶直道以事人殆不可爲枉道以全身非我志也即致仕歸

龔相括蒼人紹興十七年知六合縣時稱治山有金朝旨求之相以其近邊恐生釁遂寢邑龍津石橋春秋滁水奔溢往來病涉相申請創造浮橋爲船一

十隻置房六間命僧居之以主修葺任滿罷

劉昌詩江西清江人嘉定七年知六合縣時有旨毎戶三丁取一號曰義武民兵淮南縣令並兼義武軍收六合原額二千餘人開禧兵革民多流亡僅有五百二十一人昌詩設法招集得七百有奇並於盤城尾梁等寨分隸縣舊有忠勇軍乃請於朝降官會三千紙置庫積貯日收息錢專供教閱勸賞之用又創修邑志續建題名記邑人并稱其文教

明陸梅四川中江人洪武初由貢士爲六合令果敢有爲時天下初定首以興學爲務次建壇局亭塔百廢

具舉而民不告勞

黃淵河南洧水人正統中由貢士爲六合令首新學校規模宏展值大蝗齋沐懇禱蝗不爲災歲大稔臨事執法不通關節時人以板黃稱之

唐詔字廷宣山東信陽人成化中由貢士任初至謁城隍廟誓于神以貪汚爲戒潔已奉公推勸官守尤篤于愛民薄賦慎獄民有訟造恒諭以禮藹如家人[illegible]任九年食不重僉時稱廉吏第一

萬廷瑆字欽之江西安福舉人正德六年任素性[illegible]故事毎甲首該役財力必均輸無差等貧民多[illegible]

廷琨立九等法酌量應役至今稱便
茅宰浙江山陰人嘉靖己丑進士令六合年甫二十有
七老成持重人不得窺其喜怒明敏果決事不勞而
辦省費愛民公私無擾自謂閑庭有古循良風
周薇鄞縣人嘉靖中由舉人任皇太后梓宮過諸司多
獲罪薇區畫有方事不廢而民不擾于諸邑稱最
何宏字道充廣東人嘉靖中由舉人令六合以身率民
正風俗闢浮屠懲暴扶善民不敢犯邑以大治清修
苦節涖事詳明有貴戚與豪民訟久不決當道屬之
處斷兩造懾服嘗斷成囚御史用公德溫三嚴而三

執不改田公不以爲僻靳重之京兆黃公稱其清慎
勤一字不少後拜南道御史
米萬鍾字仲詔北京衛籍萬曆乙未進士授六合令豪
俠高貴行事務持大體簿書之暇不廢清課書畫皆
臻能品鼓勵學校賑濟饑民有米鏡慈母之稱
甄偉璧河南許州舉人爲六合令聽斷如神胥役無敢
肆者邑紳以筐篚餽拒不納曰無謂我可貨取也邑
東有貧士婦殉節者偉璧率教官佐貳式廬哭奠
邑感泣歲旱步禱隨車霑足遂以有秋精算法田
丈尺從指上屈伸而得吏不敢欺擢濟寧守

陳載春歷城人萬曆庚辰進士六合濱江土瘠而民貧過使往來頗爲民累載春至立法裁減以九則定役役稱其家毋有訾窳屬核田之詔下精心勾稽得隱匿田若干畝載春曰上意非益賦也欲平之耳于是減舊田賦額幾半又因以寬蘆洲之稅補開河損田之直以贖金易穀歲祲出之民不告飢圩堰陂塘以時築濬頒行六諭勸課諸生士民翕然向治載春食不重味衣必三澣出行郊野一榼自隨不以擾民入計之日垂槖蕭然

蔡如葵字午坪天啓中任六合令負才識善斷果毅有

爲案無累牘時三王經邑民苦騨騷如葵力備供具爲橋于河東以渡之廠于郊南以居之市肆不驚遷

江陰海防同知瀆行市逋無措解袍帶以償焉

沈敔峻字北源浙江長興人崇禎中由舉人任見事敏決不爲奸蔽編審于公所矢公矢慎十九里田畝畫行均攤差無重輕里無大小民戴其德

唐王績字無功絳州龍門人隋大業中舉孝悌廉潔授秘書省正字不樂立朝求爲六合丞以嗜酒不任時天下亂歎曰網羅在天吾且安之授俸錢積縣門外托風疾輕舟夜遁還鄉里

宋程克巳德輿人嘉熙初任六合縣尉元兵犯境[illegible]
及其次子附鳳俱死事聞贈克巳階朝奉附鳳爲浙
西運司幹辦官

教授

宋周必大字子充吉州廬陵人博學宏詞教授建康府
必大純篤忠厚爲文温醇典雅士論宗之除太學錄
兼國史院編修官累官右丞相

王信字誠之處州麗水人紹興三十年進士授建康學
教授信有文學引誘後進循循不倦丁父憂扶其喪
歸草履徒行雖疾風甚雨弗避也士論重之

元元明善字復初大名清河人弱冠遊吳中有文名浙東使者薦爲安豐學正改建康明善穎悟絕出讀書過目輒記諸經皆有師法而尤深于春秋以文自豪出入秦漢間在金陵每與虞集相切劘遂漸精詣陞翰林學士

明許存仁名元以字行金華人祖謙學于金履祥得朱子之傳明高帝幸金華訪求謙後召存仁至京師與語大悅即拜京學教授仍命入傅皇太子及諸王
國子博士存仁與上論用人論洪範休咎皆合上
嘗問孟子何說爲要存仁曰勸國君以王道省刑

號乃其要也歷晉祭酒
王汝玉名璲以字行蘇之長洲人年十七中浙鄉試洪
武末授應天學訓導擢五經博士晉春坊預修永樂
大典
王道字純甫山東武城人正德辛未進士改庶吉士會
山東寇亂欲奉祖母避地江南疏乞補學秩為應天
教授道少馳騁詞翰鄉試為陽明先生所舉聞其說
乃研精理學取程朱書讀之反覆研味曰聖門之學
平實簡易如此嘗言張文成曹相國黃叔度管幼安
皆于道有得雖老釋亦各有見未可厚非也自學秩

歷銓曹兩雍執法端教表率人倫期于俗變風移而後已于書無所不窺所著述最多

鄭汝舟字宜濟福建莆田人以嘉靖壬辰進士來爲教授誨廸多士必約之矩矱寮友中有講學者汝舟曰六經語孟聖賢心印熟讀而躬行之卽學也何以唇牓標異爲其持論如此轉國博以忤議終

鄧德昌字順之廣東順德人白沙先生弟子也忠亮直樸以古道自任嘗之白沙途遇盜挹書立船首曰我鄧德昌也盜知其端人不敢害任應天訓導以實行誘進諸生無敢操贄及門者嘗嘆曰士始入黌含如

處女然而我輩首以利導之欲成人材正風俗得乎

時尚書湛公若水霍公韜望重一時與德昌爲同志友每造德昌必屏騶馭徒步入邸談道問政移時乃去德昌或乘驢與兩公偕行都市不知六卿貴文之崇卑也歿于學署兩公製服哭送之

賀鈞字信夫廬陵人嘉靖間爲府學教授退遜木訥以古道自處見上官不能俯仰與諸生言必飭孝弟忠信束修之問悉卻之有饋者曰吾聞諸生某貧某病某不能婚葬若以給之即惠我也諸生受其資來謝則大喜齋廚索然猶捐俸賑集士家人或誚之曰只

如吾老諸生間未出仕而已崇伯霍韜甚重之

章世仁字元卿直隸青陽人嘉靖丁未進士授開州守不拜固請學秩自效改應天教授其敦壹先行義嚴立規條不率者請詘不少假或學業精進輒奬藉不倦臺使黃洪毗禮重之一切殿最咸倚裁焉春秋修行舍菜以嚴敬先多士陳籩滌罍升降都雅觀者嘆息仕至布政司參議

王銑字重之吳江人嘉靖庚子舉人以松陽令改應天教授日以課士爲務羣弟子員試之拔雋茂四十餘人督之加嚴每一義出悉心竄定午夜不休稍[illegible]出

酒裁相勞苦人爭自奮凡經賞識多登上第進漳州
別駕移疾歸
胡昱字稚明餘姚人萬曆庚辰進士爲應天教授溫厚
恬雅人莫窺其喜怒講解勸課孳孳不倦諸士敬而
愛之
楊以任號維節江西人與姚張斌同舉于鄉以斌博雅
有品居同譜之誼北面事之辛未成進士自以學仕
未優請改應天教授接引諸生實行月課一二高年
知名者志分引交絕不以師長尊行自居諸生贄禮
盡爲謝絕有序應補廪而貧者具劵以往以任揮去

之立爲申請絕不受謝日手一編吚吾諷咏不分晝夜遂成瘵疾卒于南雍啟殯之日遠近服心喪以送者千人

吳子玉字瑞穀休寧人以歲貢爲應天訓導博雅攻古文典切贍麗不爲一切鑿空語一時名流多與之遊子玉每惡人恃才傲物延接諸生溫如春風以此推爲長者

華復元字貞季武進人少即知自立會耿在倫先生[illegible]道東南復元心好其說每片語出輒摹刻而傳之[illegible]訓導徙太學再徙戶部居恒燕坐下簾不妄[illegible]

門人過從卮酒留連談道竟夕十六年如一日諸弟子多登第者
鄺子輔郴宜章人永樂十八年爲句容儒學敎諭方嚴端肅以儀軌自居稱師道者首子輔焉
胡直字正甫江西泰和人由舉人署句容論蘊藉淵源操履端恪立敎本諸身心中嘉靖丙辰進士累官福建按察司副使人稱廬山先生
林夢正號古泉元時以著述薦補溧陽州校官賊首張三舍倡亂爲夢正所獲罵曰爾祖父世爲國家臣子忍爲賊耶收繫獄冦勢猖甚刦三舍以去募生得林

教授者有賞夢正爲所獲賊欲降之夢正不可賊怒殺之

明秦約崇明人洪武初召試愼獨箴拜禮部侍郎以母老辭歸再徵詣京疏陳乞復書院書堂義學例愼守令之選另立一科四十莅職百日舉代郡邑三年造册與志書同進以備國史採擇上悦因其年老難任繁劇授溧陽教諭御史鍊則成待制吳沈薦公宿學遺老合在館閣不報以老乞歸

凌子儉字素菴歙縣人由舉人萬曆三十三年署高淳教諭事端嚴渾厚不作崖異課文月必二會造就者

衆墮曲靖知府適貴陽安酋亂留署道篆監軍十月圍不解糧絶至煑敗皮食大書壁曰一瞑萬世不覩九死百折不回厲鬼寧同張許餓夫無愧墨胎圍解上勅撫條議督戰盤江死于陣贈太常寺少卿廕一子爲溫州通判

孫[illegible]字宜鉉江西廬陵人領永樂甲午鄉薦授江浦教諭好學篤行以古人自期立教先德行而後文藝士習丕振時謀新學署首出已俸[illegible]之工役立就在任九年寮寀吏民咸服其德陞松江教授生徒感慕圖像立傳鐫諸石言必稱孫先生後用薦擢監察御史

督學南畿尋致仕

視廷心浙江麗水人永樂間由舉人任江浦教諭通五經善誘人不事夏楚終日端坐怡怡然諸生問難應荅如響後引年辭職

吾昱字景端浙江開化人成化間以乙榜署江浦教諭事立心操行取法古人講學授徒崇德誼嚴條約久而不倦人才多所成就嘗典江西文衡居數載致仕而去

應紀字茂修浙江太平縣人庚子舉人成化中爲六合教諭爲人孝友持正有義氣諸生贄禮及四時[illegible][illegible]

一無所受復捐貲以贍貧士攝縣事平反冤獄綽有政聲

方錦字公襲江西貴溪縣人貢士嘉靖十三年以雲[illegible][illegible]訓導陞六合教諭剛毅忠信動必以禮時值學政久弛嚴立教課朝夕講究不倦士習一新縣令茅宰嘗語人曰有益風化者僅見方先生一人耳陞襄陽教授

王皶字勉之浙江義烏縣人名臣忠文公禕之裔貢士嘉靖三年任六合訓導律己敷教每篤孝友不言聲利士之貧寠及不能婚娶者樂助之怠荒者篤責之

勵行勤業者獎進之所著有古今元覽

論曰說者謂郡縣難爲哉民情非素習也土俗之便安非素諳也加以簿書之叢委文法之拘閡奸胥舞文而窺伺于旁也吾甚惑乎斯言夫龍阿在握不可窘以盤錯明鏡所照不可惑以妍媸受千里之寄爲兆民之長而惴惴焉不勝是憂所稱學優則仕者何爲乎凡是非才吏所難也所患者恃吾才而他用之或以要譽上官則有餘而以拊循赤子則不足抑或矜其才而偏用之或以不可測之恩威秘其術于鬼神而翻以可測之意旨授其隙於左右其于斯民者

泛泛然適相值者非天子設官惠養元元意也先君之言曰苟存心于及物雖一命之士必有所濟又曰爲政當嚴于察吏而寬于治民惟廉生公惟公生明三者備而向所謂難者恢恢乎有餘裕矣是編所載仁風善政至今在小民心目閭倘所稱有斐君子終不可諼者非與語曰以吏繩民民聽于吏以民徵吏吏聽于民聽吏者有時而聽民者蓋無巳也斯亦司牧者之水鑒也

江寧府志　卷十九　四

江寧府志卷之十九終

江寧府志卷之二十

人物傳一

鍾山之英江淮澄泓篤生賢哲於邵令名或出或處是法是程知人論世兹焉景行作人物傳

漢

張磐字子石丹陽人也爲交阯刺史以淸白稱時荆州賊胡蘭餘黨南走蒼梧刺史度尚懼爲已責乃僞上言蒼梧賊入荆州界遂徵磐下廷尉辭狀未正會赦見原磐不肯出獄更牢持械節獄吏謂磐曰天恩曠然而君不出何也磐因自列曰磐備位方伯爲國爪

牙而爲尚所枉受罪牢獄夫事有虛實法有是非磐實不辜赦無所除如忍以苟免永受侵辱之恥生爲惡吏死爲敝鬼乞傳尚詣廷尉面對曲直足明眞僞尚不徵者磐埋骨牢檻終不虛出望塵受枉廷尉以其狀上詔書徵尚到廷尉辭窮受罪以先有功得原磐後爲廬江太守

杭徐字伯徐丹陽人以膽智稱初試守宣城長悉移深林遠藪椎髻鳥語之人置於縣下由是境內無復盜賊後爲中郎將宗資別部司馬擊太山賊公孫擧等破平之斬首三千餘級封烏城東鄉侯遷太山[illegible][illegible]

寇盜望風奔亡及遷長沙太守宿賊皆平卒於官

帝下詔增封千戶

陶謙字恭祖丹陽人少學爲諸生性剛直有大節舉茂才察孝廉拜尚書郎除舒令在官清白遷幽州刺史參車騎將軍張溫軍事西討韓遂邊章軍還會徐州黃巾起以謙爲刺史討黃巾大破走之境內晏然時董卓雖誅而李傕作亂四方斷絕謙每遣使閒行奉貢西京詔遷爲徐州牧封溧陽侯流民多歸之會曹操父嵩僻難琅琊謙別將襲殺之操欲伐謙而畏其強乃表請州郡罷兵謙上書言克難平亂非兵不濟

今妖寇類衆殊不畏死屯結連兵至今爲患今日兵罷明日難必至上忝朝廷寵授之本下令群兇日月滋蔓非所以彊幹弱枝遏惡止亂也輒勒部曲申令警備冀効微勞以贖罪負撡得書知不罷兵遂擊謙破彭城傅陽謙退保郯操攻之不克還拔取慮睢陵夏丘皆屠之三輔百姓依謙者殲焉其後操復擊謙略定琅琊東海諸縣謙懼不免欲走歸丹陽會呂布據兖州操還擊布是歲謙病卒

[illegible]禮字宣嗣丹陽人從孫堅征伐有功堅薦爲九江太守轉吳郡所在有聲

張昭字子布其先彭城人好學善隸書漢末避亂江
居秦淮孫策命為長史文武之事一以委之策亡[illegible]
率羣僚立策弟權而輔之權每田獵常乘馬射虎昭
前曰夫為人君者謂能駕御英雄驅使羣賢豈徒馳
逐於原野校勇於猛獸乎權謝之魏使者邢貞拜權
為吳王入門不下車昭謂貞曰夫禮無不敬法無不
行而君敢自尊大豈以江南寡弱無方寸之刃乎貞
遽下車吳王於武昌臨釣臺飲酒大醉昭正色而出
吳主呼還謂曰為共作樂耳公何為怒乎昭對曰昔

糾爲糟丘酒池長夜之飲當時亦以爲樂不以爲惡也吳主默然遂罷酒初當置丞相衆議歸昭吳主曰孤豈爲子布有愛乎領丞相事煩而此公性剛所言不從怨咎將興非所以益之也吳主既稱尊號昭以老病上還官位更拜輔吳將軍改封婁侯食邑萬戶在里宅無事乃著春秋左氏傳解及論語注後公孫淵稱藩吳主欲遣使昭與相反覆吳主不能堪案刀而怒曰吳國士人入宮則拜孤出宮則拜君孤之敬君亦爲至矣而數於衆中折孤孤嘗恐失計昭熟視曰臣雖知言不用每竭愚忠者誠以太后臨崩呼老

臣於牀下遺詔顧命之言故在耳因涕泣橫流吳主擲刀致地與昭對泣然卒遣張彌許晏往昭忿言之不用稱疾不朝吳主恨之土塞其門昭又於內以土封之淵果殺彌晏吳主數慰謝昭昭固不起因出過其門呼昭昭辭疾篤吳主燒其門欲以恐之昭更閉戶權使人滅火住門良久昭諸子共扶昭起乃載以還宮深自克責昭不得已然後朝會昭容貌矜嚴吳主憚之常曰孤與張公言不敢妄也年八十一卒遺令幅巾素棺斂以時服

葛瑾字子瑜其先瑯琊陽都人漢末避亂江東孫權

匪爲長史轉中司馬權遣瑾使漢通好與其弟亮俱
公會退無私面與權談說諫喻未嘗切愕微見風彩
粗陳指歸徐復託事造端以物類相求於是權意往
往而釋從襲關羽封宣城侯代呂蒙領南郡太守漢
昭烈東伐吳吳主求和時或言瑾別遣親人與昭烈
相聞權曰孤與子瑜有死生不易之誓子瑜之不負
孤猶孤之不負子瑜也後遷左將軍督公安假節封
宛陵侯瑾爲人有容貌思度于時服其弘雅權亦重
之卒遺命素棺以時服斂子恪才俊有盛名
是儀字子羽北海營陵人依劉繇避亂江東繇軍敗

從會稽吳主權優文徵儀專典機密拜騎都尉呂蒙
圖襲關羽吳主以問儀儀善其計拜忠義校尉既定
荊州都武昌拜裨將軍守侍中黃武中遣儀之皖就
將軍劉邵欲誘致曹休休至大破之遷偏將軍入闕
省尚書事又令教諸公子書吳主遷秣陵太子登留
鎮武昌使儀輔太子太子敬之事先諮詢然後行後
從太子還建業復拜侍中中執法典校郎呂壹誣白
故江夏太守刁嘉謗訕國政吳主怒收嘉繫獄并驗
問同坐人窮詰累日群臣屏息儀據實云無聞辭不
傾移嘉遂得免漢相諸葛亮卒吳主垂心西州遣儀

使漢稱意後拜尚書僕射南曹二官初立儀以本職領曹王傅儀嫌二官相切近乃上疏言二官宜有降殺正上下之序明教化之本書三四上爲傅盡忠動輙規諫不治產業爲屋舍財足自容拯贍貧困家無儲畜吳主聞之幸儀舍求視蔬飯親嘗之對之歎息即增俸賜益田宅儀累辭讓以恩爲戚事國數十年未嘗有過吳主歎曰使人盡如是儀當安用科法爲

張悌字巨先襄陽人少有名理孫休時爲丞相晉之伐吳也悌督沈瑩諸葛靚逆之牛渚軍敗緒靚退走以一介迎悌去悌不可靚自往牽之曰天下存亡寘

有極豈卿一人所知何故自令死辱爲悌乖淚爲靚曰仲思今日是吾死日也我見時爲卿家丞相所拔常恐不得死所負名賢國士知耳今以身殉社稷何不足吾所乃復遁耶仲思往矣無落吾事靚流涕去靚宅在板橋浦死葬其地

石偉字公操本南郡人好學秉節仕吳爲光祿大夫因家金陵吳亡晉太康二年詔偉秉志淸白皓首不渝加二千石以終厥世偉佯狂不受

陶璜字世英秣陵人也父基吳交州刺史璜少歷顯位會交州亂晉遣將軍毛炅九眞太守董元等自蜀出

交阯璜爲蒼梧太守拒戰敗于分水亡二將大都督薛珝怒謂璜曰君自表討賊而喪二帥其責安在璜曰下官不得行意諸軍不相順故致敗耳珝怒欲引軍還璜夜以數百兵襲董元獲其寶物船載而歸珝乃謝之以璜領交州爲前部督璜從海道出徑至交阯元距之諸將將戰璜疑斷牆內有伏兵列長戟于其後兵纔接元僞退璜追之伏兵果出長戟逆之大破元等遂克交阯因用璜爲交州刺史初晉將霍弋命炅等守交阯與之誓曰若賊圍城未百日而降家屬誅若過百日救兵不至吾受其罪炅等守

曰糧盡乞降璜不許給其糧使守諸將並諫璜曰霍
弋已死不能救炅等必矣可須其日滿然後受降使
彼無得罪我受有義內訓百姓外懷鄰國不亦可乎
炅等期訖糧盡救兵不至乃納之吳主以璜持節都
督交州諸軍事武平九德新昌土地阻險峒獠勁悍
歷世不賓璜征討開置三郡及九真屬國三十餘縣
徵璜爲武昌郡督吳既滅璜流涕數日遣使送印綬
詣洛陽詔復其本職封宛陵侯在南三十年威恩著
于殊俗及卒舉州號哭

晉

王導字茂弘其先臨沂人光祿大夫覽之孫也少有風鑒識量清遠陳留高士張公見而奇之曰此兒容貌志氣將相之器也元帝爲琅琊王與導素相親善導知天下已亂遂傾心推奉會帝出鎮下邳請導爲安東司馬軍謀密策知無不爲及徙鎮建康吳人未附導患之適從兄敦來朝導謂之曰琅琊王仁德雖厚而名論猶輕兄宜有以匡濟會上巳觀禊帝乘肩輿具威儀敦導及諸名勝皆騎從紀瞻賀循顧榮皆江南之望竊覘之乃相率拜於道左導勸引之以結人心乃躬造循榮二人皆應命而至由是吳會風靡百

結歸心焉導勸收其賢俊與之圖事時荊揚晏安戶口殷實導爲政務在清靜每勸帝克己勵節尤見委仗號爲仲父嘗從容謂導曰卿吾之蕭何也晉國旣建以導爲丞相軍諮祭酒桓彝初過江見朝廷微弱謂周顗曰我以中州多故來此欲求全活寡弱如此將何以濟往見導極談世事還謂顗曰向見管夷吾無復憂矣過江人士每至暇日相要出新亭飲宴顗中坐而歎曰風景不殊擧目有江山之異皆相視流涕惟導愀然變色曰當共戮力王室剋復神州何至作楚囚相對泣邪衆收淚而謝之時軍旅方殷學校

廢欽導勸立學以端風化帝納之及登尊號引升御
牀共坐導固辭至于三四曰若太陽下同萬物蒼生
何由仰照乃止及劉隗用事導漸見疎遠任眞推分
澹如也有識咸稱導善處興廢焉敦之反也隗請悉
誅王氏導率群從子姪二十餘人每旦詣臺待罪帝
以導忠節有素特還朝服召見之導稽首拜曰逆臣
賊子何世無之豈意今日近出臣族帝跣而執之曰
茂弘方託百里之命於卿是何言邪乃詔曰導以大
義滅親可以吾爲安東時節假之及敦得志加守尚
書令敦又舉兵內向時寢疾導便率子弟發哀衆聞

請敦死咸有奮志敦平進封始興郡公明帝崩復與
庾亮等同受遺詔共輔幼主是爲成帝庾亮將徵蘇
峻訪之於導導曰峻猜險必不奉詔且山藪藏疾宜
包容之固爭不從既而難作六軍敗績導入宮侍衛
峻以導德望不敢加害猶使以本官居已之右峻又
逼乘輿幸石頭導謀奉帝出奔義軍不果及事平宗
廟宮室並爲灰燼朝議遷都導曰建康古之金陵舊
爲帝里古之帝王不以豐儉移都苟弘衛文大帛之
冠則無往不可若不續其麻則樂土爲墟矣宜鎮以
靜群情自安導備素寡欲倉無儲穀衣不重帛帝知

之給布萬疋以供私費卒時年六十四成帝舉哀於
朝堂喪事賵襚之禮一依漢傳陸侯及安平獻王故
事自導渡江子孫遂家建業衣冠人物一時爲盛導
諸子皆知名中子洽少與荀羨俱有美稱歷官吳郡
內史穆帝徵拜中書令固讓不受

賀循字彥先其先山陰人徵辟皆不就元帝遷鎮東大
將軍引爲軍司敦逼不得已乃輿疾至建業元帝親
幸其舟側諮以政道循羸疾不堪拜謁乃就加朝服
賜第一區車馬牀帳衣褥等物循一無所受時江東
草創盜賊多發元帝思所以防之問循循勸明部分

設亭徼峻其綱目嚴其刑賞勸則有殊榮之報陷則
有一身之罪以時番休役不至困若寇多不能禦禦
者可指其蹤跡言所在都督尋當致討帝從之及愍
帝卽位又表爲侍中道險不行以討華軼功封鄉侯
循自以卧疾私門不受建武初爲中令加散騎常侍
又以老疾固辭改拜太常常侍如故循以九卿舊不
加官又疾不宜兼職惟拜太常而已時朝廷新建凡
有疑滯皆諮於循循輒依經禮以對爲當世儒宗其
後以循淸貧下令賜六尺牀薦席褥并錢二十萬循
又讓不許不得已留之初不服用及踐位以循行太

子太傅太常如故累表固讓元帝以循體德率物有不言之益命皇太子親往拜焉循有羸疾而恭於接對詔斷賓客其崇遇如此疾漸篤元帝親臨執手流涕太子問疾者三往還皆拜儒者以爲榮循少玩篇籍善屬文博覽衆書尤精禮傳雅有知人之鑒拔同郡楊方於卑陋卒成名於世

紀瞻字思遠秣陵人也少以方直知名舉秀才尚書郎陸機策之瞻詞旨通敏文義燦然機深加歎賞永康初詔人舉寒素大司馬辟東閣祭酒太安中棄官歸家與顧榮等共誅陳敏拜尚書郎與榮同赴洛至

州內亂日甚將不行會稽刺史裴盾得東海王越書謂瞻等顧望以軍禮發遣乃與榮各解船棄車牛一日一夜行三百里還揚州元帝爲安東將軍引爲軍諮祭酒轉鎭東長史帝親至瞻宅與之同乘而歸以討周馥華軼功封都鄉侯石勒入寇加揚威將軍都督諸軍事勒退除會稽內史時有詐作大將軍府符收諸暨令令已受拘瞻覺其詐便破檻出之訊問使者果伏詐妄尋遷丞相軍諮祭酒論討陳敏功封臨湘縣侯及長安不守與王導俱入勸進元帝不許瞻云二帝失御宗廟虛廢陛下膺籙受圖特天所授而猶

欲守匹夫之謙非所以闡七廟隆中興也且今五都燔爇宗廟無主劉淵竊兲神器於西北而陛下方欲高讓於東南此所謂揖讓而救火也帝猶不許使殿中將軍韓績徹去御座瞻叱績曰帝座上應星宿敢動者斬帝爲改容及踐位拜侍中轉尚書上疏諫諍多所匡益嘗獨引瞻於廣室慨然曰社稷之臣無復十人如何因屈指曰君便其一瞻辭讓元帝曰方欲與君善語復云何崇謙讓邪瞻才兼文武忠亮雅正俄轉領軍將軍當時服其嚴毅以久病請去官不聽復加散騎常侍及王敦之逆帝使謂瞻曰卿雖病但

[illegible]賊卧護六軍所益多於八乃賜布千疋贍不以歸家分賞將士賊平復自表還家不許就拜驃騎將軍止家爲府尋卒贈開府儀同三司謚曰穆

薛兼字令長丹陽人也父瑩有名于吳吳平爲散騎長侍兼清素有器宇少與同郡紀瞻廣陵閔鴻吳郡顧榮會稽賀循齊名號爲五儁初入洛司空張華見而奇之曰皆南金也察河南孝廉辟公府除比陽相蒞任有能聲歷轉司空東海王越祭酒賜爵安陽亭侯元帝爲安東將軍以爲軍諮祭酒稍遷丞相長史甚勤王事以上佐祿優每自約損取周而已進爵安陽

鄉侯拜丹陽太守中興建轉尹領太子少傅自綜至
兼三世傳東宮談者美之明帝即位猶申師傅之敬
是歲卒贈左光祿大夫開府儀同三司
張闓字敬緒丹陽人昭之曾孫少孤有志操太常薛兼
進之於元帝言闓才幹貞固當今之良器即引爲安
東參軍甚加禮遇轉丞相從事中郎以母憂去職既
葬帝強起之以佐翼勳賜爵丹陽縣侯遷侍中元帝
踐阼出補晉陵内史在郡甚有威惠所部四縣並以
旱失田闓乃立曲阿新豐塘溉田八百餘頃歲豐
以擅興造免官後公卿並爲之言曰張闓興陂溉

可謂益國而反被黜使臣下難復爲善元帝感之乃下詔曰丹陽侯闓昔以勞役部人免官雖從吏議猶未掩其忠節之志也倉廩國之大本宜得其才今以闓爲大司農闓陳黜免始爾不宜便居九列疏奏不許元帝崩以闓爲大匠卿營建平陵事畢遷尚書蘇峻之役闓與王導俱入宮侍衛峻使闓持節權督東軍王導潛與闓謀宣太后詔於三吳令速起義軍陶侃等至假闓四征將軍與陶回共督丹陽義軍又與蔡謨虞潭王舒等招集義兵以討峻峻平賜爵宜陽伯遷廷尉以疾解職拜金紫光祿大夫尋卒

諸葛恢字道明祖誕琅琊陽都人魏司空以起義被殺
父靚奔吳爲大司馬吳平逃竄不出恢弱冠知名試
守郎丘長轉臨沂令爲政和平值天下大亂避地江
左名亞王導庾亮于時潁川荀闓字道明陳留蔡謨
字道明與恢俱有名譽人謂之語曰京都三明各有
名蔡氏儒雅荀葛清元帝爲安東將軍以恢爲主簿
再遷江寧令討周馥有功封博陵亭侯遷從事中郎
兼統記室時四方多務牋疏殷積恢斟酌酬答咸
折中于時王氏爲將軍而恢兄弟及顏含並居
劉超以忠謹掌書命時人以帝善任一國之才

即位徵用四方賢儁召恢爲尚書[illegible]元帝以經緯才上疏留之承制調爲會稽太守臨行帝爲置酒謂曰今之會稽昔之關中足食足兵在於良守以君有蒞任之方是以相屈四方分崩當匡振圮運政之所先君爲言之恢對曰今天下喪亂風俗陵遲宜尊五美屛四惡進忠實退浮華帝深納焉太興初以政績第一詔增秩中二千石頃之以母憂去官服闋拜中書令王敦上恢爲丹陽尹以久疾免明帝征敦以恢爲侍中加奉車都尉討王含有功進封建安伯

卞壼字望之先濟陰人幼有名譽累轉御史中丞領尚

書令明帝不豫與王導等並受顧命成帝即位導以
疾不至壼正色於朝曰王公豈社稷之臣耶大行在
殯嗣皇未立寧是人臣辭疾之時導聞之輿疾而至
是時導稱疾不朝而私送車騎將軍郗鑒壼奏導虧
法從私無大臣節御史中丞鍾雅阿縱不舉劾並請
免官舉朝震肅庾亮將召蘇峻壼固爭不從峻果稱
兵壼率諸將拒戰敗績壼時發背創猶未合力疾苦
戰死之二子眕盱亦赴敵死夫人裴氏撫二子尸哭
曰父爲忠臣爾爲孝子復何恨乎葬冶城旁至今
祀不絕

[illegible]回璫從子司徒王導引爲從事中郎遷司馬蘇峻之
役回與孔坦言於導請早出兵守江口峻將至回復
謂亮曰峻知石頭有重戍不敢直下必向小丹陽南
道步來宜伏兵要之可一戰而擒亮不從峻果從小
丹陽經秣陵迷失道夜行無復部分亮深悔不從回
之言尋王師敗績回還邑收合義軍得千餘人與陶
侃温嶠等并力攻峻又别破韓晃以功封康樂伯時
大賊新平綱維弛廢導以回有器幹擢補北軍中候
俄轉中護軍吳興太守時人饑穀貴回不待報輒便
開倉及割府郡軍資數萬斛米以救之絕由是一境

獲全既而下詔幷勑會稽吳郡依回振恤二郡賴之在郡四年徵拜領軍將軍加散騎常侍征虜將軍如故回性雅直不憚彊禦丹陽尹桓景佞事王導甚爲導所昵會熒惑守南斗經旬導語回曰南斗揚州分而熒惑守之吾當遜位以厭此譴回答曰公以明德作相輔弼聖主當親忠貞遠邪佞而與桓景造膝熒惑何由退舍導深愧之咸和二年以疾辭職不許徙護軍將軍常侍領軍如故未拜卒謚曰威四子汪陋隱無忌咸有幹用皆至大官

謝鯤字幼輿本陽夏人通簡有高識好老易爲王敦

史雖自處若殘而動不累高敦有不臣之迹鯤知不可以道匡弼乃優游寄遇不屑政事從容諷議卒歲而已及敦將爲逆至石頭嘆曰吾不復得爲盛德事矣鯤曰何爲其然但使自今以往日忘日去耳及至都復曰近來人心何如鯤對曰明公之舉雖欲大存社稷然悠悠之言實未達高義周顗戴若思南北人士之望明公舉而用之群情帖然矣是日敦遣兵收周戴而鯤弗知敦既害忠賢稱疾不朝將還武昌鯤喻敦曰公若能朝天子使君臣釋然萬物之心于是乃服仗衆望以順群情盡沖退以奉主上如斯勲侔

一匡名垂千載矣敦不從竟不朝而去鯤尋卒年四十三

王嶠字開山先世晉陽人司徒渾之族永嘉末嶠二弟避亂渡江時元帝鎮建鄴教曰王祜三息始至名德之胄並有操行宜蒙飾敘王敦請爲參軍爵九原縣公敦在石頭欲禁私伐蔡洲荻嶠曰中原有菽庶人採之百姓不足君孰與足若禁人樵伐未知其可敦不悅敦將殺周顗戴淵嶠於坐諫曰濟濟多士文王以寧安可戮諸名士以自全生敦大怒欲斬嶠頼鯤以免敦猶銜之出爲領軍長史敦平後除中書

郎咸和初朝儀欲以嶠爲丹陽尹嶠以京尹望重不宜以疾辭之求補廬陵郡乃拜廬陵太守卒謚穆

顏含字弘都先世莘人少有操行以孝友聞兄畿得疾就醫死於醫家家人迎喪旐繞樹不可解引喪者顛仆稱畿言曰我未應死但服藥所傷今當復活愼勿葬也父祝之歸家旐乃解及還其婦夢之曰吾當復生可急開棺母及家人又夢之即欲開棺而父不聽含時尚少乃慨然曰開棺之痛孰與不開相負父母從之乃共發棺果有生驗但奄然餘息將視累月猶不能語闔家營視頓廢生業母妻皆有倦意含乃棄

絕人事躬親侍養足不出戶者十有三年石崇重含
惇行贈以甘旨含謝而不受或問其故答曰病者綿
昧生理未全既不能進噉又未識人惠若嘗謬留豈
施者之意也幾竟不起含二親既終兩兄繼沒次嫂
樊氏因疾失明含課勵家人盡心奉養每自嘗省藥
饌察問息耗必簪屨束帶醫人疏方應須髯蛇膽而
尋求備至無由得之含憂歎累時嘗晝獨坐忽有一
青衣童子年可十三四持一青囊授含含開視乃蛇
膽也童子逡巡出戶化青鳥飛去得膽藥成嫂病即
愈由是著名元帝初鎮下邳命爲參軍過江除縣令

太守王導問含曰卿今滋民郡政將何先答曰王師歲動編戶虛耗南北權豪競招游食國弊家豐執事之憂且當徵之勢門使反田桑數年之間欲令戶給人足如其禮樂俟之明宰含所歷簡而有恩明而能斷然以威御下導歎曰顔公在事吳人斂手矣未之官復爲侍中尋除國子祭酒以年老遜位成帝美其素行就加右光祿大夫賜牀帳被褥勅太官四時致膳固辭不受于時論者以王導帝之師傅名位隆重百僚宜爲降禮太常馮懷以問於含含曰王公雖重理無偏敬降禮之言或是諸君事宜鄙人老矣不識

時務既而告人曰吾聞伐國不問仁人向馮祖思問
佞於我我有邪德乎人嘗論少正卯盜跖其惡孰深
或曰正卯雖姦不至劊人充膾盜跖爲甚含曰爲惡
彰露人思加戮隱伏之姦非聖不誅由此言之少正
爲甚衆咸服焉郭璞嘗遇含欲爲之筮含曰年在天
位在人修己而天不與者命也守道而人不知者性
也自有性命無勞蓍龜桓温求婚於含含以其盛滿
不許惟與鄧攸深交或問江左群士優劣答曰周伯
仁之正鄧伯道之清卞望之之節餘則吾不知也其
抑浮貴實如此自含渡江九世皆葬建康

樂道融丹陽人少有大志好學不倦與友朋信有國士風爲王敦參軍敦將圖逆使召甘卓卓遲疑未赴敦遣道融召之道融忿敦逆節因說卓曰王敦背恩不道國家待君至厚今若附之豈不負義生爲逆臣死爲愚鬼君當僞許應命而馳襲武昌敦衆聞之必不戰自散大勲可集矣卓喜乃陳敦過逆發兵討之卓兄子印時爲敦參軍敦使印求和于卓令其旋軍卓信之道融曰將軍起義兵而中廢爲敗軍之將竊爲將軍不取也卓不從道融晝夜涕泣憂憤而死

王諒字幼成丹陽人少有幹才王敦擢參府事遷武昌

太守轉交州刺史討修湛梁碩之叛既斬湛謀誅碩不遂碩率衆圍之逼奪其節誡固執不與遂斷其右臂憤恚而卒

王彪之字叔武丞相導之從子初除佐著作郎東海王文學屢遷吏部尚書桓溫欲北伐詔不許溫輒下武昌人情震懼或勸殷浩引身告退彪之言於簡文曰此非保社稷爲殿下計皆自爲計耳若殷浩去職人情崩駭天子獨坐既爾當有任其責者非殿下而誰又謂浩曰彼抗表問罪卿爲其首事任如此猜釁已[illegible]欲作匹夫豈有全地耶且當靜以待之令相王[illegible]

書示以款誠陳以成敗當必旋旆若不順命即遣中
詔如復不奉乃當以正義相裁無故悤悤先自猖獗
浩曰決大事正自難頃日來欲使人悶聞卿此謀意
始得了溫亦奉旨果不進時眾官漸多而遷徙每速
彪之上議以得賢之道在於能久不收一切之功不
採速成之譽今才寡於世而官多於朝官眾則闕多
闕多則遷速遷速所以職事未修朝風未澄者也職事之
修在於省官朝風之澄在於并職官省則選清而得
久職并則吏簡而俗靜選清則任人久於其事事久
則中才猶足有成無奉祿之虛費簡吏寺之煩役矣

長安人雷弱兒梁安等詐降請兵應接時殷浩鎮壽陽使進據洛彪之與簡文言弱兒等容有詐僞浩未應輕進已而弱兒果詐姚襄反叛浩大敗退守譙城簡文笑謂彪之曰果如君言謀無遺策張陳復何以過之轉領軍將軍太常後爲鎮軍將軍會稽內史居郡八年豪右斂跡亡戶歸者三萬餘口桓溫下鎮姑孰威勢震主四方修敬皆遣上佐綱紀彪之獨曰大司馬誠爲富貴朝廷既有宰相動靜之宜自當諮稟修敬若遣綱紀致貢天子復何以過之竟不遣忤溫檻收下吏會赦免左降爲尚書頃之復爲僕射是

温將廢海西公百寮震慄莫知所爲彪之知温不臣迹已著理不可奪乃命取霍光傳禮度儀制定於須臾曾無懼容簡文崩群臣疑惑未敢立嗣或云宜當須大司馬處分彪之正色曰君崩太子代立大司馬何容得異若先禀諮必反爲所責矣於是朝議乃定及孝武帝即位太皇太后令以帝冲幼加在諒闇令温依周公居攝故事事已施行彪之曰此異常大事大司馬必當固讓使萬機停滯稽廢山陵未敢奉令謹封還事遂不行温遇疾諷朝廷求九錫袁宏爲文以示彪之彪之視訖歎其文辭之美謂宏曰卿固大

才安可以此示人時謝安見其文又頻使宏改之宏
遂逡巡其事旣屢引日乃謀於彪之彪之曰聞彼病
日增亦當不復支久自可更小遲廻宏從之溫亦尋
死尋遷尚書令與安共掌朝政安每曰朝之大事衆
不能決者諮王公無不得判以年老上疏乞骸骨詔
不許至太元二年卒
謝安字安石鯤從子少有時名朝命敦逼皆不就人爲
語曰安石不起當如蒼生何年四十餘始應大司馬
溫命爲司馬溫深重之尋除吳興太守徵拜侍中
吏部尚書中護軍簡文崩溫入赴山陵止新亭大

兵衞廷見朝士或言將害王謝遂移晉室坦之甚懼見温流汗沾衣倒執手板安從容就席坐定謂温曰安聞諸侯有道守在四隣明公何須壁後置人耶温笑曰正自不能不爾遂笑語移日時孝武帝富於春秋政不自己温威震內外人情噂嗒互生同異安與坦之盡忠匡翼終能輯穆及温病篤諷朝廷加九錫使袁宏具草安見輒改之由是歷旬不就會温薨錫命遂寢尋爲尚書僕射詔總關中軍事疆敵寇境邊書續至安每鎮以和靖人情頗安符堅率衆號百萬次于淮淝京師震恐加安征討大都督元入問計安

怡然無懼色答曰已别有旨既而寂然玄不敢復言乃令張元重請安遂命駕出山墅親朋畢集方與元圍棋賭别墅安棋常劣于元是日元懼便爲敵手而又不勝安遂游涉至夜乃還指授將帥各當其任元等既破堅有驛書至安方對客圍棋看書竟便攝放牀上了無喜色棋如故客問之徐答云小兒輩遂已破賊既罷還内過戸限不覺屐齒折其矯情鎮物如此常疑劉牢之不可獨任又知王裕之不宜專城後皆如其言識者服其知人時會稽王道子專權安出鎮廣陵築新城而居之安雖受朝寄然東山之志始

末不渝每形於言色及鎮新城盡室而行造泛海之裝欲須經略粗定自海道還東雅志未就遇疾篤還都卒年六十六贈太傅謚曰文靖安避亂渡江遂家建業其後衣冠人物與王導等時稱江左王謝

王坦之字文度其先太原人祖承避亂渡江父述爲尚書令坦之弱冠與郗超齊名時人謂之語曰盛德絕倫郗嘉賓江東獨步王文度簡文帝臨崩詔大司馬温依周公居攝故事坦之自持詔入於帝前毀之帝曰天下儻來之運卿何所嫌坦之曰天下宣元之天下陛下何得專之帝乃使坦之改詔温甍坦之與謝

安共輔幼主盡忠帝室遷中書令俄出鎮廣陵臨終與謝安桓沖書言不及私惟憂國家朝野共惜之

謝元字幼度安之姪也少穎悟爲安所器重及長有經國才略屢辟不起後桓溫辟安與王珣爲掾並禮重之苻堅强盛邊境數被侵寇時求文武良將可以鎮禦北方者安乃以玄應舉中書郎郗超雖素與元不善聞而歎之曰安違衆舉親明也玄必不負舉才也時咸以爲不然超曰吾嘗與玄共在桓公府見其使才雖履屐間亦得其任所以知之於是徵還拜兗州刺史領廣陵相監江北諸軍事迺選精鋭數千人以

劉牢之爲帥號北府兵敵人畏之時苻堅遣軍圍襄陽屢破走之進號冠軍加領徐州刺史還廣陵以功封東興縣侯及苻堅自率兵次於項城衆號百萬玄先遣劉牢之五千人直指洛澗斬梁成堅列陣臨淝水軍不得渡乃使謂苻融曰君遠涉吾境而臨水爲陣是不欲速戰諸軍稍却令將士得周旋僕與君緩轡而觀之不亦樂乎堅衆皆曰宜阻淝水莫令得上我衆彼寡勢必萬全堅曰但却軍令得過而我以鐵騎數十萬向水逼而殺之融亦以爲然遂麾使却陣衆因亂不能止于是玄等以精鋭八千涉淝水大戰

堅中流矢臨陣斬符融敵衆奔潰自相蹈籍投水死者不可勝計淝水爲之不流餘衆棄甲宵遁聞風聲鶴唳皆以爲王師已至死者十七八獲堅乘輿雲母車儀服器械軍資山積牛馬驢騾駱駝十餘萬詔遣殿中將軍慰勞進號前將軍假節固讓不受賜錢百萬綵千疋既而安奏符堅喪敗宜乘其釁乃以玄爲前鋒都督率冠軍將軍桓石虔徑造渦潁經略舊都元復率衆次于彭城遣參軍劉襲攻秦兗州刺史張崇於鄄城走之使劉牢之守鄄城兗州既平玄患水道險澁糧運艱難用督護聞人奭謀堰呂梁水

立七埭以利運漕自此公私利便堅子丕遣將屯
陽三魏皆降加玄都督徐兗青司冀幽并七州軍事
封康樂縣公遇疾求解職疏十餘上久之乃授會稽
內史輿疾之郡卒於官追贈車騎將軍開府儀同三
司謚曰獻武

王珣字元琳洽之子弱冠與陳郡謝元爲桓溫掾俱爲
溫所重嘗謂之曰謝掾年四十必擁旄杖節王掾當
作黑頭公皆未易才也珣轉主簿時溫經略中夏竟
無寧歲軍中機務並委珣焉文武數萬人悉識其面
孝武雅好典籍珣與殷仲堪徐邈王恭郗恢等並以

才學文章見昵及王國寶自媚於會稽王道子而與珣等不協孝武慮身後怨隙必生故出恭恢爲方伯而委珣端右隆安初國寶用事謀黜舊臣遷珣尚書令王恭赴山陵欲殺國寶珣止之曰國寶雖終爲亂亂要罪逆未彰今便先事而發必大失朝野之望恭乃止既而謂珣曰比來視君一似胡廣珣曰王陵廷爭陳平慎默但問厥終何如耳恭尋起兵國寶將殺珣等僅得免恭復舉兵假珣節進衛將軍都督瑯琊水陸軍事四年以疾解職歲餘卒

王羲之字逸少司徒導從子高爽異常流年十三

頲顗察而異之太尉郗鑒使門生求壻於導導令東廂徧觀子弟門生歸白曰王氏諸少並佳然聞信至咸自矜持惟一人在東床坦腹卧獨若不聞鑒曰此正佳壻邪訪之乃羲之也遂以女妻之起家秘書郎後爲右軍將軍會稽內史謝安總中書嘗與羲之登冶城悠然遐想有高世之志羲之謂曰夏禹勤王手足胼胝文王旰食日不暇給今四郊多壘宜思自効而虛談廢務浮文妨要非當世所宜安不能用時殷浩與桓温不協羲之以國家之安在于內外和因與浩書以戒之浩不從及浩將北伐羲之以爲必敗

以書止之言甚切至浩果爲姚襄所敗復圖再舉又遺浩書曰使君起于布衣任天下之重而喪敗至此恐圖朝群賢未有與人分其謗者若猶以前事爲未工故復求之於分外宇宙雖廣自容何所時東土饑荒羲之輒開倉賑貸而朝廷賦役繁重吳會尤甚羲之上疏爭之事多見從尤長于隸書爲古今之冠人謂羲之人品甚高爲書名所掩云

范寧字武子其先南陽順陽人少篤學多所通覽時浮虛相扇儒雅日替寧著論以王弼何晏之罪深於桀紂解褐爲餘杭令在縣興校養生徒絜已修禮志行

之士莫不宗之朞年化行遷臨淮太守頊之徵拜中書侍郎在職多所獻替時更營新廟博求辟雍明之制寗據經傳奏上皆有典證孝武帝雅好文學甚被親愛朝廷疑議輙諮訪之出爲豫章太守在郡大設庠序遣人往交州採磬石以供學用改革舊制不拘常憲遠近至者千餘人資給衆費一出私錄并取郡四姓子弟皆充學生課讀五經又起學臺功用彌廣江州刺史王凝之上言孝武以寗所務惟學事久不判會赦免既免官家於丹陽猶勤經學終年不輟年六十三卒於家初寗以春秋穀梁氏未有善釋沉

愍積年爲之集解其義精審爲世所重

王珉字季琰少有才藝善行書名出珣右時人爲之語曰法護非不佳僧彌難爲兄僧彌珉小字也時有異沙門名提婆妙解法理爲珣兄弟講毗曇經珉時尚幼講未半便云已解即於別室與沙門法綱等數人自講之辟州主簿舉秀才不行後歷著作散騎郎國子博士黃門侍郎王獻之爲長兼中書令二人素齊名世謂獻之爲大令珉爲小令云卒時年二十八追贈太常二子朗練義熙中竝歷侍中

吳隱之字處默先世濮陽鄄城人魏侍中質六世孫也

美姿容善談論博涉文史以儒雅標名弱冠而介立有清操雖日晏歠菽不饗其粟儋石無儲不取非其道年十餘丁父憂毎號泣行人爲之流涕事母孝謹喪哀毀過禮祥練之夕群鴈俱集時人以爲孝感隆安中爲廣州刺史假節領平越中郎將未至州二十里地名石門有水曰貪泉飲者懷無厭之欲隱之至泉所酌而飲之因賦詩曰古人云此水一歃懷千金試使夷齊飲終當不易心及在州清操踰厲常食鮭菜帷帳器服皆付外庫始終不易盧循寇南海隱之率厲將士固守彌時長子曠之戰没循攻擊百有

餘日城遂陷隱之携家累出奔久方得反裝無餘資及至都惟數畝小宅籬垣仄陋茆屋六間僅容妻子劉裕賜車牛更爲起宅固辭尋拜度支尚書太常後遷中領軍清儉不革每月得祿裁留身粮其餘悉分振親族身恒布衣不完妻子不霑寸祿義熙八年請老優詔許之授光祿大夫加金章紫綬賜錢十萬米三百斛九年卒追贈左光祿大夫加散騎常侍隱之清操不渝屢被褒飾士以爲榮初隱之爲奉朝請謝石請爲南將軍主簿隱之將嫁女石知其貧令移厨帳助其經營使者至方見婢牽犬賣之此外蕭然無

辨其清介如此

南北朝

王曇首太保弘少弟也幼有操尚兄弟分財曇首唯取圖書而已辟琅琊王大司馬屬曇首有識局智度喜愠不見於色閨門之內雍雍如也手不執金玉婦女不得爲飾玩自非禄賜所及一毫不受於人宋文帝鎮江陵時曇首爲鎮西長史高祖甚知之謂文帝曰王曇首沈毅有器度宰相才也汝每事咨之文帝入奉大統議者皆疑不敢下曇首與到彦之固勸并言天人符應乃率府州文武嚴兵自衛臺所遣百官衆

力不得近及即位謂曇首曰非宋昌獨見無以致此以爲侍中尋領右軍將軍徐羨之謝晦等誅曇首與有力文帝欲封之會讌集因撫御牀曰此坐非卿兄弟無復今日時封詔已成出以示曇首曇首曰近日之事釁難將成賴陛下英明速斷罪人斯戮臣等雖得仰憑天光效其毫露豈可因國之災以爲身幸陛下雖欲私臣當如直史何封事遂寢時兄弘錄尚書事又爲揚州刺史曇首爲上所親委任兼兩官彭城王義康與弘並錄意常怏怏曇首固乞吳郡文帝曰豈有欲建大廈而遺其棟梁哉賢兄比屢稱疾固辭

州任將來若相申許者此處非卿而誰亦何吳郡之有七年卒文帝爲之慟中書舍人周起侍側曰王家欲哀賢者先須文帝曰直是我家衰耳追贈左光祿大夫

謝弘微晉太保安族孫也出繼從叔峻幼時精神端審[illegible]然後言所繼叔父混名知人見而異之曰此兒深中夙敏方成佳器有子如此足矣晉義熙初襲峻爵建昌縣侯弘微家素貧儉而所繼豐泰唯受書數千卷國吏數人而已遺財祿秩一不關預混風格高峻少所交納唯與族子靈運瞻曜弘微並以文義賞會

嘗其宴處其外雖復高流時譽莫敢造門嶠等才辯
辯富弘微每以約言服之混謂瞻等曰汝諸人雖才
義豐辯未必皆愜衆心至於領會機賞言約理要故
當與我共推微子又曰微子異不傷物同不害正若
年迨六十必至公輔義熙八年混以劉毅黨獲罪妻
晉陵公主改適瑯琊王練公主雖執意不行而詔與
謝氏離絶公主以家事委之弘微經紀生業事若在
公一錢尺帛出入皆有文簿遷通直郎宋高祖旣卽
位以混得罪前代東鄉君節義可嘉聽還謝氏自混
亡至是九載而室宇修整倉庫充盈門徒僕使不異

半日田疇墾闢有加於舊東鄉君歎曰僕射平生重此子可謂知人僕射爲不亡矣弘微性嚴正舉止必循禮度事繼親之黨恭謹過常或傳語通訊輙正其衣冠婢僕之前不妄言笑尊甲大小敬之若神文帝即位爲黃門侍郎與王華王曇首殷景仁劉湛等號曰五臣遷尚書吏部郎叅預機密兄曜卒弘微蔬食積時哀戚過禮服雖除猶不噉魚肉嘗曰衣冠之變禮不可踰在心之哀實未能已遂廢食感咽歔欷不自勝弘微少孤事兄如父兄弟友穆舉世莫及也六年東宮始建領中庶子尋加侍中固讓不拜乃聽解

中庶子每有獻替及論時事必手書焚草人莫之知九年東鄉君薨資財鉅萬弘微一無所取自以私祿營葬混女夫殷叡素好樗蒱聞弘微不取財物乃濫奪以還戲責內人皆化弘微之讓一無所爭東鄉君葬弘微牽疾臨赴病遂甚十年卒

王僧綽曇首子幼有大成之度衆以國器許之好學有理思練朝典宋元嘉中徙尚書吏部郎叅掌大選究識流品諳悉人物拔才舉能咸得其分二十八年遷侍中任以機密僧綽沈深有局度不以才能高人文帝末年頗以後事爲念以其年少方欲大相付託會

政小大皆與祭焉從兄徽清介士也懼其太盛勸令損抑僧綽乃求吳郡及廣州文帝並不許會二凶巫蠱事泄文帝先召僧綽具言之及將廢立使尋求前朝舊典劭於東宮夜饗將士僧綽密以啓聞文帝又令選漢魏以來廢諸王故事謂僧綽曰諸人各為身計便無與國家同憂者僧綽曰建立之事仰由聖懷臣謂唯宜速斷不可稽緩當斷不斷反受其亂願以義割恩畧小不忍不爾便應坦懷如初無煩疑論淮南云以石投水吳越之善沒取之事機雖密易致宣廣不可使難生慮表取笑千載文帝曰卿可謂能斷

大事此事重不可不殷勤三思且庶人始亡人將謂
我無復慈愛之道僧綽曰臣恐千載之後言陛下唯
能裁弟不能裁兒帝默然江湛同侍坐出閤謂僧綽
曰向言不太直切僧綽曰弟亦恨君不直及劭弑逆
轉爲吏部尚書委以事任頃之劭料檢巾箱及江湛
家書疏得僧綽所啓饗士并廢諸王事乃收害焉時
年三十一

謝靈運元之孫少好學博覽群書文章之美爲江左第
一襲封康樂公出爲永嘉太守郡有名山水靈運素
所愛好出守旣不得志遂肆意遊遨理人聽訟不復

懷所至輒爲詩詠以致其意在郡一周稱疾去職
居會稽每有一詩至都下貴賤競寫宿昔間士庶皆
徧靈運詩書兼絶每文竟手自寫之文帝稱爲二寶
謝惠連方明子靈運族弟也幼有奇才十歲能屬文不
爲父方明所知靈運去官還會稽時方明爲守靈運
造焉遇惠連大相稱賞靈運性無所推重獨重惠連
每有篇章對之輒得佳語嘗於永嘉西堂思詩竟日
不就忽夢見惠連即得池塘生春草句大以爲工常
云此語有神助
雷次宗字仲倫其先南昌人少慕棲逸不關榮利元嘉

十五年徵至建康開館於雞籠山聚徒教授置生徒百餘人時四學並建文帝數幸次宗館資給甚厚又除給事中不就久之還廬山後又徵詣建康爲築室於鍾山西巖下謂之招隱館使爲太子諸王講喪服禮經次宗不入公門乃使自華林東門入延賢堂授業二十五年卒於鍾山

劉瓛字子珪晉丹陽尹惔六世孫也篤志好學博通訓義年五歲聞舅讀管寧傳欣然欲讀舅更爲說之精意聽受曰此可及也宋大明四年舉秀才除奉朝請不就兄弟三人共處蓬室怡然自樂習業不廢

常數十人丹陽尹袁粲指聽事前古柳樹謂巘曰人謂此是劉尹時樹每想高風今復見卿淸德可謂不衰矣薦爲秘書郎不見用後拜安成王撫軍行參軍坐事免素無宦情自此不復仕袁粲誅巘微服往哭拜致賻助齊高帝踐祚召問政道答曰政在孝經宋氏所以亡陛下所以得之是也帝咨嗟曰儒者之言可寶萬世又謂巘曰吾應天革命物議以爲何如對曰陛下戒前軌之失加之以寬厚雖危可安若循其覆轍雖安必危及崩帝謂司徒褚彦回曰方直乃爾學力故自過人上欲用爲中書郎使吏部尚書何戢

喻旨瓛笑曰平生無榮進意後以母老闕養拜彭城會稽郡丞學徒從之者轉衆除步兵校尉不拜公姿狀纖小儒業冠于當時當時推其大儒以比古之曹鄭性謙率不以高名自居住在檀橋瓦屋數間上皆穿漏學徒敬慕不敢指斥呼爲清溪竟陵王子良親往修謁表爲立館以城西楊烈橋故主第給之公曰此華宇豈吾宅邪未及徙居遇疾卒少有至性祖母病疽經年手持膏藥漬指爲爛母孔氏甚嚴明謂親戚曰阿稱便是今世曾子稱瓛小名也年四十餘未有婚對建元中高帝與司徒褚彥回爲娶王氏女王

氏穿壁挂屐土落孔氏牀上孔氏不悦擲即出其妻及居母憂往墓下不出廬足爲之屈杖不能起梁武帝少時嘗從受業天監元年下詔爲立碑謚貞簡先生所著文集行於世

王僧虔僧綽弟世爲宰輔昆弟有時名太保弘每與兄弟集會任諸子孫相戲僧達下地跳作虎子僧虔年數歲獨正坐採蠟燭珠爲鳳凰弘曰此兒終當爲長者弱冠善隷書宋文帝見其書素扇歎曰非唯跡逾子敬方當器雅過之除秘書郎太子舍人轉義陽王文學太子洗馬遷司徒左西屬兄僧綽爲元凶所害

親賓咸勸僧虔逃僧虔涕泣曰吾兄奉國以忠貞撫我以慈愛今日之事苦不見及耳若同歸九泉猶羽化也孝建初出爲武陵太守兄子儉於中途得病僧虔爲廢寢食同行客慰喻之僧虔曰昔馬援處兒姪之間一情不異鄧攸於弟子更逾所生吾實懷其心誠未異古若此兒不救便當回舟謝職無復遊宦之興矣還爲中書郎轉中庶子泰始中出爲吳興太守又徙會稽中書舍人阮佃夫請假東歸客勸僧虔以佃夫要倖宜加禮接僧虔曰我立身有素豈能[illegible]此輩彼若見惡當拂衣去耳佃夫言於明帝坐[illegible]

尋以白衣兼侍中出監吳郡太守歷湘州刺史所
以寬惠著稱昇明二年爲尚書令僧虔好文史解音
律欲釐正雅樂不果齊高帝革命遷持節都督湘州
諸軍事清簡無所欲不營財產百姓安之武帝即位
遷侍中開府儀同三司乃謂兄子儉曰汝任重於朝
行當有八命之禮我若復此授則一門有二台司實
可畏懼乃固辭不拜武帝優而許之嘗謂客曰君子
所憂無德不憂無寵吾衣食周身榮位已過所慚庸
薄無以報國豈容更受高爵方貽官謗耶兄子儉爲
朝宰起長梁齋制度小過僧虔視之不悅竟不入戶

儉即毀之永明三年薨
伏曼容字公儀安丘人少篤學善老易聚徒教授以自業爲驃騎行參軍宋明帝好周易集朝臣于清暑殿講詔曼容執經曼容素美風采帝以方嵇叔夜使陸探微畫叔夜像賜之袁粲爲丹陽尹請爲江寧令入拜尚書郎入齊爲太子率更令與王儉深相交好建武中拜中散大夫曼容宅在瓦官寺東施高座于廳事每升坐講說生徒常數十百人梁臺建以舊儒召拜司徒有周易毛詩喪服集解老莊論語義行世

王儉字仲寶僧綽子少孤爲叔僧虔所養幼有神彩專
心篤學手不釋卷丹陽尹袁粲聞其名言於宋明帝
尚陽羨公主解褐爲太子舍人起遷秘書丞上表求
校墳籍撰七志四十卷獻之表辭甚典又撰定元徽
四部書目蒼梧暴虐求出補義興太守還爲黃門郎
齊高帝爲太尉引爲右長史恩禮隆密專見任用儉
少有宰相之志物議咸相推許時大典將行儉爲佐
命禮儀詔策皆出其手褚淵惟爲禪詔文使儉參治
之齊臺建遷右僕射領吏部時年二十八明年轉左
僕射屢有興作輒上疏諫止時制度草創儉識舊事

問無不答高帝嘆曰詩云維嶽降神生甫及申今亦
天爲我生儉也嘗侍曲宴群臣數人各使効伎藝儉
曰臣無所解唯知誦書因跪誦相如封禪書高帝笑
曰此盛德之事吾何以堪之尋以本官領太子詹事
高帝殂遺詔以儉爲侍中尚書左鎮軍將軍武帝即
位給班劍二十人永明二年領國子祭酒丹陽尹二
年又領太子少傅是歲省總明觀於儉宅開學悉以
四部書充儉家四年以本官領吏部儉長禮學諳究
朝儀每博議證引先儒罕有其例八坐丞郎無能異
者令史諮事賓客滿席儉應接銓序旁無留滯常謂

人曰江左風流宰相唯有謝安蓋自比也武帝深委
仗之士流選用奏無不可儉屢啓求解選不許七年
卒

謝朏字敬冲弘微孫也幼聰慧十歲能屬文父莊遊土
山賦詩使朏命篇朏攬筆便就莊因撫朏背曰眞吾
家千金宋孝武遊姑孰勑莊攜朏從詔使爲洞井贊
於坐奏之孝武曰雖小奇童也蕭道成輔政選朏爲
長史勑與褚炫江斅劉俁俱入侍號爲天子四友道
成方圖禪代思佐命之臣以朏有重名深所欽屬論
魏晉故事因曰晉革命時事久光石苞不早勸晉文

死方慟哭方之爲異非知機也朏答曰晉文世事魏氏將必身終北面假使魏早依唐虞故事亦當三讓彌高道成不悅更引王儉爲左長史以朏侍中領秘書監及齊受禪朏當日在直百僚陪位侍中當解璽朏佯不知曰有何公事傳詔云解璽授齊王朏曰齊自應有侍中乃引枕臥傳詔懼乃使稱疾朏曰我無疾何所道遂朝服步出東掖門乃得車還宅是日遂以王儉爲侍中解璽既而太子頤言於高帝請誅朏高帝曰殺之則遂成其名正應容之度外耳遂廢于家後復爲義興太守西昌侯鸞謀入嗣位朝之舊臣

皆引參謀策朏內圖止足且實避事弟瀹時爲吏部尚書朏至郡致瀹數斛酒遺書曰可力飲此勿豫人事建武四年詔徵爲侍中中書令遂抗表不應召遣諸子還建康獨與母留築室郡之西鄙明帝屢徵不至梁武帝踐阼徵之不屈宣旨敦譬明年六月朏輕舟出詣闕自陳旣至詔以爲侍中司徒尚書令朏辭足疾不堪拜謁乃角巾肩輿詣雲龍門謝詔見於華林園明旦武帝幸朏宅醼語盡懽朏固陳本志不許因請自還迎母乃許之臨發復臨幸賦詩餞別士人送迎相望於道勅材官起府於建康舊宅武帝臨軒

遣謁者於府拜授焉是冬卒於府

謝瀹字義潔朏之弟少簡靜有韻度王彧見而異之言於宋孝武孝武召見於稠人廣衆中舉動閑詳應對合旨孝武甚悅齊臺建遷太子中舍人建元初以母老須養出爲安成內史王儉引爲長史雅相禮遇除黃門郎永明中轉長史兼侍中瀹以晨昏有廢固辭不許遷司徒左長史出爲吳興太守有美績後爲吏部尚書蕭鸞廢鬱林領兵入殿左右驚走報瀹瀹與客圍棊畢局乃還齋卧意不問外事鸞又廢海陵自立瀹遂屬疾不視事後燕會功臣尚書令王宴[illegible]

席藩獨不起曰陛下受命應天從民王宴妄叨天功以爲己力明帝大笑解之

劉係宗丹陽人元徽初爲中書通事舍人封始興南亭侯兼秣陵令齊高帝即位除龍驤將軍建康令上欲修白下城難于動役係宗啓謫役在東人丁隨唐寓之爲逆者從之後車駕出講武履行白下城曰劉係宗爲國家得此一城永明中與魏朝書常令係宗題答係宗閑於職事武帝常云學士輩不堪經國經國一劉係宗足矣其重吏事如此建武二年卒

陶季直秣陵人也早慧祖愍祖甚愛異之嘗以四函銀

列置於前令諸孫各取季直時甫四歲獨不取人問其故季直曰若有賜當先父伯不應度及諸孫是故不取愍祖益奇之五歲喪母哀若成人初母未病於外染衣卒後家人始贖季直抱之號慟聞者莫不酸感及長好學淡於榮利起家桂陽王國侍郎北中郎鎮西行參軍並不起時人號曰聘君父憂服闋宋丹陽尹劉秉引爲後軍主簿領郡功曹出爲望蔡令頃以病免劉秉與袁粲以蕭道成權勢日盛將圖之秉素重季直欲與之定策季直以袁劉儒者必致顛殞固辭不赴俄而秉等敗齊初爲尚書比部郎出爲東

莞太守在郡號爲清和還除散騎侍郎領左衛將軍
明帝作相誅鋤異己季直不能阿意明帝頗忌之乃
出爲北海太守季直造門致謝明帝旣見便留之以
爲驃騎諮議參軍兼尚書左丞仍遷建安太守政尚
清靜百姓便之還爲中書侍郎兼廷尉梁臺建遷給
事黃門侍郎常稱仕至二千石始願畢矣無爲務人
間事乃辭疾還鄉里天監初就家拜太中大夫梁武
曰梁有天下遂不見此人十年卒于家時年七十五
季直素清苦絕倫又屏居十餘載及死家徒四壁立
子孫無以殯斂聞者莫不傷其志焉作京都記傳于

世

陶弘景字通明秣陵人也幼有異操年十歲得葛洪神仙傳晝夜研尋便有養生之志謂人曰仰青天覩白日不覺爲遠矣及長身長七尺有奇神儀明秀讀書萬餘卷善琴棊工草隸未弱冠齊高祖作相引爲諸王侍讀除奉朝請雖在朱門閉影不交外物唯以披閱爲務朝儀故事多取决焉永平十年上表辭祿詔許之賜以束帛及發公卿祖之供帳甚盛朝野榮之於是止于句容之句曲山自號華陽隱居始從東陽孫遊岳受符圖經法徧歷名山尋訪仙藥每經澗谷

必坐臥其間吟詠盤桓不能已已時沈約爲東陽郡守高其志節累書要之不至永元初築三層樓弘景處其上弟子居其中賓客至其下與物遂絕唯一家僮得侍其旁特愛松風每聞其響欣然爲樂有時獨遊泉石望見者以爲仙人性好著述尚奇異顧惜光景老而彌篤尤明陰陽五行風角星算山川地理方圖産物醫術本草著帝代年歷又嘗造渾天象梁武早與之遊及即位後恩禮逾篤書問不絕冠蓋相望天監四年移居積金東澗善辟穀導引之法年逾八十而有壯容簡文臨南徐州欽其風素召與談論甚

敬異之大同二年卒時年八十五顏色不變屈伸如
恒詔贈中散大夫謚曰貞白先生
明僧紹字休烈其先平原人明經有儒術隱長廣郡嶗
山聚徒立學魏剋淮南乃渡江齊高帝爲太傅徵爲
記室參軍不至住攝山白雲菴聞釋僧遠夙德往候
於定林寺帝欲出寺見之僧遠問曰天子若來居士
若爲相對僧紹曰山藪之人政當鑿坯以遯若辭不
獲命便當依戴公故事既而遯還攝山建棲霞寺而
居之高帝謂其兄慶符曰卿兄高尚其事亦堯之外
臣朕夢想幽人固已勤矣所謂徑路絕風雲通仍以

竹根如意筍籜冠詔明中徵國子博士不就卒子山賓字孝若七歲能言名理十三博通經史家中嘗乏貨所乘牛既受錢乃謂買主曰此牛經患漏蹄恐後脫發無容不相語買主遽追取牛阮孝緒聞之歎曰此言足使還淳返樸激薄停澆矣宋普通中歷官散騎常侍兼國子祭酒

蕭統字德施梁武帝長子也生而聰慧三歲受孝經論語五歲徧讀五經悉通諷誦性仁孝出居東宮常思戀不樂帝知之每五日一朝多便留永福省母丁貴嬪有疾太子還永福省朝夕侍疾衣不解帶及薨擬

水不入口每哭輒慟絕武帝宣旨曰毀不滅性聖人之制不勝喪比於不孝有我在那得自毀如此可即強進粥雖屢奉勅勸終喪日止一溢不嘗菜果之味自加元服帝便使省萬機每所奏謬誤皆即辯析徐令改正未嘗彈糾一人平亭法獄多所全宥引納才學之士常與討論墳籍商榷古今于時東宮有書幾三萬卷名才並集文學之盛晉宋以來未之有也性愛山水嘗泛舟後池或稱此中宜奏女樂太子不答但詠左思招隱詩云何必絲與竹山水有清音普通中都下米貴太子菲衣減膳每霖雨積雪遣腹心左

右周行閭巷密加賑賜又出主衣絹帛年常多作襦袴各三千領以施寒者死亡不能斂爲備棺櫬錄閭遠近賦役勤苦輒斂容變色吳郡水災有上言當漕大瀆以瀉浙江詔遣前交州刺史王奕假節發吳吳興信義三郡人丁就役太子上疏曰吳興累年失收人頗流移吳郡十城亦不全熟唯信義去秋有稔復非常役之民即日東境穀稼猶貴劫盜屢起所在有司皆不聞奏今征戍未歸强丁疎少比得齊集已妨蠶農不審可得權停此功帝優詔喻焉三年三月游後池姬人蕩舟没溺而得出恐武帝憂深誡不言武

帝敕看問輒自力手書啓及疾篤左右欲啓聞猶不許曰云何令至尊知我如此惡因便嗚咽薨年三十一帝臨哭盡哀詔斂以袞冕謚曰昭明

淳于量字思明其先濟北人世居建康父文成仕梁為將帥量少有幹略便弓馬梁主繹為荊州刺史文成分量人馬令往事焉起家湘東王國常侍兼西中郎府中兵參軍兵甲士卒盛于府中荊雍之界群蠻數反山帥文道期積為邊患量助王僧辯併力大破道期斬其酋長以功封廣晉縣男授涪陵太守侯景之亂湘東王遣五軍入援量預其一臺城陷還荊州

景西上攻巴州湘東王使王僧辯入據巴陵與量并力拒景大敗景軍擒其將任約進攻郢州獲宋子仙仍隨僧辯克平侯景其後荆州陷量據桂州王琳擁割湘郢累遣召量量外與琳合而別遣使從間道歸朝陳主受禪授平西大將軍桂州刺史華皎搆逆以量爲使持節西討皎平以功封醴陵縣公

丁咸序秣陵人耽儒學進修士業授衡陽判官太守賢之

紀少瑜字幼瑒秣陵人早孤有志節常慕王安期之爲人年十三能屬文賦京華樂王僧孺見而賞之曰此

子才藻新拔方有高名常夢陛下以一束青鏤管筆授之云我餘此筆猶可用卿自擇其善者其文因此頓進年十九游大學博士東海鮑皦雅相欽悅時皦有疾請少瑜代講少瑜既妙玄言善談吐辯捷如流梁大同七年爲東宫學士邵陵王在郢啓求學士武帝以少瑜充善容貌工草書吏部尚書到溉嘗曰此人有大才而無貴任將拔之會溉去職後除武陵王記室參軍卒

顔見遠晉侍中含七世孫爲御史治書正色立朝有當官之稱及梁武帝受禪見遠痛哭而死梁武门我自

應天順人何與天下人事而見遠乃至于此當時嘉
其忠烈
王志字次道僧虔子九歲居所生母憂哀容毁瘠爲中
表所異除宣城內史清謹有恩惠郡民張倪吳慶爭
田經年不决父老乃相謂曰王府君有德政吾曹鄉
里乃有此爭倪因相携請罪所訟地遂爲閑田東陽
太守郡獄有重囚十餘人冬至日悉遣還家過節皆
返惟一人失期獄司以爲言志曰此自太守事主者
勿憂明旦果自詣獄辭以婦孕吏民益歎服之齊永
明二年轉吏部尚書在選以和理稱梁武帝至城內

百僚署名送東昏首志聞而歎曰冠雖弊可加足乎因取庭中樹葉挼服之僞悶不署名武帝覽牋無志名心嘉之弗以讓也天監元年除丹陽尹爲政清靜去煩苛建康有寡婦無子姑亡舉債以斂葬既葬而無以還之志愍其義以俸錢償焉時年饑每旦爲粥於郡門以賦百姓民稱之三爲散騎常侍中書令常褱止足謂諸子姪曰謝莊在宋孝武世位止中書令吾自視豈可過之因多謝病簡通賓客終金紫光祿大夫志善草隸徐希秀常謂爲書聖家世居建康禁中里馬糞巷父僧虔以來門風多寬恕志尤惇厚所

歷職不以罪咎劾人賓客游其門者專覆其過而獎
其善兄弟子姪皆篤貴謙和時人號馬糞諸王爲長
者
王筠字元禮僧虔孫也幼警寤七歲能屬文年十六爲
芍藥賦甚美及長清靜好學有重譽除殿中郎尚書
令沈約當世辭宗每見筠文咨嗟吟咏以爲不逮也
嘗謂筠昔蔡伯喈見王仲宣稱曰此王公之孫也吾
家書籍悉當相與僕雖不敏請附斯言約於郊居宅
造閣齋筠爲草木十詠書之於壁皆直寫文詞不加
篇題約謂人云此詩指物呈形無假題署約常從容

啓梁武帝曰晚來名家唯見王筠獨步累遷太子洗馬中舍人並掌東宮管記昭明太子愛文學士常與筠及劉孝綽陸倕到洽殷芸等遊宴元圃太子獨執筠袖撫孝綽肩而言曰所謂左把浮丘袖右拍洪崖肩其見重如此奏敕撰中書表奏三十卷及所上賦頌爲一集筠少擅才名與劉孝綽見重當世沈約云自開闢以來未有爵位蟬聯文才相繼如王氏之盛者也

到溉字茂灌其先武原人曾祖彥之宋驃騎將軍遂家建康溉少孤貧聰敏有才學早爲任昉所知由是

名益廣起家爲湘東王長史梁武帝敕曰到溉非直爲汝從事足爲汝師間有進止每須詢訪遭母憂居喪盡禮服闋猶蔬食布衣者累載除江夏太守入爲左民尚書溉身八尺美風儀善容止所蒞以清白修性率儉不好聲色虛室單牀傍無姬侍自外車服不事鮮華冠履十年一易朝服或至穿補傳呼清路示有朝章而已性友愛初與弟洽常共居一齋洽卒後便捨爲寺因斷腥羶終身蔬食不好交游惟與朱异劉之遴張綰同志友密及臥疾家園門可羅雀三君每歲時常鳴騶枉道以相存問置酒叙生平極歡而

去臨終囑子孫以薄葬之禮卒時年七十二洽字茂沿亦聰慧夙成文詞敏贍天監中與溉俱擢用而洽尤見知賞從弟沆亦有時名武帝嘗問丘遲到洽何如溉沆對曰正清過於沆文章不減溉加以清言殆將難及時人比之二陸

周捨字昇逸其先安成人父顒爲蕭惠開主簿歷官中書郎常于鍾山立隱舍休沐即歸之清貧寡欲終日蔬食捨博學多通尤精義理起家齊太學博士遷後軍參軍建武中名爲口辯王亮爲丹陽尹聞而悅之辟爲主簿政事多委焉梁臺建尚書范雲重捨才器

言之於高祖召拜祠部郎時天下草創禮儀損益多自捨出累遷中書侍郎鴻臚卿時王亮得罪歸家故人莫有至者捨獨敦恩舊及卒身營殯葬時人稱之遷尚書吏部郎國史詔誥儀體法律軍旅謀謨皆兼掌之預機密二十餘年未嘗離左右捨素辯給與人泛論談謔終日不絕口而竟無一言漏泄機事衆尤歎服之性儉素衣服器用居處牀席如布衣之貧者歷太子詹事卒

傅昭字茂遠其先靈州人六歲而孤哀毀如成人宗黨咸異之雍州刺史袁顗嘗來昭所昭讀書自若神色

不改顛歎曰此兒神情不凡必成佳器太原王延秀薦昭於丹陽尹袁粲深爲所禮辟爲郡主簿使諸子從昭定其所制每經昭戶輙歎曰經其戶寂若無人披其帷其人斯在豈得非名賢齊明帝踐祚引昭爲中書通事舍人時居此職皆勢傾天下昭獨無所干預器服率陋身安麤糲常插燭於板牀明帝聞之賜漆合燭盤等敕曰卿有古人之風故賜卿古人之物天監中爲安成內史郡溪無魚或有暑月薦昭魚者昭既不納又不欲拒遂餒於門側十七年山發洪[illegible]太守郡有靈巖前後太守皆自封固專收其利

勿封縣令常餉粟寘絹干簿下昭笑而還之昭爲政不尚嚴肅居朝廷無所請謁不畜門生不交私利終日端居以書記爲樂雖老不衰博極古今尤善人物魏晉以來官宦簿閥姻通內外舉而論之無所遺失性尤篤慎終于建康

蕭昕素蘭陵人思話孫也天監中丹陽丞初拜武帝賜錢八萬昕素一朝散之親友性靜退少嗜欲好學能清言榮利不關於口喜怒不形於色任情通率不自矜高天然簡素士人以此咸敬之久居建康有終焉之志乃於攝山築室徵爲中書侍郎不就獨居屏事

非親戚不得至其籬門謚曰貞文先生
阮孝緒字士宗其先尉氏人父彥之宋太尉從事中郎孝緒七歲出後從伯胤之胤之母卒有遺財百餘萬應歸孝緒孝緒一無所納盡以歸胤之姊聞者咸歎異之幼至孝性沈靜雖與兒童游戲恒以穿池築山爲樂年十三徧通五經十五冠父彥之誡曰三加彌尊人倫之始宜思自勗以庇余躬答曰願迹松子於瀛海追許由於窮谷庶保促生以免塵累自是屏居一室非定省未嘗出戶家人莫見其面親友因呼爲居士外兄王晏貴顯屢至其門孝緒逃匿不與相見

及宴誅竟獲免所居室唯有一鹿牀竹樹環繞御史中丞任昉尋其兄履之欲造而不敢望之歎曰其室雖邇其人甚遠爲名流所欽尚如此天監十二年與吳郡范元琰俱徵並不至陳郡袁峻謂之曰往者天地閉賢人隱今世路已清而子猶遁可乎答曰昔周德雖興夷齊不厭薇蕨漢室方盛黃綺無悶山林爲仁由己何關人世後於鍾山聽講母王氏忽有疾兄弟欲召之母曰孝緒至性冥通必當自至果心驚而返合藥須得生人蓡舊傳鍾山所出孝緒躬歷幽險累日不値忽見一鹿前行孝緒隨至一所就視果獲

此草母服之遂愈時皆歎其孝感著高隱傳上自炎黄終于天監之末斟酌分爲三品凡若干卷南平元襄王聞其名致書要之不赴孝緒曰非志驕富貴但性畏廟堂若使麏麚可騶何以異夫驥騄鄱陽王妃孝緒之姊王嘗命駕欲就之遊孝緒鑿垣而逃卒不肯見諸甥歲時饋遺一無所納人或怪之答云非我始願故不受也大同二年卒時年五十八門徒誄其德行謚曰文貞處士

沈恪丹陽人永定初爲宣猛將軍陳霸先謀篡使中書舍人劉師知引恪勒兵入宮衛送梁主如别宫恪排

闐見霸先叩頭謝曰將身經事蕭氏今日不忍見此
決不奉命謂霸先嘉其意不復逼

唐

王昌齡字少伯江寧人有詩名登開元進士第爲秘書
郎改江寧丞賦性鯁直蹈義而行不擇利害在邑亦
有善政竟以不合貶龍標尉

劉太眞字仲適弱冠以行義修潔詞藻瑰異爲蕭穎士
所知廣德中薦授左衛兵曹歷官禮部侍郎信州刺
史

余延壽開元中處士也以詩名今所存詩多可采殷璠

稱之曰婉孌艷美當不謬云

帝年號遺名子上元人隱居鍾山西岩飄然有物外之趣顏真卿書其所居之屋曰三教會宗堂

南唐

邊鎬金陵人事南唐爲通事舍人以通敏稱保大初羅縣小吏張遇賢擁衆稱亂襲虔州節度使賈浩閉門不敢出遇賢據白雲洞衆至十餘萬唐主遣鎬監都虞候嚴恩軍討之鎬與書生白昌裕定計刊木開道襲執遇賢獻于朝遷洪州營屯都虞候二年詔爲行營招討從樞密查文徽率師伐建州師小挫唐主

何敬洙等來援鎬與建兵方相持文徽使騎繞出建兵之後敬洙等與鎬夾擊大破之遂取建州又南取鐔州湖南馬希崇廢其兄希蕚而自立密表請援以鎬爲湖南安撫使便宜進討希崇出降已而希蕚亦來見鎬皆以禮遣舉族入朝時湖南饑饉鎬發廩以賑楚人大悅進武安節度使復遣經略朗州令劉言遣將襲長沙夜入其城鎬狼狽遁他將城守者相繼遁歸湖南竟失坐削官流饒州齊王景達用兵淮南起鎬爲大將軍潰被執于周唐及周平遣還鎬等卒于金陵

李建勳字致堯元宗嗣位建勳出師臨川謂所親曰主
上寬仁廣大但性質未定左右獻替須得方正之士
若如目前所覩終恐不守舊業官至司徒致仕居金
陵號鍾山公臨卒戒家人曰時事如此吾得良死足
矣勿封土立碑聽人耕種於上免爲他日開發之標
及江南亡諸貴人冢無不發者惟建勳冢莫知其處
韓熙載字叔言先北海人早負才名落魄不偶徐知誥
受禪召爲秘書郎中主璟嗣位命權知制誥書命
雅有元和之風與徐鉉齊名時號韓徐契丹入汴
主北遷熙載疏言陛下有經營天下之志此其時矣

若戎主遁歸中原有主則不可圖中主不能聽及周主有國用事者猶議北伐熙載以爲不可時廷議[illegible]于事機果爲周師藉口遂失淮南熙載才氣逸發尤長碑碣他國人不遠數千里輦金幣求文宿直宮中賜對多所弘益後主手敎褒之卒年六十九諡文靖葬梅岡謝安墓側

李元清先濠州人徙金陵趫捷善走能及奔馬常步入梁宋刺事後主嗣位以吉州永新與湖南聯境命元清爲永新制置使每數月一託疾不坐衙輒微服入湖南境人無知者敵人動息元淸常預知之治境累

年邊障寧晏國亡以故官起發赴京師元清心誓不復仕二國因僞稱失明召驗之揮刃將及頸目不爲瞬乃放歸濠州卒

朱存金陵人嘗續吳大帝而下六朝書具詳歷代興亡成敗之跡南唐時作覽古詩二百章前志多引爲證

徐鉉字鼎臣先廣陵人十歲能屬文與韓熙載齊名江南謂之韓徐仕南唐爲翰林學士御史大夫吏部尚書居攝山棲霞寺西宋師圍金陵煜遣鉉朝京師求緩兵太祖以禮遣之後隨煜至京師太祖責之[illegible]曰臣仕江南國亡不能死臣之罪也不當問其[illegible]

祖歎曰忠臣也以爲太子率更令太平興國初直學士院從征太原加給事中出爲左散騎常侍坐事貶黜卒年七十六李穆嘗使江南見鉉及其弟鍇文歎曰二陸不能及也鍇仕江南爲內史舍人而卒鉉好李斯小篆尤得其妙隸書亦工尺牘爲士大夫所得皆珍藏之有集三十卷又有質疑論稽神錄行於世

參

陳承昭昇州人爲南唐高安令有政聲歷保義軍節度使初太祖從周世宗南伐承昭爲都應援使太祖過于淮上擊敗之追至山陽北禽承昭以獻周世宗釋

之投右監門衛上將軍建隆初入朝以承昭知水利督治惠民五丈二河以通漕運都人利之二年河成承昭言其壻王仁表在南唐太祖爲致書李景令遣歸四年春大發丁壯數萬以承昭董修畿內河堤又令督諸軍鑿池於朱明門外以習水戰從征太原承昭請壅汾水灌城城危甚會班師功不克就乾德五年遷右龍武軍統軍卒贈太子太師

盧郢昇州人好學有才藝膂力過人善吹鐵笛江南後主時試賦擢第一嘗代徐鉉爲文命筆於吏口授而書之鉉以文進後主曰語勢似非卿作鉉以實對

由是知名後來歸累官南全守多著治績
盧鑑字正臣昇州人以右班殿直爲鄜延路走馬承受
公事李繼遷寇邊與總管王榮敗走之又與鈐轄張
崇貴擊賊焚其積聚擢本路兵馬都監復出蕩族帳
獲羊牛萬計尋爲都巡檢使徙利州都監李繼遷聲
言石隰帳前有文曰天誠爾勿爲中國患鑑時爲承
受入奏事真宗問之鑑曰此詐爲之以欺朝廷也宜
益爲備至是繼遷陷靈武真宗思其言特遷右侍禁
知儀州州有封勝關最險要繼遷欲襲取之聲言將
由此大入諜者以告有詔徙老弱芻粟于内地鑑曰

此姦謀也且示虜弱搖民心臣不敢奉詔卒不徙已而賊亦不至再遷供奉官知利州會歲饑以便宜發倉賑民秋滿民請留詔留一年後徙知丹州累遷至西上閤門使卒

周啓明字昭回昇州人景德中舉賢良方正科既召會東封泰山遂報罷於是歸弟子百餘人不復有仕進意里人稱爲處士轉運使陳堯佐表其行義於朝賜粟帛仁宗即位除試助教就加廩給久之特遷秘[illegible]郎改太常丞卒啓明篤學藏書數千卷多手自[illegible]而能口誦之

刁衎字元賓上元人初爲南唐秘書郎從李煜來歸授太常太祝出知桐廬縣太平興國七年應詔言事詔禁淫刑帝悅之累遷殿中丞歷知婺光廬潮州以純淡夷雅知名子湛湜渭孫繹約俱登進士

秦羲字致堯江寧人世仕江左父承裕建州監軍使知州事李煜之歸朝也承裕遣羲請闕上符印太祖悅其趨對詳謹補殿直令督廣濟漕船太平興國中有南唐軍校馬光璉等亡命荆楚結徒爲盜羲受詔縛光璉以獻太宗壯之改供奉官決獄于淮南淳化中監典國茶務尋提點淮南西路茶鹽得羨餘十餘萬

淮南榷鹽二歲增錢八十三萬餘貫改內殿崇班又兼制置荆湖路江南群盜久爲民患義討捕皆盡四年領發運使稍遷東染院副使明年廣州言澄海兵嘗捕賊希恩桀驁軍中不能制部送闕下時以遠方大鎮宜得材幹之臣帝曰秦義可當此任復授供備庫使充廣州鈐轄歷東染院使知蘇州改崇儀使提舉在京諸司庫務因對求典藩郡遷內園使知泉州天禧四年代還道病卒義知書爲詩喜賓客士大夫許其蘊籍歷財貨之任凡十餘年精勤練習號爲稱職

秦傳序江寧人淳化五年充夔峽巡檢使賊李順攻[illegible]嘉戎瀘渝涪忠萬開八州序監軍開州督將士晝拒戰城中乏食出囊橐服玩盡市酒食以犒士衆皆感泣殊死戰而力竭不能支乃爲蠟書遣人間道上言臣一死報國誓不受辱頃之城壞赴火死其子亶自湖湘泝峽求父尸至夔州舟覆溺水死人謂父死於忠子死於孝奏至太宗嗟惻久之錄次子煦爲殿直賜錢十萬

吳思道金陵人以詩爲蘇軾劉安世諸人鑒賞官至團練使宣和末亟挂冠去後寓新安詩思益超拔野服

瀟然如雲水人其高逸如此

洪湛上元人曾祖勳南唐崇文館直學士湛幼好學五歲能賦詩舉進士第通判壽許州知容郴舒州真宗時凡五使西北議邊要有文集十卷子𢈔中進士官度支員外郎直史館

王安石字介甫其先臨川人父益通判江寧因家焉安石第進士累遷知制誥相神宗雖誤行新法而文章節義亦爲世所稱後以使相判江寧府夫人吳爲買一妾用錢九萬安石見之曰何物女子曰夫人令事左右曰汝誰氏曰妾之夫爲軍大將部米遭失

家貲盡沒猶不足又賣妾以償安石惻然還其[illegible][illegible]以錢賜之居近謝公墩旁日跨驢遊鍾山或不[illegible][illegible]返自號半山居士時有楊德逢者隱居蔣山西癡叟相往來有題湖陰先生壁詩卒謚曰文子雱雱子棣字儀仲爲開德路經略安撫使建炎三年金人攻澶淵死于城守詔贈資政殿大學士王氏自益而下皆葬建康

王安禮安石之弟早登科以呂公弼薦得召對知潤州判開封府尹入奏對帝甚嘉納而安禮以兄秉國慊慊自退元豐中王珪蔡確爲政安禮以中書舍人知

制誥應詔言人事失于下則天變見于上陛下有仁民愛物之心而澤不下究意者左右大臣不平不直是非好惡不遵諸道用財委諸溝壑取利究于園夫于陰陽之和願幸深省帝覽疏嘉歎進知開封淹滯立決未三月三獄院及十九邑囚皆空遼使歎異升一階臺史欲遷民間塚墓以利皇子安禮極諫帝側然罷行時伐夏無功李憲請再舉王珪陰主之言設五百萬鈔供軍食食有餘可必克安禮曰鈔不可啖必變而爲錢錢又變而芻粟今距師期甫兩月何以集事帝曰唐以一裴度平淮南今憲以閹寺猶能自

任西事卿等獨無意乎安禮進曰淮蔡三州爾
度之謀有李光顏李愬之勇然後竭盡兵力數歲而
後克今夏氏非淮蔡比憲才非度匹謀將非光顏愬
比臣懼其無以副上意也後果敗沒徐禧城永樂安
禮又諫不聽又敗沒帝太息曰安禮每勸朕勿用兵
勿與獄有以也安禮弟安國以教授秩滿赴京師帝
以安石故召對問漢文帝何如主對曰三代以後未
有也帝曰恨其才不能立法制興治耳對曰文帝自
代來定變俄頃恐無才不能至用賈誼言待群下有
節務以德化幾至刑措則加于有才一等矣帝曰王

猛佐苻堅以蕞爾國令能必行今朕以天下之大顧不能何也對曰猛教苻堅峻刑法致祚不永願陛下專以堯舜三代爲法又問卿兄秉政外議云何對曰恨知人不明聚斂太急耳帝默然賡以新法諫安石而惡呂惠卿曾布誤其兄惠卿深銜之以鄭俠獄奪官

鄭俠字介夫其先福淸人治平初隨父翬赴江寧府監稅得淸凉寺一小室閉戶讀書時王安石以中書舍人持服寓金陵俠携所業往見安石稱許之擢進士甲科調光州司法以歸相見愈厚及俠赴光州安不

大政俠數言新法之害不聽後監在京上東門
願上書言事被謫及還鄉所餘惟一拂而已因自號
一拂居士後人爲祠于清凉寺以祀之即公讀書處
李琮字獻甫江寧人第進士調寧國軍推官州庾積穀
腐敗轉運使移州散于民俾至秋償新者守將行之
琮曰穀不可食强與民責而償之將何以堪持不下
守乃止呂公著尹開封薦知陽武縣役法初行琮處
畫盡理近邑民相率撾登聞鼓願視以爲則徽宗召
對擢江東轉運判官築惠民圩四十里奏陳鹽法十
六事行部按民田詭稱逃絶者命以戸部判官使江

浙賦入甲它部會瀘南罷兵部充梓路轉運副使琮到官納歲費備邊事瀘帥王光祖虐單校相挺爲亂琮械繫告者付獄瀘人乃安璽書褒諭元祐初以言者論左遷知吉州歷潞州州有謀亂者爲書期日揭道上部使者聞之懼檄索姦甚亟琮置不問以是日置酒高會訖無他召爲太府卿時游天經議以鐵求漬鐵爲銅可鑄錢琮上疏極言不當以僞爲寶輒刑部侍郎陝西人張天經上書詆時政琮議如律[illegible]相章惇意出知杭州兼浙西兵馬鈐轄又遷高[illegible]路安撫使知瀛州上柱國隴西郡開國侯卒子[illegible]

少愚登第試中書舍人兼校證補完御前文籍封開國男校證書成知東平府兼安撫使襲賊楊進等斬之高宗即位參知政事出爲江南西路安撫大使知洪州

胡銓字邦衡金陵人後避地居廬陵建炎二年高宗策士維揚擢第一有媢其進者降第五授文林郎累遷編修官七年秦檜決策與金人講和王倫誘致金使以詔諭江南爲名銓上書乞斬檜倫與孫近三人羈留金使興兵伐之書奏除名謫新州檜死量移孝宗即位首復官歷端明殿學士卒年七十九命其子[illegible]

授遺表有死爲厲鬼殺賊之語表聞贈通議大夫謚
忠簡
陳克字子高金陵人不事科舉博學能詩呂祉帥建康
辟置爲屬
張顛字仲舉昇州人第進士調江陵推官歲饑遣使安
撫顛條獻十事活數萬人知益陽縣縣接梅山溪洞
蠻獠出沒顛按禁地約束召猺人耕墾畀官擺廣
西轉運使騎建廣原高順州將城之顛謂無益而迕
從其議坐事罷歸未幾進直龍圖閣知桂州人[illegible][illegible]
言卿鄉者論順州不可守信然騎有獻言者[illegible][illegible][illegible]

黎人陳被蓋五洞酋領與時盧强且爲中國患今請出兵効力宜有以撫納之命顗處其事顗使一介招呼之出補以牙校喜而去詔問何賞之薄對曰荒徼蠻猺無他覬得是足矣尋罷兵海外訖無事尋知均州哲宗立遷故職召爲戶部侍郎顗所歷以嚴致理踰年出爲河北都轉運使知瀛州湖北猺獠復徙知荆南暴卒

秦梓字楚材少有才名登宣和進士第授太學錄擢樞密院編修官歷知台秀袁太平常瀏六州除翰林學士出知宣州民詣闕請留進職再任再移湖州告老

贈光祿大夫梓爲檜之兄檜當國梓惡其所爲自江
寧徙溧陽昔有柳下司馬之目焉
王綸字德言建康人幼穎悟十歲能屬文登紹興第授
崑山主簿諸王公大小學教授言孔門弟子與後世
諸儒有功斯文者皆得從祀先聖與庠序修禮樂宜
以其式頒諸郡縣二十四年以御史中丞魏師遜薦
爲監察御史與秦檜論事忤其意師遜遂論罷之後
爲中書舍人高宗躬親政事收攬威柄召諸賢于散
地詔命與委參備所宜[illegible]奏守臣裕民事乞姘鉤五
條從之兼侍講高宗嘗觀春秋左氏傳綸進講[illegible]會

除同知樞密院事金將渝盟邊報沓至宰相沈[illegible]
敢以聞綸率叅知政事陳康伯同知樞密院事陳誠
之共白其事乞備禦朝論欲遣大臣爲使覘敵且堅
盟好綸請行乃以爲稱謝使曹勛副之至金館禮甚
隆一日急召使人金主御便殿惟一執政在焉連發
數問綸條對金主不能屈九月還朝綸舊疾作力丐
外除資政殿大學士知福州高宗幸所御犀帶賜之
明年知建康府兼行宮留守敵犯境綸每以守禦利
害驛聞多從之三十二年八月卒贈左光祿大夫謚
章敏

秦鉅字子野江寧人建康侯堪之子嘉定間通判蘄州金人犯境與郡守李誠之協力捍禦求援於武昌安慶月餘兵不至策應兵涂揮常用等棄城遁城破鉅與誠之各以親兵巷戰死傷略盡鉅歸署疾呼吏人劉迪令火諸倉庫乃赴一室自焚有老卒見煙焰中着白戰袍者識其爲鉅也冒火挽出之鉅叱曰我爲國死汝輩可自求生挈衣就焚而死次子濬先往圖祖山兵至亟還與弟瀶皆從父死後贈鉅五官[illegible]修撰封義烈侯與誠之皆立廟蘄州賜額褒忠瀶通直郎淳祐十二年仍封鉅義烈顯節侯

朱舜庸建康人好古博雅鄉黨推敬太守聘之爲府學
正皆尊禮之嘗編金陵事積二十年自里巷口傳至
仙佛之書無不研綜春容大帙餘數萬言慶元中節
度使吳公琚來任畱守得其編乃爲之訂証銓次刻
梓以傳目曰續建康志

阮思聰字仲謀其先固始縣人弱冠膂力絕人善騎射
喜讀左氏春秋及兵家書積戰功累官吉州團練使
知黃州事來居建康歷官所至有聲嘗遣人諳賈似
道欲以重兵守鹿門山又言當由海道以擣青齊則
襄圍自解皆不見聽歸建康權馬司徐王榮

都統翁福等昇制置司已下印鑰來告曰大兵且至
趙制置已去城中惟節使官高望救一城之命總曰
我宋臣子也受宋恩厚不敢以城獻王榮等知不可
强乃止聰初受知呂文德趙葵王鑑皆加器重慷慨
有大志治軍二十餘年未嘗妄戮一人爲郡處事務
在平恕所至民皆德之篤於親義嫁孤女十餘人素
有知人之鑒薦李珏于朝牛臯其部將也張世傑之
初歸久未知名聰召與語奇之薦于文德後竟著忠
節云
文復之字廷實其先合州人第三名及第授閬州掌書

記累官至湖北提刑以起居舍人召每切齒丁大全所爲與人言我見上必極言其姦邪大全覺之止不得見乞祠祿授朝散大夫主管成都府玉局觀欲還蜀道經建康時邊事日亟馬光祖守郡留不聽行遂居郡之修文坊元廉希憲宣撫江東欽其名待如師友欲以故官薦之仕力辭不應以經史自娛終其身子揆嘗爲工部架閣遵父志亦不仕元云

元

梁棟字隆吉其先相州人弱冠領漕薦登第選寶應簿再調錢塘仁和尉辟入幕府一時聲名籍甚宋亡與

弟柱入茅山後卜居建康時往來山中江東人士從學甚衆一日無疾坐逝壽六十四葬城南鳳臺西金華胡廼裒其詩若干首刻之

張須導江人僑寓江寧學于金華王栢之門自六經而下至關閩濂洛諸微言靡不究心至元中行臺中丞吳景慶延至江寧學官遠近翕然尊師之稱曰導江先生有經說及文集行于世

孫轍字履常其先金陵人後家臨川學行純篤事母孝家居教授門庭蕭寂與人言以孝弟忠信爲本未學幾微及人過士至郡以不詣轍爲恥部使者長吏之

賓爰造請焉憲司累辟不就卒年七十二

王雲起字霖仲安石弟安上八世孫治春秋學爲全州路儒學教授甚宜其官嘗爲湖廣行省考試官士論服其鑒裁後改旌德簿不赴以疾終于家所著有定林漫稿吳澂胡長孺序之稱其文有荆國平甫之風焉

楊剛中字志行其先處之松陽人曾大父遂徙家建康剛中幼穎異力學家貧與兄敏中竭力以養內行淳篤行臺移治建康至者必禮其廬聲譽益振以省辟主江寧縣學擢福建閩海廉訪司照磨行李蕭然若

旅寓者部使者至改容禮貌僚寀與之言必稱先生
兩主文衡所簡拔皆知名士或以不及貢額爲言曰
國家設科目求賢才可濫取以充額耶丞相脫歡薦
於朝召爲翰林待制兼編修官月餘謝病歸居家講
學不倦所著有易通微說詩講義霜月齋集若干卷
丁復字仲容隱君子也拓落不偶以詩名晚歲盤桓于
冶城護龍之間灌園自樂四方之士多載酒求詩復
引觴揮毫若不經意而語率高絕往往即書卷上未
嘗起草故稿多不存于瑨饒介裒得百餘篇名檜亭
詩槀李桓爲之序桓字晉仲金陵著姓以鄉舉累官

江浙儒學副提舉爲文紆餘豐潤學者多傳之
王元吉金陵人年十四歲饑與兄行羅旁縣遇盜將㓞
之兄懼走匿元吉不爲動徐罵曰肅縣官使吾運粟
許夫防我而不至若豈防夫耶後有粟車數十兩若
其防後至者盜以爲然散去福壽在金陵盜陳也先
潘甲聚兵數千自稱元帥聲言討賊索餉城下福壽
憂不知所出元吉請見言曰盜兵悍甚此難與爭鋒
公宜開城門陳芻粟若將饋之者而以好言詒之請
一元帥以卒來取彼聞吾言莫測深淺主者必自來
吾以計殺之而制其一人易矣壽從其言潘甲果自

來執殺之也先遁去明興元吉噤不言世事隱醫肆中自給以布衣終

江寧府志卷之二十一

人物傳二

明

陳遇字中行其先曹人建炎中南渡遂家建康遇誠純篤實德宇粹然博學綜覽元末教授溫州尋棄官歸高帝定金陵搜訪人才御史秦元之薦遇宜備顧問上素聞其名御書稱中行先生以伊呂孔明濟世安民期之遇就召上與語大悅遇亦竭誠委已禮待日隆凡三幸其第命以官輒辭不受上即帝位詢保國安民大計遇以不殺人薄斂任賢爲對再除翰林學

士固辭被命使兩浙還稱旨賜金除禮部侍郎又固
辭會疾遣醫診視愈入謝上稱君子者再召對華蓋
殿賜坐草平西詔賞賚有加西域進良馬諫却之兩
除太常卿禮部尚書皆固辭上曰朕不強卿以官成
卿之高每進見陳說必根諸仁義人有過被譴皆力
爲言上每俞允其優禮寵渥羣臣莫敢望嘗曰卿老
矣有子可帶刀侍衛遇伏地對曰臣三子皆幼待成
立以効馳驅及卒上親爲文以祭賜葬鍾山稱曰静
誠先生子恭仕至工部尚書弟中復永樂中翰林待
詔

周禎字文典江寧人洪武初爲大理寺卿詔與李善長劉基陶安同定律令六部初建以爲刑部尚書廣東建行省以爲參知政事禎至察屬邑褒循良凡有寬政可紀者皆上其績會下詔開科預聘名儒以待考試後入爲刑部尚書三年以老乞致仕

夏煜字允中金陵人丁仲容以詩名煜爲高弟高帝定金陵辟爲行省博士調浙江行省都陽之戰與劉基二三儒臣侍左右受命草檄賦詩橫桴中流助成大功云

王輿宗上元人明初爲帳前親兵以材授金華知縣廉

勤公幹甚得民心陞南昌通判嵩州知州僉院任亮集民爲軍興宗曰元末世爵聚則爲兵散則爲民若皆爲軍稅糧何出奏乞止之高帝從之陞懷慶知府請減民食鹽米民受其惠朝京時上問養蠶種田官吏與宗亦在問中高帝曰府主公勤不貪不必問還懷慶未久特改蘇州知府政尚寬簡愛民如子吏卒有過諭之使媿赧既改又奬勸之人皆感德不敢犯法三年遷河南左布政使赴京辭高帝賜宴賞鈔而遣之

杜環字叔循其先廬陵人父一元宦金陵家焉環好學

重然諾周人之急常主事允恭其父執也死于九江
家破母張氏老無所依投知交謝不納來金陵訪一
元死已久環驚迓率妻子拜留家貧黽勉敬事如母
母性褊急少不愜輙詬怒環戒家人順之勿慢如是
者十年母有幼子伯章失所在念之成疾環以事至
嘉興遇伯章具以語踰半載始來値環初度母子相
持大哭家人忌之環曰此人至情何傷伯章貧乏又
度母老不能行竟托故捨去母疾增劇環事之彌謹
又三年卒將死舉手向環曰吾累杜君吾累杜君願
杜君生子孫賢如杜君言訖而絕環爲治葬且時祀

馬瓌後爲晉府錄事太常寺丞

王顯江寧人號溪漁子有雄才往來江淮間所交多大俠異人天台林右擊劍知兵張轂佯狂飲酒自放于詩皆自負高世顯遊淮上釣水濱望見二人踞坐大笑二人知其非常人也與之語異之引歸逆旅出酒相飲起舞爲樂辯難今昔根據理道藏者知其非狂生適意則鮮衣怒馬否則汙垢短衣躡市人後市人呵之弗辭也後忽盡悔所爲買書數千卷讀之爲文章奇偉伉健然恥以自名嘗曰漢無儒者唯賈生諸葛孔明耳唐陸贄粗有識然不足以幾王道所貴乎

學將以輔天地所不及耳不然多讀書何爲顯父名
元賓少從名儒學藝能蓋衆體貎魁然伉偎自負知
世變遂决意避世事親孝交友義善料成敗先事不
爽方正學嘗曰顯達利詭隱爲一世奇士方之元賓
可謂難爲父子矣

徐輝祖中山王達長子常侍懿文太子學通經書大義
善大書洪武中嗣魏國公建文即位特見信任靖難
兵起輝祖帥師禦戰斬其驍將李斌等十數人北師
皆懼會京師傳言燕王巳歸召輝祖還文皇即位武
臣咸附輝祖獨不屈上親見問輝祖不出一語文皇

怒下于獄法司追取供招輝祖擬筆惟書其父開國
功子孫免死而已革祿米勒歸私第卒
梅殷汝南侯思祖從子尚寧國公主恭謹有謀善騎射
諸駙馬中高皇愛之嘗命提督山東學校勅云朕觀
古之帝王必賴賢才輔佐以成治功賢才之立天下
必待明師教育以成器用爾駙馬都尉梅殷幼承家
教長能篤學精通經史頗有才華雖迺武臣之裔堪
爲文儒之宗今特命汝提督山東學校作養人材兼
理地方等處事務汝惟欽承朕命勿負所托後受密
命輔建文靖難兵起殷充總兵官鎮守淮安悉心防

御文皇使人假道殷割其口鼻遣之文皇乃渡泗水由六合至京師即帝位殷尚擁重兵淮上上令公主囓指血爲書招殷殷得書慟哭聞建文君遁去殷曰君存與存君亡與亡姑忍俟之乃還京見上上曰駙馬勞苦曰勞而無功永樂三年冬入朝都督譚深指揮趙曦令人擠殷死笪橋下都督許成發其事上深罪二人二人對以上命上大怒命力士持金瓜落二人齒斬之謚殷榮定同時駙馬死難者東川侯胡海子觀戰于白溝河陣亡功臣李英子堅爲燕兵擒不肯降憤恨死

史謹字公謹本崑山人洪武中謫居雲南與王學士景善用景薦爲應天府推官未幾左遷湘陰縣丞尋罷僑居金陵性高潔多才能吟咏工繪事搆獨醉亭賣藥自給以詩畫終其身

楊勉江寧人永樂初自京郡生中進士文皇選曾棨等二十八人同讀書中秘勉其一也時勉年最少風姿俊偉詩文取法漢唐諸頌贊歌詞春容典則出諸作者之右授刑部主事治獄明恕有兼人才召對稱旨特陞本部右侍郎凡諸司有事勉留心詳察具得幽隱凡奏對之際同事有不能悉勉能歷歷陳之坐事

出後叅廣東政八年而卒

丁璿上元人永樂初登進士改庶吉士擢工部主事謫居潞河以修行聞起爲御史巡按徐州擒賊首張晉祥衛輝盗起承命往治縛渠魁散脅從令復業英宗嘉其能陞右僉都時麓川蠻叛召璿馳視至則條上用兵便宜十餘事事定陞右副都御史巡撫滇黔卒

劉璉江寧人永樂十年登進士拜御史進山東布政司叅議督理邊儲茂著能聲官至戸部侍郎

李時勉上元人徙安福少有大志七歲小學四書皆成誦成童即以四勿三省自礪登永樂二年進士選庶

吉士進侍讀上書言事構讒下獄踰年釋之洪熙改
元上疏觸忌諱上震怒縛至便殿命力士以金瓜捶
之折其肋幾死明日下詔獄宣德初上恨時勉觸仁
考怒令縛來面鞫必殺之已又令王指揮縛時勉斬
西市王指揮出端西門先所遣使者已縛之從東門
入得見上上訊其故憐時勉忠直立脫桎梏復其官
正統中遷國子祭酒訓勵諸生遇其困乏恩義兼至
王振惡其守正因構陷之荷校國學門諸生石大用
上章願以身代號哭闕下者數千人以故得解乞致
仕去諸生泣送觀者塞途商賈爲之罷市明年聞北

徙號痛上疏言選將練兵迎駕復仇景泰元年卒謚
文毅成化中贈禮部侍郎改謚忠文

李莊字敬中父以功臣子尚大長公主拜灤城侯北征
沒于王事莊年七歲襲父爵文皇朝納其誥券初未
知書有勸之學者乃從劉原博遊襟度洒落刻意詞
翰有所作人爭傳之年九十四無疾而逝

劉江江寧人勵志古學恬澹自尚永樂十六年第一甲
第三名授編修陞修撰聲譽隆起江不樂仕進自乞
教職以閒散適意

姜濬字子澄江寧人工書仁宗在東宮召寫金字經洪

熙中授中書舍人歷稽勳主事出守廣南府遐方險遠濬開誠布公凛然嚮風晉按察副使督學政先是在中書時宣宗召對便殿命往南雍取監生之能書者濬翌日即就道至則匹馬入太學與祭酒召六館生選之得十八人名氏關白禮部而後抵家拜其親其慎密如此鄉里稱爲寡過君子云

張益字士謙江寧人幼岐嶷秀異過目成誦少孤事母以孝聞撫弟晉有恩義庭無間言永樂進士選庶吉士授中書舍人轉大理評事正統戊午改修撰進侍讀學士知制誥性儉朴雖貴顯不異儒生三揚甚重

之以詞翰名一時求者坌集輒令侍書持軸舉筆一揮詞翰兼美人以文豪稱之也先入寇中人王振力主親征上命益扈從死于土木之難贈學士謚文僖子翊大理評事翊子僕寺丞奕葉相承爲江南名族

李應禎名甡以字行其先本吳人明初徙江寧力學淹雅尤尚氣節慕范文正公之爲人題所居曰范齋中景泰癸酉舉人入太學中官牛玉請爲塾師固拒之選授中書舍人屢有建白荊襄流民相聚朝議恐爲亂欲逐散之應禎疏言民墾田築室爲定居逐之祗益亂耳不若因而撫之便錄置郡縣如其言尋直

文華殿有旨寫佛經上疏直諫累遷南太僕少卿乞休氣宇嚴峻若不可親然喜交遊尤好汲引後進朋友死經紀其喪恤其妻子顧華玉稱其一介不取寸文翰如鉅戟利劍掉以淮陰之雄可謂介而文焉

王麟上元人宣德己酉鄉貢授儀真教諭轉國子監學正擢四川按察僉事督學政陞山東政聲稱最天順初進階奉議大夫杜門不出卒年八十有三

周瑄字廷玉其先陽曲人宣德乙卯貢士初爲刑部主事歷陞南京刑部尚書致仕瑄性寛大善議論守官廉故鄉無田宅可歸遂家江寧卒謚莊懿贈太子少

保

王濬字文通上元人正統九年鄉試經魁任山東鰲山衛學教授鰲山濱海教法未備首以十事聞于朝有旨頒行天下爲武衛學式尋擢北雍博士以文學見稱天順改元陞廣西提學僉事未幾丁外艱服闋以母老遂致仕

王一居上元人自少讀書樂善初爲太常贊禮郎宣德初舉南郊之禮一居禮度詳雅上嘉之遷少卿正統間死于王事贈太常寺卿同時死事者溧陽有戴慶祖亦以諳禮文爲太常少卿殁贈正卿

徐承宗中山武寧王曾孫明太祖賜中山第于秦淮之濱榜曰大功坊世家焉承宗沉靜簡雅有祖風襲爵爲魏國公天順改元守備南京號令嚴肅宗族家衆罔敢撓法者內守備諸司咸敬憚之居十六年人未嘗見其坐立傾側喜怒橫發至今傳頌以爲得大臣之體卒葬鍾山祖塋之次

陶元素字希文上元人正統元年舉進士以親老乞歸養教授諸生不復仕天順巳卯成化辛卯歷聘浙江河南典鄉試號稱得人家居進士典試重其品概日少懷奇負氣好交結不附匪人晚益自重雖貧甚自

守益堅未嘗干人以私自六卿以下慕其高風皆往造其門家居吉凶禮悉遵朱文公而以時制參之手不釋卷經史外星曆筮卜諸書靡不精究詩文渾厚典則卒年七十有四

顧儼字廷望其先吳人祖至善以富室徙京師遂家金陵儼幼負美質早從里師遊即能詩賦工書法累試不偶乃教授鄉里從學甚衆正統中巡按御史齊公以經明行修薦于朝召授嘉興縣學訓導教士有方多所成就登甲科拜陝西道御史儼持廉秉正糾擊無所避人嚴憚之奉敕清理福建軍政察邊軍詭名

勾擾之弊罪共殲而雪其誣民始獲安沙汀民叛誅其首惡餘黨悉平陞廣東僉事時新會陽江有賊數萬儼提兵五千直擣賊巢斬獲無算幕府上其績儼在軍中不解甲者數月冒犯霜露以勞疾乞歸儼性孝友幼侍季父叔謙謙嘗遘疾幾危儼刲股以療而愈晚結屋城東時與鄉耆故友把酒賦詩世事不以掛懷人皆高之

倪謙字克讓上元人正統四年進士第三人生有奇質奉使朝鮮丰采凜然即席揮毫略不經意至今國中梓行其文天順初陞學士簡侍東宮己卯主試順

天黜權憲之子誣搆謫戍開平成化初復舊職與子
岳同日奉命入史館纂修英宗實錄進禮部右侍郎
轉南禮部尚書乞致仕卒贈太子少保謚文僖謙德
量寛洪誠信無僞喜奬後進嗜學至老不倦立朝多
所建明子岳阜各有傳
沈琮字廷器其先汝南人洪武中祖有死事者賜葬江
寧因爲江寧人琮舉正統十三年進士爲御史見所
行非法輙彈治之毋少絀出爲四川僉事時松藩地
近蜀數嘯聚爲肘腋憂朝議以琮在蜀久威望素孚
乃推副使往鎮之朞月遂下黑虎諸寨松藩平事聞

賜璽書褒之尋乞休歸平生忠信好修恥以能自表
見人人稱爲長者
陳壽遼東人十歲能屬文家無擔石意恒廓然嘗遊市
得遺金候其人歸之爲諸生屢不第乃遍遊塞上欲
持戈建功名久之無所遇仗劍歸故鄉習舊業舉成
化丙戌進士累官大理寺丞弘治中火篩寇邊壽以
薦巡撫延綏聞命馳至軍中首郵陣亾官兵更置諸
路將領分布兵馬屯要害地令緩急相應援時用間
諜遠斥堠軍大振每戰躬擐甲胄爲士卒先凡三十
餘戰擒斬百計偶遇敵大舉先以百騎嘗我諸將欲

赴之壽不從自出帳前擁數十騎坐胡床指麾飲食若無事然敵望見疑之引去指授諸將所在有功上手勅勞之正德中爲南刑部尚書尋致仕壽立朝四十年功伐較然而廉名尤著解官不能歸旅寓留都環堵蕭然遂家焉

賀確字存誠先世隴西人徙金陵行古而醇學博而要少事博士業一不利即棄去曰是不足以盡吾學也遂大肆其力於六經子史以至天文地理醫卜之書無不覽究爲文辭下筆輒有古風以菊有隱操篤愛之自號友菊處士其於功名富貴淡如也與諸名公

爲古遼友自視歆然而能忘人之勢或語及古今成敗人物臧否政事得失如倒囊出物聞者聳聽學士周敘以其有史才薦修宋遼金三史力辭不就年九十三卒

金潤字伯玉上元人年十二能賦詩正統間鄉貢授兵部司務才敏有識有言赤斤蒙古所産可資戎器欲取之潤曰豈可使狄人知此遂寢己巳虜刺入寇上欲親征潤白于尚書鄺埜曰細事未可重煩車駕又請于王翺胡濙力上疏不報土木之變潤言于司馬于謙請堅壁清野以待之謙從其言軍國大計毎與

諮議京師晏然擢南安知府政暇彈琴寫畫賦詩以子貴乞休家居手製床几十事號洞天十友風神如仙壽九十賦詩一章而逝

金紳潤之子景泰甲戌進士改庶吉士授刑科給事中同時張寧疏論指揮門達竊弄威柄及建議力言都御史王竑剛毅直諒可屬大事又言時政八事多見采納歷官刑部右侍郎性狷介嚴毅門無雜賓鄉里富室無一識者成化間江西大旱命巡視以便宜行事至則休力罷征裁冗減獄境賴以寧年四十有九卒于官子麒壽文學孝友舉進士未仕而卒

章軒字士昂南欽天監籍景泰辛未進士授南吏科給事中時貢翠毛魚鱿諸物以萬計軒上疏止之又陳弭盜安民數事多見採納蜀寇起命軒往撫軒遍歷賊巢宣布恩威賊羅拜乞生悉遣散三原王恕曰公不加兵而四境寧官至南禮部尚書致仕家無餘貲卒贈太子少保賜祭葬子時以廕叙官知州

羅麟字仲祥江寧人性敏善書舉景泰四年鄉薦以孝友著名有大度屢遷廣東叅議部有寃獄數歲不決麟至立雪之竟抵誣者罪麟性寬緩及臨政擊斷毫無撓滯人益多之子輿有孝行弘治辛酉舉人幹正

德戊辰進士皆知名
湯胤勣字公讓東甌王和之孫少負才好使氣爲應天
諸生與府尹不合輒攘臂去題詩學門有從今袖却
經綸手且向江頭理釣絲之句嘗在江陰其縣令虐
民將受代胤勣率少年數人直入縣廳反縛之狀其
罪送之上官上官大駭并收下獄凡數歲會赦乃出
周文襄奇其才疏薦赴京于忠肅方督諸軍立試之
摘古今將畧及兵事以問應對如洪鍾忠肅曰此文
武材也入對以爲錦衣百戸後以裨帥力戰孤山堡
衆寡不敵死之勣負氣不能俯仰徇時好詩豪邁奇

崛援筆揮灑如風雨觀者奪魄每就人席上操觚立成數十章

鄭禮字中夫江寧人舉景泰七年鄉薦任襄陽府通判有平寇功當事者已具疏禮固辭進大名府同知課爲三輔最擢守南安郡苦水患禮欲發倉賑之監司難之曰未上請奈何以便宜行事禮曰待報而後發民皆溝壑矣如以矯制罪守守無所恨事聞于朝亦不之罪屬邑徭役不均禮酌其中以便民郡故椎魯禮修學校嚴課程士風遂振以年老乞歸郡人至今尸祝焉孫濂另有傳

凌文字從周上元人天順元年進士授戶部主事歷郎中以才幹保陞湖廣參議時湖賊呂總聚萬人據掠文捕戢悉平斷黃大饑撫按屬賑濟所活萬餘人平生謙重不事外飾以文學重于時子雲翰弘治壬戌進士知吉水縣邑素號訟雲翰示以禮讓民感化訟爲之衰陞金州知州未任歸卒

朱貞字惟正旗手衛籍天順元年進士知磁州時中官取興魚民爲所擾貞以下牽避去貞恐益累百姓乃禱于河魚涌至境內以安改鄧州至即疏華陝西等處驛夫與州民更番走遞以甦土著成化丙戌襄盜

起軍興孔棘將次鄧貞夙戒諸生有幹局者分主供餉士卒無敢以非禮加諸生民賴以不擾進四川參議督松潘儲地故險遠轉輸者多侵牟甚則逋逃以爲常貞勤以率下飛輓有方宿弊盡洗且善撫禦西羌剽掠者不入境黑虎寨恃頑不服貞與總戎計平之事聞行賞貞以老乞休貞性篤實痛親早逝每享祀輒泣下歸與里中士大夫爲眞率會優游十有五年而卒

虞雍字廷佐江寧人天順丁丑進士爲兵部武庫主事遷郎中以才器爲大司馬白圭王竑所重累官湖廣

左布政使皆有政績居父喪廬于墓側三年有産芝之異詔旌其門
龍夔江寧人戸部員外郎峭直不畏彊禦有祠官附權貴乞免家徭役夔執不可青徐大饑受命往賑存活無算人以爲得富鄭公遺法以老致仕子雨龍泉教諭善詩辛年九十鄉里甚重之
沈鍾字仲律上元人爲諸生時篤學含閉戸讀書敝緼自甘成天順庚辰進士歸省父病侍踰年辛居廬三年未嘗言笑服闋授吏部主事疏乞就養改南禮部俸養必躬奉其母侍郎章綸嘗入賀欲委之同列鍾

曰臣子事君可與人較乎章揖謝所友惟章楓山懋
羅彛正倫等時稱十君子尋拜按察僉事考績擢副
使督學湖廣時座主尹公旻秉政當候見鍾問所居
李文正顧坐客曰今之不識相門者仲律一人耳改
督學山東爲諸生攺五經文後予爲楚府儀賓遂乞
致仕歸金陵無所棲息毫不介意平生賦詩萬首文
字之外世事無所聞年八十弟鎧舉成化壬辰進士
李旻字景陽江寧人景泰丙子鄉貢拜南監察御史公
平廉明以風裁自持擢雲南按察僉事辨雪寃獄貪
墨望風引去生平敦尚名檢居官猶寒士家無餘貲

鄉里重之

王徽字尚文南錦衣衛籍天順庚辰進士拜南禮科給事中即疏五事曰親覽史書開言路重大臣選良將全內官𥝠閹宦牛玉專恣大臣失職皆時所忌徽劾奏剴切謫普安州判官考滿歸杜門不出弘治甲申薦起陝西左參議逾二年乞致仕年八十有三卒子蕭另有傳

倪岳字舜咨文僖公謙之子文僖奉命祠北岳夫人姚氏夢緋衣神人入室而岳生五歲侍父問曰天上更有天地下亦當有天文僖異之舉天順八年進士授

編修進侍讀每進講敷古義陳時政言辭剴切吐音洪亮上喜進學士擢禮部右侍郎晉尚書是時儀制如徽號婚冠大喪祧祫及奉慈殿制皆前代所未有多所擬定革淫祠正神號禁齋醮止胡僧請却西戎貢獅諸疏皆出手筆累知貢舉損益舊法遂不可易値遣祭靈祐宮金闕玉闕岳奏曰徐知證知詳唐叛臣之裔也祀典不敢議廢但歲時典祀一祠官之職耳宗伯何與焉遂爲令弘治中改南吏部尚書尋改兵部參贊機務岳秉正達變不激不隨百廢頓舉兵民倚重相戒不敢犯法留都肅然適清寧宮災岳條

上修省二十八事上嘉納之轉吏部尚書獎恬抑躁不恤恩怨正色昌言干謁消阻除目每下翕然稱快或諷其甄別太峻岳曰冢宰職固如是也迨病猶手書薦稿竟不及家事卒年五十有八贈少保賜謚文毅父子得並謚文自公始岳性孝友篤念故舊雖奕世貴顯家無遺財在翰林時即留心政務凡生民休戚理財籌邊莫不諳習每大廷集議岳以片語折之無不敬服又長于奏議一寫千言舂容暢達考古準今會文切理下至瑣屑案牘吏人旁候運筆如飛畧不經意岳于諸卿中推遜馬文升然于文升請改北

獄請增蘇松折糧亦無所徇子霦雲南澂江府知府

孫民悅蘄水令曾孫翰儒尋甸知府

翟瑄字廷瑞南太醫院籍與弟瑛並有才名瑄舉天順

甲申進士爲奉化令有善政擢御史執法不撓進僉

都御史巡撫山西有平賊功上賜敕勞焉晉左都御

史尋陞刑部尚書數斷大獄多所平反雖徒杖以下

亦詳讞時稱無寃民瑛丙戌進士讀中秘書出爲禮

科給事中改兵科封事數十上于時政多所規切上

嘉納之歷太常卿以病乞骸骨歸瑛孝友真實事兄

自首相敬無異事父母與兄弟之美必曰二翟云

沐瓚黔寧王曾孫生于金陵元津橋西里第初以父廕爲千戶天順戊寅入朝會兄總兵官都督璘訃至上念沐氏世守雲南邊夔信服不欲以兵政更委他人遂召瓚至便殿陞右軍都督同知掛鎮南將軍印乘傳之鎮瓚承命感謝至則修飭城壘增貯廩庾興學校輯姦宄旣而祿谷塞叛命都指揮高遠勦平之霑益州賊阿賽與土官適仲相仇殺命都指揮張諒剪除之隴州蠻酋本侮罕賢攏寇恩不法等爭構刧掠會集鎮巡請于朝相機攻守遂圍輯寧事聞賚白金文綺有加成化初移鎮金齒恩浹士卒化行民獠邅

疾卒歸葬江寧瓚質幹魁碩器宇弘邃樂善容物而尤優于謀畧精于騎射南人至今思之

史瑄字彥章其先延安人父以軍功爲南京留守後衛指揮瑄邇敏厚重議論英發游武學爲大司馬李公所知布袍蔬食門無私謁累陞參將分守靖州靖爲古槃瓠種恃險桀傲瑄宣布威德遠邇帖然而清慎之操終始一致雅有儒將風

丁鏞字鳳儀上元人幼頴敏俊秀嘗曰士必讀人間未讀之書乃不愧古人成化巳丑進士任南刑部主事歷郎中守典化嘗斷冤獄人以爲神性嗜學工詩尤

愛隹山水多宿山寺不出則焚香一寓中左經右史頹然自適

任彥常字吉夫江陰衛籍童年游庠刻苦勵學天順壬午鄉試第一人成化壬辰進士授南戶部主事歷陞福建提學甚得士心弘治致仕歸八府諸生赴京奏保凡上十二章不報從容林下者十餘年

金章字質菴上元人成化乙未進士令黃梅有惠政不事苛刻聽決催科率取式前令民甚便之擢南道御史章父鋹素著高風有竹溪集同里張侍郎志淳贈以詩有竹比孤高水比清清高誰得似先生之句次

子冕孫濤皆舉進士瀚舉人

潘珩字重玉上元人父傑工部郎中珩少有文名領成化庚子鄉薦除九江同知攺南康修白鹿書院置田五頃師生至今賴之歲饑發粟賑貸全活殆萬人攺袁州葺獎興利士民交頌焉

梅純字一之一字損齋駙馬都尉殷曾孫幼頴拔多才以儒士領成化丁酉鄉薦辛丑登進士授懷遠縣清介自守與當道不合遂上章乞歸補蔭孝陵衛指揮使正德初陞中都留守未三載以母老乞致政生平嗜學不厭見奇書嘗解衣購之爲文博雅詩濤奇出

塵交友極謙謹性亦寡合篤信程朱所藏書皆手自
抄校崔後渠嘗題其所書易解以訓諸子偶病預知
卒期屬纊之際神氣清暇如常
王敬字漢英一字竹堂錦衣衛籍少爲諸生有時名成
化辛丑會試第三人授刑科給事中出閱四川松潘
諸鎮邊儲還上便宜請罷免建昌礦夫從之孝宗即
位賜一品服使朝鮮却女樂斥餽遺屬國重之歷轉
通政司使凡有章奏置大匱列後堂親司其鑰胥吏
無所容奸尋陞兵部左侍郎進尚書敞以邦政重任
勤愼益至武功黃册舊藏內府例納賄乃畀對勘敞

請勝副于部以便遷法提督戎政賜蟒玉值寧夏悖叛勢甚猖獗敞仰贊廟謨易置諸將逆黨伏誅以功加宮保蔭子錦衣四川盜起敞請增諸要地兵備定賞罰條格所用總制大臣及諸將佐皆叶時望盜以平乞休歸居東山開詩社天性孝友事母盡養與人和易絕無崖岸而廉潔之操確不可易銓曹贈官疏特以清慎稱之

蔣浤字惟深上元人成化丁未進士官參議性朴實孝友少爲諸生居下街口有樓二間誦讀其上及罷官歸猶居此樓杜門讀書人罕覿其面有通鑑綱目一

部毎閲一過即以一色筆評註凡數閲五色皆備學
畫精好顧文莊曰前賢操履清貞矯矯人外即其終
身學古無他嗜好亦足見淳朴寡欲之一端也曾孫
尚彬力學服古事繼祖母繼母皆盡孝養歲貢入京
未仕而卒彬子士瑞辛卯舉人
倪阜字舜薰一字東岡文毅公弟丁未進士選庶吉士
授工部都水司主事陞郎中文毅公卒請于朝護喪
歸友愛過人陞山東分守參政時地方多　計擒
首惡餘黨悉降改守東兖值殘遣勘地極力屈畫民
賴以安陞四川布政卒于夔州囊橐蕭然至無以爲

斂其清苦如此

陳鎬字宗之其先紹興人以欽天監籍家南京少與弟欽俱有文名成化丙午同舉應天鄉貢鎬第一人明年同舉進士皆由郎署鎬山東督學副使欽廣東督學副使時人謂之兄弟三同鎬在山東成就學者甚多公廉詳慎登降之序皆自書之齊魯間言衡文者必首稱焉歷官副都御史巡撫湖廣欽在南武選時會武庫郎婁性被誣下獄欽奮身疏其寃詔并逮欽同繫者二年婁病篤欽周旋之得不死出知廣平明達民隱臨事果决百廢具修時巡九縣問民疾[illegible]

人號爲陳母

吳彦華字汝和江寧人成化辛丑進士歷戸部郎出守荆州郡故多水患彦華築堤二十餘里至今號吳公堤郡多流移彦華善撫字歲增戸口至九千有奇墾田四萬餘畝爲守七年進四川叅政開闢瞿塘三峽古道令人得陸行無風波之患事聞劉瑾以功不由已出悉械繫赴詔獄衆以賄免彦華獨坐繫瑾誅復官浙江布政以疾卒疾革語其子曰我平生不受錢今死毋以爲市遺命殮畢三日即出郡邑賻贈一無所受

劉蒼字伯春鷹揚衛千戶九歲嗣官十五歲入武學篤志刻勵每晨起讀將鑑一篇始進食通小學四書史略七經諸籍又能書嘗得遺牒于道乃解戶所領千金部收也蒼候其地三日其人乃號呼來覓蒼舉與之其人泥首請以數金酬蒼笑而不受自以位卑不克行其志乃擇師教子于時有趙經先生者亦千戶也明經而習舉子業遵禮尚志跬步不苟蒼以爲賢遣子麟師事之每獲折俸布帛必以帛進先生而以布自衣經念麟貧不受蒼曰不贊何以遣吾子麟[illegible]成進士爲名臣經之父曰趙端蒼尊行也敦廉節[illegible]

姿交獨敬重蒼一日與□石過其家命家人具饌以□
而饌不時具蒼退嫌怒欲出子婦麟時從學經家弁
告蒼蒼來曰朋友與家室孰重以小故黜之如爾孫
何嫌始解復具饌歡飲而罷其見敬禮如此指揮吳
英孤介自守喜蒼同志爭從聽疑義及麟舉進士謁
英英呼之曰善承爾父志無墨以貽羞否則雖官卿
相吾不復見矣又指揮龔爭于經爲前輩甘貧好學
年七十矣搗藥以賣不二價好讀孟子爭從經聽講
必正講席而已旁聽之先後廿年中又有姚福張晟
兩千戶福字世昌一字守素居近青溪有屋廿楹扁

曰青溪精舍每過偉入輒以置書訓諸子姪里中多從問字喜談不能有求詩若文者亦輒應之嘗以職守所羈不得時時親青溪[illegible][illegible][illegible]視爲恨著有風樹藁定軒集青溪暇筆寫[illegible]錄避喧錄諸書晟字德齋嗜古好學能大書祖父二代未葬晟既襲職即損衣食積官俸徒跣覓地日行數十里雖隆冬盛暑不輟乃得地近郊葬焉日手一編稍有所入即以市書不得不休著有明德擷生宗法理家諸圖說精易數及星曆之學晚年潛心內典窮究性命先知化期援筆留詩曰老夫原是辟支身火裏金剛水月心今日明

電製烈焚燎般若本來人題畢投筆而逝

詹昇字廷瞻江寧人性勤敏弱冠始知學即龍蓋上人舉成化二十三年進士授兵科給事中時院判劉文泰誣奏太宰王恕出政府意舉朝莫敢頌言昇獨上疏摘其奸天下快之太監李廣尉馬都尉齊世恩怙寵奏奪民田下昇勘問悉還民又轉戸科都疏文武大臣不法事忌者益衆會李廣死賄賂盈籍昇言宜置諸饋者于法事連太僕少卿楊瑛瑛故給事中也遂摭拾奏昇下詔獄鞫訊無驗謫蒲圻令投劾歸語所親曰吾非薄蒲圻顧性戇直終不能俛仰耳尋以

例復戶科給事中致仕與縉紳語及時事輒感慨悲
壯未嘗一語及私
徐完字用美江寧人事親至孝成化丙戌進士拜監察
御史時抗論臺臣有聲以親老乞就養南都完風釆
挺然時都御史多不法完抗疏劾免之百僚憚焉然
性樂易無城府雖面折人過而無宿怨無後言人亦
不深銜也會湖廣讞獄論死者數十人完覆訊止坐
五人餘悉駁免擢江西按察僉事即休致家居雅素
論議猶侃侃于九疇正德癸酉舉人官知府
吳文度字憲之江寧人少與兄文威茹苦力學登成化

壬辰進士任龍泉知縣拜御史歷轉南京右都御史以南京戶部尚書致仕所至政聲籍甚性敏捷見事疾當機輒發無所避然常求情于法中其請老歸也田宅無所增曰吾親起儒官貧素今亦足矣待諸姪無異已出與故舊處猶布衣也

金澤其先鄞人徙江寧少嗜學勤敏日居學宮成化丙戌進士授刑部主事進郎中擢四川布政司叅議蜀大饑上命給漕糧二十萬石以賑澤轉運有方所活甚衆進布政拜都御史進南京刑部右侍郎改兵部轉南右都御史致政澤鎮靜有容得大臣體歷仕三

朝轉十四官而無秕政居室翼如室無姬侍
陳鋼字堅遠其先鄞人籍太醫院鋼獨喜儒術從師遊
講讀不勌舉成化乙酉鄉試授黔陽知縣爲政通大
體恤養惸獨民有無告者闢荒田俾墾爲巳業積穀
數千石以備荒年民翕然以懷廼興學校謹禮讓黔
俗居喪擊鼓群歌歌且僊鋼知難卒禁也獨教以歌
哀辭俗遂改沅湘水合流城下數壞民居廼治石堤
幾萬尺水遂不溢縣南有道崖石險狹僅容人跡辰
沅諸路軍戍靖州者往往夜墮崖下鋼聚薪烈石
鑿之外繚以索行者賴焉秩滿當去民遮道泣留

長沙通判修復岳麓書院士子絃誦一時爲盛以母
喪歸遘疾卒
伊乘字德載吳人爲應天府學生勵志學問四明楊
文懿公邃于易不遠千里從之舉成化甲辰進士授
南京刑部主事員外郎管諸司奏牘稱其學擢四川
按察僉事理寃抑治饑民討除劇賊稱其政三載乞
終養遂不復仕子伯熊正德丁卯舉人孫敏生嘉靖
壬辰進士曾孫在廷嘉靖乙丑進士
强毅字致遠自幼異常兒母病癱且劇親爲洗濯中夜
怠寢年五十貢入監登弘治十七年順天鄉薦就選

授紹興府推官府有疑獄十數毅至剖決咸允人稱為神明性戇直上官有反駁或論議稍不合輒與爭辨甚至拂衣而出以是見齮于當路在官兩載歸去後民多思之年八十三卒

都勝字廷美其先河間寧津人父忠以廕改南京羽林指揮勝年十五入武學讀書綴文與儒生等江東名士樂與之遊繼父官懋著聲績累遷都指揮僉事奉勅守備儀真軍務嚴飭盜賊平息而廉慎詳密百廢俱舉民畏愛之壬辰奉勅備倭鹽徒金簾等犯嘉定上海聞之散去已而復乘巨艦數百欲犯江陰勝

衆捕獲之俘獻于朝漕運總兵平江伯薦勝充參將協同漕運仍鎮守淮安地方乙巳山陝饑奉勅運米百萬餘石往濟之是年平江内擢勝代之三歲陞中府都督上疏乞休致卒于家

顧璘字華玉上元人弘治丙辰進士廣平知縣南吏部驗封司主事稽勳郎中開封知府謫全州知州起知台州府歷參政按察右副都御史巡撫湖廣陞刑部右侍郎尋改吏部會顯陵肇工改工部左領山陵事進尚書改南刑部璘融朗淵達精於吏理能激昂任事其爲開封鎮守中官廖堂乃逆瑾黨子奪自恣璘

每加摧抑不令得肆瑾誅廖罷去而錢寧用事王宏繼鎮尤誇謾氣焰讋人有司多屈節自容璘不爲禮有所徵需不答積忤宏矯詔逮錦衣獄吏問狀璘據理執誼抗言條對宏遣邏卒陰探郡中無所得乃文致他比以竟其獄獄成徙知全州及起撫湖南益事振植湖湘遐曠提封數千里撫臣尊重受討坐理而已璘軺車省循徧歷州郡雖偏疆下鄙莫不臨涖跋涉險阻不少厭却故事巡歷所在必以藩臬守臣自隨璘悉謝遣軒車簡易僕從斂約供頓次舍才足周用民按堵不知爲勞所至勸農振業平繇復税可[illegible]

供省徵軌迹彝易民用安集在鎮逾年多所建白嘗
言地瘠民貧兵食不足而藩府賦祿無隄後繼爲難
又以湖湘控扼邊徼地大事繁御史按部歲一更代
勢不得周欲乞添差御史分莅河南北以廣詢謀所
言凡數十事皆當時利病深切治理論者韙其言云
顯陵之作經費不貲璘旣長于料簡而程省費儆調
發有制視他所營率損費十五而功實倍之璘爲文
不事險刻而鑄詞發藻必古人爲師詩矩矱唐人而
剷芟陳爛時出奇峭樂府歌詞不失漢魏風格云璘
子嶼字懋涵少年文譽騰踴督學蕭鳴鳳試鳳臺春

琥詩唐初四子贊援筆立就蕭歎賞謂璘有子後以
歲貢卒嶼子應祥亦以詩名
劉麟字元瑞廣洋衛籍千戶蒼子弘治丙辰進士外戚
張氏驕横臺諫麗津等歷詆罪狀上震怒下詔獄麟
上疏申救清議重之授刑部主事轉員外郎出守紹
興精核廉斂逆璫修郤署時舊隙黜爲民郡人爭致
賮麟却之曰勤苦諸君吾治不逮前劉敢蒙一錢惠
耶郡故漢劉寵所治既去越人肖其像爲小劉祠麟
貧不能歸乃寓長興與孫一元龍霓陸崑吳珫[illegible]
還稱苕溪五隱璫敗起知西安父没葬長興遂居

南坦上因號南坦服除陞陝西參政歲饑邊警朝廷遣貴臣督兵餉擬加賦贍餉不可曰靖邊本以衛民民可先困乎議遂阻而軍興亦不乏累遷工部尚書奏建節慎庫與臺臣同典出入歲一查盤自是財無濫用奏裁工部上供十四事請罷遣璫督造龍袍于蘇松中官憾之致仕家居三十餘年蕭然一室賦詩自娛建安李尚書嘗訪之于峴山了無宿具以乳羊博市沽風雨蕭蕭欣然達夜好樓居而力不能搆用筏籃輿懸之于梁僅可弓臥其上下收放皆自握之不用他人名曰神樓文徵仲作神樓圖遺之以壽終

贈太子少保謚清惠子牖以蔭敘官

羅鳳字子文水軍右衛籍弘治丙辰進士性峭直砥礪廉隅官南臺糾有風稜雖處郡國無少骫屈出守兗州時屬車屢動傳言有事太山東撫欲額外征取以備巡幸鳳不應被劾改守鎮遠復忤巡方再移石阡乞致仕家居二十餘年卒年八十有餘博雅好古所蓄法書名畫金石遺刻多至千種工詩老猶劬書所著稿皆手自謄寫云

鄭嶽驍騎右衛人弘治己未進士授江西新喻令居官廉正陞刑部主事歷郎中出守高州改南昌時寘[illegible]

旨異志招巨盜閔念四等潛刼江淮瓛捕之毎事抑濠誣奏捶殺王府校尉購錢寧矯詔撫按提問瓛令校尉鎖入府凌辱萬狀乃送有司濠反因械繫之于小船錮守之忽風吹船開見鄰船舊兵瓛諭以禍福衆共釋其縛奪馬潰圍登岸一呼從者千人斬賊將范成等赴王新建軍門備陳賊勢烏合易破請速進兵陽明嘉之授以兵四百名使巡守俘賊甘桂等三十四人賊平復任以訐直忤當道又與舊屬楊材爭道為所誣奏侍郎吳廷舉給事中毛玉副都御史伍文定不平皆疏辨之上以瓛抗逆不屈又有斬獲

功擢山東鹽運使子守矩有文名嘉靖壬子舉人令邵陽廉明仁恕以乏嗣乞休里居三十餘年神采不衰卒年八十有三

龍瑄字克温牧馬所人才名籍甚與丘仲深羅㚟正陳公甫爲布衣交重然諾尚風義朋游有急竭力從事江湖間豪士每日過金陵不識龍克温猶徒行也自號半閒居士顧東江作半閒居士傳子霓弘治癸丑會魁官副使罷歸入茗溪社與劉南坦齊名有詩集行世

姚隆字原學錦衣衞籍留守後衞籍舉弘治壬戌進士初令衢之

新昌時旱民多流殍設法賑濟多所存活數辨寃獄有懷百金謝者峻拒不受陞主客司郎中出守荆州威惠並行明年大水人附高阜大樹日夜嗷嗷隆命人駕小舟千艘以濟之仍各給以米活者數千人是冬大雪殍者塞途又搭席舍于江岸以庇趂食者而于近境爲粥以啖之活者亦數千人又明年修築黄潭等處決堤曲盡規畫雖工費數萬緡皆不取于民時取佛中官過郡從者殺人捕而抵罪中官怒以奇禍隆不爲變政績大著歌謡載道忽罷歸民皆扶老携幼攀轅號泣至不可前爲祠肖像以祀之歸家不

入城府不道時事有田僅供朝夕處之裕如

張琮字廷憲江寧人文僖益之從孫弘治庚戌進士爲禮部儀制郎中孝宗不豫免長至賀東宮親王如故事琮請于尚書曰未有天子不豫而太子諸王受賀者時韙其議晉藩有奪王封者時劉瑾受賂琮執不可瑾曰一郎中力能勝尚書耶出爲陝西叅議奪者即如請後謫琮爲濟寧知州改監察御史巡按甘肅時安化餘亂未息琮恤無辜而治有罪邊民以安瑾誅擢按察副使累官至南京右都御史門可羅雀乞致仕卒賜祭葬子恕嘉靖壬午舉人官僉事以賢世

其來

楊鋭南京衛籍守備安慶膽智過人宸濠之叛也西會守南昌自率大軍盡奪官民船蔽江而下聲言直取南京豫伏奸人爲內應過安慶將順流飛渡鋭與知府張文錦等誓死固守令軍士鼓譟登城大駡之濠怒遂駐師督衆運土塡塹內薄攻城城上矢石如雨賊衆多傷數日不能克濠令僉事潘鵬遣其家人持書入城諭降鋭手斬之支解投城下賊衆氣沮會王新建兵入南昌濠回兵救之安慶之圍始解遂擒賊成功議者以爲是役也濠乘初起之鋭使順流而下

事未可知非銳等激怒之濠必不留攻安慶銳之功大矣

金賢字士希江寧人偉幹修髯顧盼偉如舉弘治十五年進士授給事中奉命勘兩淮重獄時閹璡亂政諸司讞獄非取其意旨不敢决賢操三尺不少徇璡恨之出守大名有政聲已而中忌徙延平毅皇轍遍天下所至不寧賢乃請老不俟報而歸賢重倫睦族振人之急王太僕常白首交也常有所貸帑死即取其質劑焚之精于春秋病諸傳之舛令徵文隱約不見于後乃以所自得爲紀愍十卷或問百篇行世子艾

聿字子有幼負才名沉默矜重嘉靖乙酉舉于鄉父遺產千金悉予諸弟人有所貸毎爲焚券博綜藝文非古弗程大輿字子坤高才困諸生脫粟不厭處之裕如各有集

王韋字欽佩徽之子沈毅清介動準禮法性至孝奉二親禮恭氣和小心周愼如一日登弘治乙丑進士庶吉士念親老乞爲南考功主事南曹考察力持公論擢河南督學凡請托一切謝絕有被黜者則深自引咎士咸歸心擢南太僕少卿時居母憂且病竟卒頎東橋兄弟選其遺文刻之名南原家藏集子逢元字

子新亦能詩帚父子又俱善書人遂以大令呼子新又因其家代有文人曰王謝至今不衰

邵清字士廉江寧人幼有至性母卒時纔三歲置於別室清號泣欲往視聞者異之長端潔好學弘治壬子舉於鄉授江西德化教諭教諸生必以孝弟節義為言束修問饋之儀無敢及門者乙卯秋山東巡按聘典試事志在甄拔才俊高下咸自主斷巡按素重其名不易也事竣即日就道有謁贄者拒不受藩臬交章薦之考上上選授監察御史教職擢臺臣自清始也委督抽分豪猾射利隱沒者皆置於法正德初陞

畹張廷齡倚恩奏入貲務若干緡有旨與追清曰御
史朝廷耳目之官可爲人索私債耶逆璫擅政索清
賄不入矯旨遣官校捕至搒數十罷歸家居閉門灌
畦園璫怒猶未釋仍罰米三百石交親爲代償乃得
足璫伏誅廷臣追訟其冤嘉靖壬午復御史陞雲南
按察僉事已丑改廣西左江兵備所居皆膏脂不以
一毫自潤乞休得允杜門謝賓客宗伯霍韜雅重清
以所毀淫祠田餽清清不受疾革語其子曰爲已謹
獨甚難又曰兢兢業業過此生務要保全無過至暝
目心始安耳

李熙字師文上元人父昊成化己丑進士以簡討改南
禮科給事中因黑眚之異力陳時事陞浙參議值水
災寛民逋負熙弘治丙辰進士任將樂知縣拜南京
監察御史事多執法鄉里有不悅者熙曰朝廷與鄉
里孰重耶逆瑾擅政以言事械繫被重刑落職歸又
以劾二府貪吏瑾見其故牒復行南京杖三十幾死
熙在府獄人爲之憂熙方作外舅壽頌數百言人見
之歎服不已嘉靖初詔起爲饒州知府顧華玉璘[illegible]
玩無奇石與[illegible]蓋實錄也轉浙江按察副使[illegible]
於官

材字大用其先大城人籍金吾右衛舉弘治十二年
進士授德清知縣以廉介著稱入爲刑部主事折獄
明審曉律令諸所擬當皆麗情法逆瑾用事每以意
生殺人材據法力爭不少屈晉郎中改監察御史出
知嘉興府調杭州皆有惠政而在杭尤著始至適歲
饑告濟者塞路材語云五日卽發粟以賑時倉無儲
積人皆惑之材密訪其鄉某人有粟若干斛皆得其
實届期材親至其家曰汝有粟若干當糶半以銀償
之卽命賑其鄉人事完以報一日數處皆遍饑民數
萬卽日皆得食無侵漁留難之弊遠近大服陞浙江

按察使轉補雲南先是有土酋相仇殺御史屢勘未結將謀變材至曰是未可治以中國法乃以贖論土酋驚喜聽命御史難其太輕材曰不爾則變矣後偵知酋果密調兵聞無他故乃止累遷戶部尚書總覈財賦裁抑冗費條奏十餘事會計爲清未幾致仕後以戶部難其人仍以材任適遇考察京官肅皇素知材清正命監部院考察凡黜陟進退材議居多是歲刑部有疑獄四事上命掌刑部讞之俱得其情奏上上喜曰得尚書十二人如材者朕可無憂矣在職六年眷注甚厚加太子少保竟以忤權貴罷職其[illegible]

之操始終一致歸家甫兩月卒隆慶初賜葬祭贈太
子太保謚端肅孫桂茂善八分書官臨安知府歸出
積俸與兄均受不以自私鄉里重之
王鑾字汝和其先吳江人隷籍錦衣衛舉正德辛未進
士試政吏部時流賊甫平鑾爲原治二篇大略謂今
之賊盜皆縣守令非人監司惟利邀承撫按罔覈實
效以至浸淫潰敗弭盜之本在禁奢立禮致教化嚴
貪墨太宰楊一清與之補文選主事秉公持衡不與
人交接尋改考功節益峻朝散倘鍵自防人罕識其
面晉驗封郎中武宗南巡鑾上疏力諫廷杖致傷踰

年卒士論惜之

史忠字廷直豪俠不羈薄權貴有不合輒引去或徑以言折之不顧遇所善則流連忘懷無貴賤皆與欵洽自號癡翁作卧癡樓于冶城之麓列圖史敦彝位置雅絜有酒引客談笑醉則按拍歌新詞淸亮遏雲有時出遊不告家人所往嘗訪沈石田于吳門沈他出堂中有素絹潑墨成山水巨幅不通姓名而出石田曰必金陵史癡也要之歸留三月而別石田來金陵亦館于卧癡樓嘗贊其像曰旁若無人高歌瀾步玩世滑稽風顛月癡灑筆淋漓水走山飛忠有女及笄

婿貧不能具禮癡翁詭携觀燈同妻送至婿家取笑而别年踰八十預命發引巳隨而行謂之生殯其達生玩世如此

金琮字元玉自號赤松山農遐嘯清視人莫能窺王公大人非先施不造其門書法精工文待詔極喜之得片紙皆裝潢成帙題曰積玉與史忠稱金陵二隱有江南二隱稱弟瘠字元善精于醫旁及繪事瘠治病不計利常責人禮貌戶部尚書延之醫夫人痰火兩服而愈尚書爲敘數百言敘病源索丸藥方因圈其句讀以與之瘠援筆答一書亦圈其句讀尚書見其文

法古字畫工乃愧曰吾之過也命駕訪之遂爲知巳每云金陵醫中有人

周金字子庚籍府軍右衛正德戊辰進士擢給事中豁達警敏有經制才都督馬昻進女弟奸謀叵測力諫出之人以爲難尤通達邊務凡山川險易將士勇怯守禦難易皆習知之與客縱談如在目中歷陞僉都御史巡撫延綏宣府善撫將士得其心力宣府糧不繼衆大譟將爲變金肩輿撫諭之投戈解散徐治其渠帥而已邊告無事乞歸久之起撫圻內入佐都[illegible]擢右都御史總督漕運章聖梓宮南祔始奉旨由陸

而諸護行大臣至儀眞議從陸衆知不可而不敢
金獨力言沿江山險路不可通且奉梓宮上下山阪
恐有撼頓柰何乃從江沿江千里居民免伐樹發屋
役夫數萬人得無走死山谷者金之力也致仕歸卒
賜葬祭贈太子太保謚襄敏子仕官至苑馬寺卿
徐霖字子仁號髯仙江寧人才畧不群武宗南巡召見
試除夕詩百韻及應制詞曲皆立就語多諷諫上屢
稱善嘗午夜乘月幸其家上命置酒惟蔬笋鮭菜上
喜引滿巵從還京每夜宿御榻前與上同卧起將授
官禁近固辭世廟繼立逮治威武近幸皆坐罪而子

仁獨超然無累天下高之嘗得篆法于異人李相國喬太宰以爲二李不能過名播海外日本安南皆重購以歸開快園結賓客豪放自得年八十以壽終

景暘字伯時上元人年數歲隨其父官廣州劉大夏見其文異之曰此子方爲國器正德戊辰舉進士第二人除翰林編修時逆瑾亂政陵轢朝士見者屏氣暘獨弗阿每當進講必越宿齋沐覬有感悟在館職九年遷國子司業以資當晉侍讀深儲曰成均士子歸範非君不可六館諸生人人以爲得師二年改左中允管南京國子司業事南方士習競便利有請囑者

一切謝絶士習稍正辛巳以母憂去位甲申起復序就道染疾旬日而卒賜清介過甚居官如布衣時迎易温直望之知其爲有養者性篤孝義初母目盲百計莫療賜旦夕禱于神一日雙眸燗然舊疾如失有姊早寡奉與母居爲嫁娶其子女友人張貢見賜女欲與婿未聘也貢尋卒賜哭曰曩吾心已許之忍負亡友乎召其子妻之鄉人莫不多其事卒時方四十九識者共惋惜之

王[illegible]旂字士招江寧人登正德辛未進士授江西上高知縣時華林賊方熾數剽掠縣境而流賊復往來江

上上高爲賊衝以旂團結鄉兵諸要害處遍置鐵蒺蔾又聲言欲搗巢穴賊偵知不敢犯入爲監察御史巡按河南會宸濠叛鎮守閹劉璟與通謀倡言上親征道出汴取藏銀四萬兩備供應諸司莫可誰何以旂徐譬曉之曰大駕所經供應誠不可緩俟敕至圖之未晚萬一從他道銀散其責安在璟不敢言後逮璟籍其家僉服其見嘉靖時巡按福建賊刼安溪永春延及尤溪以旂度且犯福寧檄兵備禦賊謀大沮以親老乞養家居且十餘年父卒服闋起提督北畿學校歷官兵部右侍郎是歲徐呂洪渴漕舟滯不

行遣以旂督治至則先求故道覩泉脉循經瀧[illegible][illegible]
穀自徐洪南抵沽頭增置閘又相地形引水塹築十
壩河流時滙漕舸皆如期達京師汶上寧陽之間有
水櫃四勢豪浸没詭獻德邸藉灌溉爲私利以旂上
言水櫃以備畜洩河溢則懸河以入湖河涸則懸湖
以入河遂任怨力復之至今賴焉事竣加俸一級擢
掌南臺以風憲重臣居梓里舊宅在聚寶門外每歲
時歸祀必由他道謂諸子曰昔張益入里門必步此
可取爲法也召入爲工部尚書尋改兵部先是陝西
總督侍郎曾銑議復河套奉命集議以旂謂套誠當

復第區處當預定乃條十餘事以上會嚴嵩惡銑有
晉逮獄即命以旂代之以旂聞命就道軍中務為鎮
靜明部伍遠斥堠日休沐士卒而撫循之軍中皆願
一戰不許甘肅關廂有哈密熟蕃雜住種類日繁以
旂恐為中國患謀徙之關外乃繕室廬計戶授田俾
為生計諸蕃聽命在鎮六年屢著戰功開誠布信邊
境以寧疾作乞致仕卒于固原鎮邊民號泣罷市賜
葬祭謚襄敏

顧璘字英玉璘從弟也警悟好學弱冠聲名翕然舉正
德甲戌進士累官南京刑部武選郎中故舊一切[illegible]

絕會有旨查冗員請囑不行明年謫知許州許冠邑多豪猾瓌治頗尚惠文而時時有所縱舍歷陞河南副使風裁益峻與部使者論事有不可輙封還檄文同官駭愕瓌曰朝廷置外臺爲耳目枉法媚人吾不爲竟以是罷歸瓌高自負許恥諧于俗居官常俸外秋毫無取比歸家益窘昕夕不繼處之晏如嘗曰貪賄請囑與武斷鄉曲雖略有差等皆非知耻畏義者所忍爲臨街一小樓扁曰寒松訓蒙自給兄璘闢息園賓從如雲招之多不赴惟與一二鄰父典衣沽酒爲歡而已孫端祥字孝直以貢授汝寧通判絜已

愼事嘗署府篆錢糧羨餘分毫不染悉備轂貯倉次年大荒賴以賑濟年餘七十猶手不釋卷端祥子夢游有詩名里人爲刊其集

謝承舉字子象上元人父知府芳有孝行承舉八歲賦詩有紫塞風寒鴈叫霜之句人以神童目之長益博洽風雅爲文豪宕如奔流掣電書法米蘇棄舉子業自放于山水間毎與客縱談古今詞鋒飈發一座皆傾酒酣賦述引筆疾書輒盡數紙暇則出游諸寺僦空習靜翛然塵表與任德友善德字仲修文學高古博雅能詩時又稱任謝云承舉子少南登嘉靖壬

進士傳其家學

李重字遠菴金吾後衛人正德辛未進士授戶部主事時芻粟皆中官預之重以清苦自持中官餽遺悉拒卻爲時所重明年督賦兩浙鎭守太監劉璟侵官銀至二十萬計欲厚有所餽冀錮其口重正色曰與其遺我孰若爲民償所負以足國乎璟憚其嚴盡以所侵輸官由是兩浙宿負完百三十餘萬前此未之有也歷員外郎擢德安府會有告宗藩群校豪橫不法事悉寘如法以是搆釁至遣廷臣鞫之事始白謫官歸民哭送之戊子漕河壅用大臣薦起工部郎中擢

守九江進江西按察副使持法不能俯仰與上官不協罷歸與同里邵侍御清蘭憲副瓖志趣相同重清操峻刻鑒裁獨別好汲引後進官浙時拔鄭端簡公曉于稠人之中每以第一人期之鄉薦果第一後官南曹謁重于故里袖有所贈逡巡不敢露重詰之始云門生婦製一布履未知敢達否重哂而受之家法素嚴在任夫人置一耳環重取投之于水歸里後偶見僕人卧漆床問所自來僕對以隨任所得重大怒即責令負床還任所取縣收以復所居敝廬無以葺治値一卿貳來謁忽屋漏塵土墮客茶甌中重恬不

爲怪卿貳改容盡吸之曰吾飲公清德也子鈔[illegible][illegible]

丙午舉人

陳沂字魯南鋼之子五歲能屬句十歲爲詩文嘗著大墨蘋赤寶山賦人傳誦焉比長益博綜羣言爲文有蘇氏風登正德丁丑進士選庶吉士除編修與修武宗實錄甲申與鄒守益楊愼等再論大禮乙酉實錄成進侍講無經筵進說必委曲寓規諷意世廟問宰執知其名忤永嘉出爲江西參議督賦諸郡民皆稱便進山東左參政按沂莒滕費察其災荒發官帑市牛給民耕墾歲則大熟又爲蠲馬種薪木運布諸征

凋瘵獲甦嘗按鉅野有群盜謀刼縣沂偵知之調兵掩捕盜驚散改山西行太僕卿疏乞歸築遂初齋杜門著述絕意人事沂詩宗盛唐文出入史漢晚益臻理奥時大江南北稱朱顧陳王四大家所著甚富山東通志南畿志皆其筆削云子時萬嘉靖甲午舉人

何遵字孟循欽天監籍爲人任質不尚矯激居常呐呐然於世故泊如也因自號曰味淡舉正德甲戌進士授工部主事督商稅荆州荆故利府以壘敗者相遵處之淡然不介已卯返命值武宗頻巡幸逆[illegible]彬寔導之遂臨上谷宴中諸邊至是有詔除道

封岱宗遵吳會浮江漢而上以禱于太嶽逆藩伺祠且莫測兵部郎中黄鞏修撰舒芬等劈遵先後疏諫彬怒矯詔下鞏等獄且以死脅言者遵不顧復上疏言鞏等無罪不宜誅諫臣語益剴切彬愈怒并下遵于獄榜掠瀕死復罰跪廷杖逾二日竟死遵之將諫也貽書鄉人周金陳沂以親老爲託語不及私嘉靖初録遵忠贈尚寶司卿予世守遺腹生以廕授臨江通判值洪水爲害世守願以身塞之而潮退平謝法四之賊黨而民安判永昌定木邦之亂起補吉安除冦救荒舉天下清官第一人以病乞休歸

劉璽字廷守龍驤衛人正德間擢江西都司時巡撫盛公應期知其廉明每屬以疑獄多所平反璽乃請依期給糧以卹軍士清宿弊以杜奸宄革吏民入司之公罰除衞所冊文之扛解移廢府之餘財以立官署出城濠之租稅以歸公府善政美意不一而足王文成總制江西一見重之巡按穆公相疏薦有僚友比之學官家人謂之窮鬼等語及推總漕運上識其名喜曰是前窮鬼耶亟可其奏璽奏增餘丁月糧以均勞逸定考課以裨軍政明漕規以一衆心疏濬江淮河道以濟糧運折兌山縣糧米以免稽遲凡三十

疏垂爲漕政良規郭勛方有寵屬市南物于運
載入都以緍利璽不應以疾請告久之總漕非人任
召璽竟以直忤當道罷歸
管景字子山上元人幼頴敏嗜學屢舉不第嘉靖中貢
入太學授廣信府檢校監司聞其才檄署永豐又署
上饒適橫峯窯民作亂監司檄景往景宣布威德作
勸善懲亂箴以示之盜悔過多散去殺賊魁以獻餘
悉不問民乃安爭塑其像祀于家遷布政司檢校嘗
修上元縣志後大京兆蕃公以府無志亦屬景爲之
志成藏于府萬曆間汪京兆宗伊重修之同景修志

者徐霖劉雨也雨字潤之文最高古名更重于諸公志中雨筆削居多

何鉞字勳伯江寧人父瑄善天文鉞穎異不群見曆算輒能通曉治詩入郡庠文譽蔚然登正德辛丑進士授行人奉使楚藩擢浙江道御史秉道直言不諱忌諱時武廟欲毀民居爲演武塲鉞抗諫得止奉勅清戎務閱軍器奉法惟謹剔蠹殆盡救建言下獄御史得末減出按兩浙擊貪發奸吏治肅然擢荆州知府賑恤饑民均給宗祿咸有條理調守常德釋禁僧民困以紓致仕歸不妄交遊時庄居少入城市

江寧府志卷之二十二

人物傳三

鄭濂字師周江寧人嘉靖癸未進士爲行人兩使藩封餽贐一無所受遷授山東道御史按兩浙粵西有能名出爲湖廣按察使以父憂乞致仕歸養母盡孝設榻母側旦夕候問起居惟謹長跽進甘旨母卒濂已及耄哀毁踰禮里人著純孝傳以稱之待二弟無閒言屏跡公門年八十餘卒

司馬泰字魯瞻宋温國文正公之裔江寧人世業醫泰獨習舉子業有文名嘉靖癸未進士授南道御史按

湖廣覈而不苛嘗疏論給事中陳洸太監崔文置於理憲度肅然條陳留都軍民利害七事最稱切要多見施行陞懷慶知府調嘉興再調濟南皆有惠政勘魯府訐奏事十日而決特詔獎之爲郡人所忌去官歸而閉戶著書築園種樹名曰懷洛不忘始也婚嫁遺孤子女內外十一人割產以贈弟姪無吝色著述最多

沈越字中甫江寧人氣韻高簡登嘉靖壬辰進士授羅田令吏事精敏令民墾山谷汙萊地千餘畝收流移附籍者一百九十七戶移平江縣羅田之民思之祀

於名宦平江，凋瘵號難治越視事精察善斷裁里甲費十之六七每聽訟剖判如流擢山東道監察御史平江之民亦思而祀之差巡按江西執法峻整以風力著稱時累朝多以恩幸得官武員冗濫京衛旗役冒替賄占不可勝數有旨命越查覈落職罷役者數千人疏四上必得請乃已越以上方任用一意持法不以私假人分宜當國意有所不悅以指授越越不從分宜銜之會甲辰試事發坐監試左遷出判開州遷衛輝府推官德安府同知以不能隨時俛仰竟拂袖歸年甫五十閉戶著書不與貴人接鄉邑罕睹其

面布衣蔬水晏然自得年七十卒子朝陽以明經授
池州教授績學該博著通鑑紀事前編嘉隆聞見紀
陳芹字子野羽林衛籍十歲能詩嘉靖甲午舉人屢上
公車不第乃往來攝山天台之間選崇仁教諭時邑
令峻刑急斂衆大譁有二生素爲令所恨遂揭於諸
司誣以鼓衆司臬提究芹執不發曰二生若以別情
取戾則憲約有三等簿在豈肯輕縱令長一邑不
能禁民無越志而謂倡自二生芹司教事而坐視誣
陷是不得其職也於理勢皆不可當道是之二生得
免陞奉新令調寧鄉非其好也上書求歸起五柳亭

邀笛閣於秦淮居家十五年未嘗履公庭談時政片
工寫竹間作花卉山水皆入逸品結青溪社才思敏
贍跡散自得

許穀字仲詒一字石城上元人父隆字彥明清修雅尚不
事生產人稱攝泉先生與顧司寇王太僕爲布衣交
足蹟多歷名勝所作蕭散有林下風穀年二十舉嘉
靖乙酉鄉試登乙未會試第一人是年肅皇御文華
殿親試進士入中秘穀對策論時務甚剴切讀卷者
恐忤上意故抑之授戶部主事管倉務以清愼舉其
職尚書梁材甚器之居三月調禮部奔父喪三年哀

毀不出戶服闋補吏部文選僉謂其公而厚云任滿
當陞因乞南就養遂拜南太常寺少卿改江西提學
造士甚著聲譽陞南尚寶寺卿致仕家居三十餘年
四方遊宦至者無不慕檄每投轄款之然竟不報謁
或疑其簡愨曰林下當如是也平生坦蕩和煦不設
城府人比之劉寬卓茂焉春秋良日引二三知已巖
居川觀歌咏相樂有時奉母倘佯臺榭間子婦曾孫
次第爲壽母年八十考終愨亦踰耆以白首盡哀遠
近莫不嘆服愨登嘉靖乙酉賢書至萬曆乙酉舉人
來謁尚矍鑠碧眼長顴白鬚飄然見者謂神仙中人

年八十三卒孫天叙萬曆巳卯舉人官裕州知州有善政福藩之國各郡邑認派王莊裕獨以叙力爭免天叙子延祖延祖子岳皆以書名

陳鳳字元舉太醫院籍幼聰越不羣過目成誦爲古文詩動凌作者舉嘉靖乙未進士授南陽府推官郡有疑獄數案久不決鳳至原情覈實釋之人稱神明丁父艱起復補彰德擢刑部主事決囚多所平反省中故有白雲樓暇則與文學僚友眺咏其上稱爲西臺雅社歷郎中出僉憲江西改陝西間邊警冒暑抵慶陽扶病經畫以勞苦卒

顧源字清甫一字寶幢京衞籍豪雋不羣深究心性之學浩然有得殿侍郎遴馮祭酒夢禎焦修撰竑咸敬禮之書畫不泥古法信筆點染天趣迥絶嘗謂修撰曰書須古法四分已意六分乃妙不然縱筆筆古法皆奴書也家有日涉園陳太史沂爲歌有東晉香爐金籀字南唐畫障澄心紙米家圖卷鄭侯書平泉樹石烏皮几之句其逸韻爲時賢所羨如此中年究心禪理更加省發與名僧結西方社杜絶往來獨坐小樓惟一童子供食家人亦罕見其面臨終與僧持佛號數晝夜舉室聞異花香端坐而化殿侍郎作寶幢居士傳焦修撰刻其玉露堂稿行世

文光字士龍上元人父經四川廣安州同知有清譽文光嘉靖丁酉亞魁選清江令政尚廉明時分宜執政光擒其橫僕於獄寘之法人多危之甘直指特薦轉廣信同知郡有商被盜幾死忽若神呼之盍告於廖青天商隨投告竟獲盜抵罪民益信服去有遺思晉戶部員外郎督揚稅餘羨六千金盡登庫陞工部都水郎罷官家居二十餘年嘯咏自樂卒年八十子希元隆慶辛未進士官至憲副

盧璧字國賢金吾衛籍舉嘉靖戊戌進士擢南戶部主事陞彰德知府改漢陽晉苑馬寺少卿璧天性孝友

父病以身爲禱親喪哀毀骨立居官常祿外秋毫無取及歸家計益窘處之恬如杜門却掃不通公府性峭直終身不媚一人辭色不苟動遵禮法夫婦相敬如賓子孫必正衣冠然後敢見性好菊宅旁有園手藝其中廣求異品躬灌植之花發召好友吟賞累日自餘閉戶晏坐讀異書人罕識其面卒年七十有八

邢一鳳字羽伯一字雉山龍江衛籍嘉靖丁酉鄉薦辛丑殿試一甲第三人屢官侍講遷太常寺少卿一鳳修幹多才藻溢發工小篆求者屨滿致仕歸葺屋闢園觴一詠人羡江左風流未墜云家居軫念民瘼

[illegible]縣碑備述疾苦及吏胥之蠹聞者悚然稱爲名言
[illegible]載縣碑記上元爲應天首屬附京師我高皇帝爲
[illegible]本重地薄賦輕徭愛養極至洪武而下迄於正德
吏不舞文民無所擾家給人足神完而氣固蓋未有
少病也嘉靖中祿惟正之供小破原額而歲時科派
率至無常吏胥緣此以侵漁坐食因之而日夥神奸
鬼祕莫可致詰或者又從而是信是從焉故始以無
藉而來者今皆得以衣紈袴啜粱肉棲大廈挈妖姬
廣置膏腴而飛詭稅糧俾吾終歲勤動之民竭精力
以應公家之求者什一剮膚鎚髓以待彼不時之需
者什九日戚戚焉若三尸之伏肝藏瘕之糾肺悵悴
呻吟䀦不思所以療也而何生之能樂皇皇間得一
人焉詩其受病之原予以對症之劑不循庸俗潦臟
濯腑而新之如袁侯隴西者蓋賢之罕覯也當其時
生意殆津津矣而以他故去未竟厥施至今有餘思
焉隆慶壬辰秋大京兆晴江杜公來首詢民瘼令極
詩切別駕西津趙君適署乃事奉行咨訪得時弊之
蠹政害民者二十件與其作弊欺負之徒罪惡貫盈
者十四人併上之陳之大中丞崌崍張公巡按明臺

向公威是其言令悉治罪勒石以利無窮意甚盛也會主治之人而依憑城社者陰圖反中乘墉叫嘯勘覆雖極詳明而施行總仍舊貫民心又洶洶矣賴大京兆邇川楊公特以獨斷而力救之未幾而東瀛林侯至誠心愛民務芟宿弊邇川公以是役責成之侯則按其成牘而周爰咨諏協於克一斷而行之以圖厥終至於今苛毒以融元氣以滋盎然得以永天命焉非諸公之功而誰功竊謂民之始是役也與其幾行而敗敗而興興而復成也其病症之展轉與夫藥力瞑眩始終三年厥惟艱哉繼而大京兆少泉汪公至銳情求治剔蠹蘇疲特檄林侯督刻是石侯方祗奉成命殫精竭思首覈丁糧以窮其源次清飛詭以息其波明實科以定其止據實徵以要其歸其諸馬政羣糧長里批頭總書外差皆害切腹心者悉爲拔去民間恒業存可無廢廢可期復葢莫大焉餘件詳冊附刊徧佈使吏書不得增損侵漁以病吾赤子則來者觀是刻可以稽醫案矣若夫緬思諸公再造益邑之盛心仰體聖祖二百年前重本愛民之德意冀赤子於瀕死復甦之後殆有甚於真元未鑿之先[illegible]執已試之方勿爲浮議所奪防客邪而充元氣端有

望於後之君子之重民命者

殷邁字時訓一字秋溟江寧人少頴敏端靖始受書即有志聖賢之學二十登鄉薦肄業南雍與江西何善山游聞陽明先生學又從少司成歐陽南野論道有當於心以爲非靜無以成學遂屏居山寺鍵關默養多所自得嘉靖辛丑舉進士授戶部主事以病乞南改驗封司進文選郎中雖委蛇清要而不耐交際苛禮進江西左參議轉貴州提學副使中途感疾遂慨然歸乃却掃杜門一切世好如洗隆慶改元巡方屢薦除浙江提學副使進南太僕寺卿時僕寺法弛邁

務張之釐革僱役冗名偽票諸弊著為令民力以蘇辛未移疾懇辭賜休沐居里萬曆改元江陵當國以邁負盛名欲引以為重操江都御史王篆傳江陵意邁不應謂其子慶曰江陵橫終當有禍篆非端人不可與作緣也久之進南太常卿旋以禮部右侍郎管南國子祭酒事累疏乞休得請時年六十有二自知逝期獨居一室戒家人勿前作偈云丈夫自堂堂脚底有元路撒手便歸家何曾移寸步焚香若假寐而終蓋幾於委蛻云邁賦性淡泊在官什三在告什七參證內典澄思靜照久而有省自言一日於幽獨中

恍惚見其良心始知此心虛融周徧而身內有形之心非吾心也陸文定稱其坐鎮雅俗似房次律慤淵勇退似錢宣靖洞明宗要則楊文公泉太傅至其信道之篤不言而默成視理學諸儒不知何如也遠近志於學道者必推白野先生焉子序嘉靖辛酉舉人孫薦亦有聲庠序間

張祥字元吉錦衣衛籍幼爲諸生有文名累屈於有司貢爲泗水訓導中山東鄉試嘉靖辛丑舉進士居官廉介按奸發伏聲績大著初令鄢陵操法得民巨猾不敢竊發摧抑豪右緝斂惟謹入爲工部掌虞衡會報商人大戶多以賄行祥持正無所徇有夜賫千金

爲壽者竣却之陞守萊州撫字流民駸駸復籍亡命匿諸島者時出剽掠祥備設法禁咸帖然受約束移楚雄郡饒礦井之利毫無所染土官二姓爭印據理判決二姓毋敢譁歷遷按察副使苑馬寺卿罷歸祥居官廉潔請託無所受及歸茹淡服素怡然自樂執親之喪以毀瘠聞既老事女兄惟謹曰吾不逮事吾母事女兄卽事吾母也卒年八十有七孫蕃博學能詩多識古文奇字有詩集行世

張鐸留守衞籍嘉靖辛丑進士以翰林庶吉士授監察御史按遼悉心經畧規度要害請建沿邊諸臺堡又

積粟幾六萬餘斛貯遼陽預備倉以防兵荒饑十年果遭大水疫癘繼作至人相食賴此倉以濟人咸謳思之祀名宦

阮屋字德載京衞人素性端雅登嘉靖二十年進士授浮梁令往令皆侵里甲以充橐屋悉罷之民困立紓毎禱雨賜輒應咸稱神君入爲南職方大璫夏綬盜孝陵樹當誅屋按坐如律綬以重貲求解屋太息曰三尺法安在哉峻拒之出爲九江僉事凡事務引大體不苟細而風骨挺然落落多所忤卒中忌者言拂衣歸杜門著書年八十餘卒

楊希淳字道南上元人母將誕之夕夢笙簫滿耳有羽葆霓幢擁一仙官入室遂生焉幼岐嶷日誦千言爲古文詞下筆立就年十四督學胡象岡試孔子惜繁纓論詞辯川湧意爲宿學及見其幼更異之遣就海虞錢有威學因得師唐中丞順之皆忘年敬禮之館於梁溪華學士家嘗贈金百兩弗受比歸潛置其書囊中道南登舟檢書見之卒回舟力却而去由是名益著與同里李進暘輩相切劘動以聖賢自待不肯諧俗耿天臺督學南來聞其名首試以學莫先乎立志論大加稱賞因相與講明聖學一夕忽大悟曰道

存是矣由是與人論學圓明透徹直指心要素以方嚴稱至是益和粹人以方程伯淳云以補貢至京師歸踰年忽病自知期至爲書別知交談笑而卒年四十二嘗自爲墓志謂人死當有銘我固無求者死後乃有求耶吳司寇自新捜其遺稿行世

盛時泰字仲交上元人以諸生久次得貢天才敏捷自幼好讀書爲時文下筆千言立就聲名大振性骯髒不問生産卜築大城山下又於方山新墅咸構野築杖策跨蹇欣然獨往家人莫能跡也嘗爲子娶婦其妻囑勿他往薄暮友人邀往城南古寺閱數日乃歸

其曠達如此工詩文善畫水墨竹石文徵仲題其軒曰蒼潤以沈啓南有筆蹤要是存蒼潤畫法還須入有鉅句也王司寇世貞見其兩都賦贈之詩曰遂令陸平原不敢賦三都升司寇擬古七十章三日而畢見者奪氣子敏耕字伯年亦有雋才

沈九思字天啓上元縣籍世父琮起家進士仕至蜀憲九思童丱即有允宗之志旦起侍兩尊人於寢閤起居滌廁腧惟謹退則下帷伊吾中夜不休父病籲天請以身代而瘳弱冠在膠庠聲實藉甚私居言動恂以古人爲法嘉靖癸酉舉鄉試公車不第盈[illegible]攻苦爲大司成呂文安公所賞罹母憂哀毀骨立[illegible]

三年不輟音賀黄門涇者端人也獨重九思有里中勲貴人爲黄門所持度他亡可居間者則橐千金求九思爲解九思拒其金而陰爲解之勲貴人德之甚然終不敢頌言謝也至京師感疾附甚謂友人曰吾生不獲祿養而又以死傷親心命也以諸君子之義俾得歸骨從松楸於地下則死且不朽聞者爲流涕亡何卒卒後三十餘年伯子鳳翔成進士爲蕭山令以廉能課最爲給事中清素如儒者才品爲一時所重封駁岳岳有直聲

李登字士龍上元人弱冠入京庠以文行著時將學天

臺耿公倡明理學擇諸生之俊尊異之以風多士登居一焉隆慶初以選貢克太學生授新野令至則重學校勵士風嚴考課給膏火以佐貧士擇里塾以端羣蒙值歲凶多設粥糜食飢者復置義倉收贖鍰令折穀以實之歲率爲常存活甚衆邑有水患爲築堤三成梁一而民免爲魚條陳輿華俱切時宜民受其賜焉以抗直忤時政諭崇仁講明鄒魯之學有願學編寶曆譚錄去官歸家居三十餘年惟以明學爲務建講堂以集同志四方嚮學之士戶屨恒滿遠邇人士莫不知有如眞先生云卒年八十有六登孝友祠

天性事父及兩繼母養生送死不愧古人視子姪
異情有差俱中分之精考六書之學直探其奥所著
字學諸書行於世

朱潤身字海峯江寧人嘉靖己酉舉人壬戌進士時嚴
介溪當國欲招致門下先期以鼎元餌之潤身拒不
應遂抑置二甲并罷是科館選授吏部考功遷雲南
僉事工酋鳳繼祖執張僉事以叛潤身與直指謀用
間諜募死士指示方略繼祖授首被口語謫歷數任
告病歸築室天闕山側蒔花木自娛至今手植滇茶
猶存

蔡銳字抑之留守衛籍家貧養母盡孝端介不苟屢困場屋督學楊裁菴名知人閱銳貢卷歎曰豈有如此才而偃蹇終乎果中嘉靖丙午鄉試選河南通許令卓有政聲入覲垂橐邑人醵金四十要於路爲饒贐固却之以不能媚上官遷杭州府學教授始至廳厲隅端軌範士憚其嚴未期月翕然尊信曰古君子也越四年竟以不能俯仰遷襄府紀善去之日士多裹糧相從至數百里外者立去思碑於學宫至今浙人猶稱之

梁樞字汝直府軍衛籍嘉靖丙午鄉薦歷湖州二守遷

荆府長史致仕初令鹿邑廉慎恤民隱剔吏蠹遷守眉州州之玻瓈江源出岷水至武陽與邛水合江勢悍暴轉徙不常宋魏文靖守眉作蟇頤堰記以爲東流則病堰西流則病城截江爲揵而釃渠於東西之兩間城與堰兩利焉有明以來議者紛沓績用弗成城益危楹至察水勢見與文靖合築堤斜截大江導使中流長百八十丈有奇不二月遂成至今賴之楹性醇厚若無能而所在令人頌慕歸田屏居林野耻自炫燿人無知者同年袁宗伯洪愈五六輩同官留都重楹爲人與結社人謂有洛社風

馬汝傒字誠望錦衣衛籍嘉靖壬子領鄉薦任慶元令歲值攢造傒曰大造繫十年利病可容奸胥私弊乎晝夜親閱纖毫不假踰月冊成當道賢之事載慶元誌中受撫院檄禦甌閩劇賊李文標卽率鄉兵左右之滅賊入覲過家遂謝不赴傒恬靜隱厚有陰德買地城南瘞暴骴五年積千餘副嘗貸邵氏金無券邵没其家不知也必致還之居恒泊如不自鳴其善書法逼右軍卒年八十有二詩集行世

何汝健字體乾一字龍厓京衛籍嘉靖癸丑進士仕至叅議性寡交遊惟喜獎拔後進如濮州之馮祿冀州

之李再命皆於童稚識之爲之延師訓教買田供給
後爲之延譽皆成名士再命與健之子湛之進士同
榜馮祿聞公夫人死偕妻南來斬衰哭於墓下其感
人之深如此湛之字公露萬曆己丑進士授戸部歷
陞浙江參政乞歸才藴而雋雅談道釋書法遒美次
子淳之字仲雅丙戌進士司李中州一時臺省監司
咸倚辦焉名授御史移疾歸文雅風華詩畫雋爽强
記尤爲流輩所推

王可大字元簡嘉靖癸丑進士初授刑曹時相欲陷人
重辟大執不可出補瓊州飲氷自矢後海剛峰來南

掌院嘗語其孫曰乃祖在瓊止飲一杯水吾甚敬之爾等無墜家聲轉台州知府與總兵戚公繼光禦倭馘醜奪還所俘甚衆罷歸閉門讀書門無雜賓士大夫有過訪者纔一報謁而已世皆稱其簡貴曾孫萬禎性孝少刲股愈親疾博學弘詞能詩善書爲貢士首絕意仕進惟與二三隱君子往來唱和八十有四乃卒

寄立人稱丹丘先生元簡幼弟也少有高韻爲諸生謝去翛然塵外築有小園蒔花木自娛客至焚香煮茗清言相賞覩名刹漠然布衣蒲屨怡然自足人不

知其爲貴介兒死猶子以杉板一副奉之可立却不受七十後猶手書所纂小程史數十卷字如蠅頭性好詼冷語逸韻爲士流所賞而御子弟嚴家法爲人所稱年九十終

姚汝循字敘卿錦衣衞人少敏慧而性簡易不屈髫年入京庠未一月登賢書丙辰聯第知杞縣擢南刑部主事出守大名所至政多平恕郡故土城當河流之衝汝循伐石起陶築之高厚堅實至今屹然因抵宦家子於法得謗當左遷遂屏居十年起桂陽同知遷嘉定州以事忤江陵意罷歸生平尚節儉喜施予親

故貧乏者周䘏之晚年究心名理皈依白業尤留心鄉井利弊有丁糧議載誌中孫世昌字克修有庄居在城東四十里山路崎嶇世昌修治數百丈往來便之喜作善事凡施粥拯難造橋放生必世昌居首鄉里稱爲善士七十餘卒

黄尚質字宗商水軍左衛人少貧以筆耕養其親嘉靖戊午舉於鄉授劍州學正監司知其賢延主省城大益書院旋聘陝西典試稱得士擢巴縣會妖寇蔡百貫作亂竭力捍禦郡賴以安改峽江令地瘠賦逋監司行訪每以微眚當巨愆尚質一無所開報驛有羨

金歲暮輸於縣尚質令存以减來歲額派山漁舉網得篋金千里豪誣以盜漁人懼獻之官尚質曰此天以賚貧民也麾之弗視入覲里甲蕎有餽金悉拒之萬曆初詔雪練子寧其遺嗣流爲廝養尚質多方覓得之復其姓立祠買田俾主其祀尋擢饒州别駕投檄歸居家澈衣糲飯一如居約時李逢暘美之曰不以身涉仕宦而二其操不以中更坎壈而變其塞今見之宗商矣

焦瑞字伯賢旗手衛籍淸方謹飭不妄語弱冠入府庠授徒自贍束脩必程其學而後受有終歲不受一錢

者曰教未有以盐也以貢授靈山令時一條編法已行十餘年有司以僻遠里甲之供如故瑞至首罷之民始灑然有樂生之望縣多叢箐羣盜嘯聚督撫檄推官劉某勦之被執將加害瑞率衆往援賊見驚拜曰此眞吾父母奈何犯之遽歛去乃救推官還嶺南仕者率取珠翠瑞一無所漁有牛乾沿爲縣用亦貯之庫縣產熊膽天竺黃花石諸物上司不時需索皆力辭終其任無取靈山一物者慮[illegible]猺窺伺選壯丁訓練之以鎗爲射的中輒賞之由是諸兵競勸賊不敢近課邑士月試加賞勵人人自奮權相柄國賦

嚴急隣郡縣爭爲刻深瑞嘆曰吾忍以民命博一官乎移疾告歸先是督賦嘗出俸百金爲民代償去官未幾輸者滿額攝篆者盡以返之卒不納曰吾業已心代之不忍易吾心也歸之日囊餘八金半皆曩時射的也卒於途聞者惜之

鄭宣化字行義龍江衛籍嘉靖乙丑進士授袁州府推官潔已奉公入爲南工部主事榷蕪湖謝請托斥羨羸有奸商償其父家居以百金請欲牟免以規利宣化必抵諸法改南吏部服闋除兵部武選司郎中先是軍官襲替夤緣詐冒奸吏因得上下其手宣化悉

振湔之時王少宰要結權勢傾動朝野欲以其甥百戶冒襲千戶宣化嚴罷之一日時相出片紙以錦衣某官掌衛事宣化固陳不可遂激其怒外調郃武守甚著惠聲

常信字國寶興武衛籍爲人孝友多藝能精考六書旁及繪事至靈樞陰符之書無不曉解嘉靖末以書學校士人穀者餼於官信爲首以印局使晉撫州府照磨太守胡公性嚴重寡信可任事託以辦花園港有巨盜嘯聚行劫商旅幾絶兩臺以委信信詭爲目者服采入其阻圖上地形并所爲芟除建置策甚具以

是擒盜魁十有三人道路無梗時信以幹局最於儕
汝間聞母疾委手板歸甫兩月而母卒得躬藥餌親
含斂每至花晨月夕輒泣下沾襟以不復盡色養爲
恨最後嚮耿天臺先生之學刻心究圖嘆曰吾疇昔
所爲殊孟浪也冥心内觀超然無所繫焦太史漪園
爲之傳兼序其集
金光初字元予江寧人勤敏績學不尚財利隆慶丁卯
舉於鄉選奉新令起復補永平遷安所至民樂其簡
易然折獄鋤奸咸當其辜入覲卒於京邸同年焦太
史王尚寶醵金斂之橐中裁七金其政平恕不爲赫

赫聲死而後以廉見

李逢暘字維明金吾後衛籍幼端謹如成人羣笑不苟
雖盛暑恒正冠危坐終日無傾側容與人交誠意懇
至人不忍欺爲諸生時大京兆喻時延以教子逢暘
以師道自重出入未嘗左顧見者肅然戊午舉孝廉
京兆實薦之逢暘弗善也絕不謁謝喻亦不介意時
論兩賢之性至孝母沒哀毀骨立啖蔬處外三年悉
如禮隆慶戊辰成進士時方選庶吉士當道屬意焉
固避弗就乃授戶部主事改儀部郎奉命遣祭楚王
事竣卻其贐友人楊道南病親視湯藥或謂宜少避

者不從楊卒未浹旬亦卒年僅四十素性篤於踐履
不事空談嘗語所善者曰學校風俗所關須厚自待
世間見曹態不足慕傚也見耿天臺然後心服曰吾
曩來毛髮動止皆非是又曰吾不聞學得爲古之矜
者止爾今而後知學之不可已也吳司寇合楊道南
稿傳之
朱衣字正伯號柱村錦衣衛籍少與楊道南焦澹園金
元予同遊以倜儻稱嘉靖甲子舉於鄉辛未謁選臨
淄令邑多逋賦乃令里各置櫃自投民皆樂輸賦更
早完調房縣房故巖邑訟牘填委令多破訐衣至斥

訟師鋤強猾月完積案七百有奇民乃懾服邑有巨堰為豪彊所據擁水專利侵害民田衣多方疏築歲灌千餘頃邑人便之遷守沅州將離任會礦徒作亂督撫檄衣率民兵治之聞命輒往下令執鐵者賊空拳者民不得妄戮乃獲亂首誅之餘黨解散沅有防兵以缺餉為變衣聞報曰非反也迫於飢耳先遣牌撫之定期給餉而亂息擒其首四人置之法為郢守所忌遂歸儲名書畫古玩蒔花卉以娛老工於詩詞

子之蕃別有傳

吳自新字伯恒江寧人幼警敏絕人丰儀玉立為諸生

有聲耿天臺督學政首拔之登隆慶戊辰進士授工部都水主事出董呂洪河道審擇便利杜乾沒之奸罷無名之費補營繕司督工大內程材授糈實官册敢侵漁其間擢守杭州杭故難治剔蠹除奸不少貸有廢勳匿重犯於家自新執其黨論犯如法郡有豪宦當大辟監司屬意寬之不聽有冤民累歲不決廉得誣狀立破械釋之織府金巨萬前守多利爲私橐自新一一檢核歲省數千緡杭人曰昔金陵梁尚書以清正著今復幸有吳公矣備兵溫處核軍實杜吏弊汰冗弁海防肅然案牘盈前一見立解尤精於法

律能令老吏震慴進布政使久於其地益諳機宜歲饑羨金悉充兵餉歲歉賑卹有條全活甚衆以右副都御史巡撫河南時宗籓驕橫自新選其俊彥爲宗學長始皆斤斤奉法會陳卒以餉不時聚而譟立逮首事者誅之咄嗟而定陞南刑部侍郎即與諸司約謹官箴慎交與簡聽斷數十言共遵行之視篆兩月疾卒天臺嘗稱之曰伯恒語默動靜無非學也晚而好易宦邸構洗心軒家起萬卷樓以藏書尤敦孝友里中稱其家法好汲引名流所推轂賢士大夫遍天下焉子汝琦博學能文爲新建張相國鹿門茅先生

歲貢沈子汝璟癸卯舉人曾孫樹聲登康熙甲辰進
士
國輔字惟德金吾衛籍祖以幼孤鞠於張遂蒙其姓
登萬曆甲戌進士由刑部郎中出守襄陽晉浙憲副
始請復姓性孝友奉親色養備至伯有子弗能養暨
張氏子貧並優贍之終其身居刑曹清慎時江陵當
國同舍即疏攻之張並銜諸同舍屬當讞因國輔有
所矜釋江陵不允乃抱牘而質於江陵江陵無以奪
之始入襄屬久旱首倡便宜賑濟大雨如澍歲尋五
稔中州流民就食者數萬多方活之且資遣歸郎卒

叛習制府毆監司襄卒聞亦思逞國輔佔將士諭以
大義皆屏伏任浙憲治兵海上繩諸將之耄而貪者
薦其才而勇者署考郡邑吏旌賢汰否務核實不以
文致博能聲會爲忌者所中調守寶慶數月卒於任
伯子起元別有傳起鳳庚戌進士南鴻臚卿起貞辛
酉舉人戶部郎

張後甲字丁也鷹揚衞籍生而嶷俊十歲始就學里塾
即日誦萬言萬曆丙子丁丑聯捷庚辰廷對賜進士
授辰州府推官多所平反有士人爲豪右所陷文致
成獄後甲亟釋之後成孝廉又奸民手斃其女誣人

陷大辟後甲爲昭雪一旦免十年之繫五開戍卒[illegible]
長官後甲捕渠魁置之法黨立散壓戶部督御馬[illegible]
場盡法釐弊中貴憚之監榷清源司餉雲中皆有能
聲補工部郎時以營建徵木後甲引繩程度商不能
欺中貴無所肆其欲晉四川按察時征播之役客兵
經過所至驛騷而後甲轄境獨得安堵引疾歸童孺
時父病疽爲吮其血成人後母病殤籲天悲禱長跽
終夜既貴盡以舊產讓兄自奉泊如而毋急人之急
瘞骼至千餘具人皆以德讓稱之
焦竑字弱侯旗手衛籍父文傑衛千戶生平伉直不欺

振武營兵變羣起攖賞文傑按劍戢所部無敢譁還吳主簿所寄八百金仍護歸其喪人稱盛德竑生而端敏六歲時從師登觀象臺嘆曰天濶如此人乃蔽以垣撤之則六合爲一矣稍長好學博覽耿天臺先生視學南畿深加延接最爲高弟適盱江羅公來自宛陵天臺弟子庸至自楚而許敬菴管東溟諸賢畢會互相印可執業請益者踵至萬曆己丑殿試第一人除修撰南充陳文憲公疏修國史意甚屬竑竑爲具凡例體裁又爲經籍志兼輯諸名臣家乘碑誌爲獻徵錄雖正史未竟修而一代鉅典犁然略具爲東

宮講官故事進講者多依經解義竑講畢拱揖而進
曰臣等敷陳或有未備願殿下垂賜明問自是毋講
必從容叩擊睿質加益咸服竑之善導時太倉以元
子冲齡典學當引以圖史故事竑遂采輯成書繪圖
演義名曰養正圖解具疏上之上詳加省覽溫語批
答同列忌之丁酉北試上貢原推兩宮坊而用竑忌
者益甚摘士牘一二奇語以爲壞文體謫外竑歸怡
然自得杜門著書東南學者仰若山斗其學惟以性
命名理爲極而濟時御變咸中窾要丁酉三殿災甚
竑走京營帥臨淮侯所令集營軍以救侯以無旨難

之竑曰請旨與調軍並發可也得旨而軍已集及倭入朝鮮中外爭言戰欸竑曰倭不習中國閩浙人導之耳燕人不習倭也何導之從無張皇搖人心居一年倭遁去楚宗人戕殺撫臣誅譴徵調無寧日竑曰此尺一可解耳已而果定他如南中襲替請南司馬以黃巵審覈得免赴京之苦江南浦口要害語守臣修築堅城以固藩衞句曲將開河直達白下竑謂都城陵脉所關不當輕開事乃止其決機戚務皆此類所著述甚富正續集筆乘類林刋行其藏於家者尤多子尊生周並有才名周癸卯舉人季子潤生以

叙仕至曲靖知府殉國難孫絅官戸部主事
棨之蕃字元介號蘭嵎杜村公之子母夢東方曼倩投
以巨桃而生蕃蕃生而體度端凝氣質頴拔甫數歲
日誦千言工楷法杜村公心異之從師受易治舉子
業操筆立就同舍生無與齵𪗋者萬曆乙未殿試第
一人明年春會試之蕃爲同考試官錄許獬等十有
八人皆知名士人服其衡鑑云加一品服奉使朝鮮
邏屬國君臣嚴重有體而情意藹然有以翰墨請立
揮付之人各滿志咸起愛敬事竣盡却餽贐歸裝自
𦻉紙鼠筆外無長物後有鮮人奉使至者遇南中人

郎首詢蕃家世與替子姪臧否猶極口誦之不置擢
右諭德掌南翰林院事晉南禮部右侍郎以丁內艱
後遂屢召不復出蕃通籍三十年十三在朝十六在
野與諸薦紳處誾誾侃侃是非可否未嘗輕以徇人
歸里門游道甚廣而公庭之跡可數也生平奉親盡
孝旣貴悉以遺田推與弟辦同產子女之婚嫁踆卜
叔可怡公之吉壤爻執李公夢相死而妻子無所歸
則斥淸園餘房居之翠巖張叟杜村公舊居停也老
而貧且病則以園右屋假寓焉且貲遣其女他所緩
急未易更僕復搆小桃源於謝公墩之北時時往來

寢處其間性無他嗜好惟是鼎彝尊罍法書名畫博求遠訪傾囊搆之入其室者以爲游嶽清閟不是過也既病猶寫字賦詩不輟將革呼子從義語之曰人生聚則成形散則成氣一去來間耳賦三詩皆見道語從義以後事問不答悠然而逝家無餘貲莊節張公與交最深爲經紀其喪簡篋中惟有八金及書畫古器籍一帙爾或傳其冊封朝鮮時泊島嶼間聞鐘磬聲步訪至巖下一室扃閉旁僧云昔有老衲修持偶見冊封貴人過此心動而逝此其塔院也啓視几案塵封恍如素歷乃豁然太息而返

顧起元字隣初萬曆戊戌會試第一人殿試一甲三名由編修累官吏部左侍郎清修自尚望重朝野時座

主沈蛟門葉臺山素器重之方欲引以大拜起元避居遯園七徵不起友人題其小築曰七名亭起元學問淵博凡古今成敗人物賢否以至諸曹掌故無不留心口陳指畫歷歷如覩接引後學孜孜不倦稍有當意稱不容口因以有成者甚衆通籍三十年立朝僅五載大用未竟士林惜之居家絶跡公府惟地方利弊如兵部快船改馬船絶衞弁之科索兩縣坊廂準里甲爲條編皆更定良法軍民皆便有妄言復舊以便其私者起元力爭之乃止門人有廵鹺兩淮者念其清素寄諭鹽商以重貲求其寸札起元堅卻之

曰素不爲也所居遯園古松怪石曲徑廻廊天然巡
韻不假修飾嘗自題像云誰爲太虚生此閃電其脱
躍榮利蓋有本矣

何棟如字子極號天玉湛之子棟如姿性超越年二十
舉萬曆戊戌進士家世貴介英氣專決視天下事無
難爲者授襄陽府推官大獄多平允值苗亂板角關
棟如簡練士卒遣將王一桂立縛如鷄雛遂以知兵
名中宫陳奉檄開青山礦棟如以顯陵發脉地繪圖
蹝聞事得寢後璫至襄檄府佐犹屬吏棟如謂理官
係天子吏中貴人安得檄收其爪牙投諸江璫復開

轂城宜城礦無所得其黨掠官民郡鬨爭挺起棟如復收爪牙之尤者擬劫庫律斬具揭閣部上聞時京師訛傳楚官民擊殺璫上怒遣緹騎逮全楚臣首棟如下詔獄四年獄中日從慕岡馮公受易談兵未嘗以患難忘經世會星變赦歸光廟初起南兵部職方主事以韜略自負慨然請纓思立功塞外加太僕卿行邊贊畫會失貴人意復逮繫詔獄搒掠備至無可坐乃坐募船糜費四百金戍滁陽崇禎初昭雪脫戍籍歸南大司馬范公景文將擬推轂會疾卒嘆惜以爲未盡其才云

陳忠字南塘府軍衞籍家貧有膽智膂力絶人能浮江面游百里嘗於神烈山擒兩虎由是知名時承平日久人不知兵忠獨以勇力著因屢立奇功徽時補役新江口操時都督高某新任嚴刻每矜其徤見拳勇以南軍莫與敵也演武比藝忠連踣三人觸都督怒苛求小過以軍法責治鎖禁營中欲致之死忠夜斷索遁歸渡江至淮揚投開府李公麾下李公以倭警治兵偶宿廣灣關王廟忠宿别帳忽夢中示警急呼所部廵至廟倭方於廟前放火乃折廟垣救李公出即集四路兵與戰斬級七十二李公始重之復於牛

王河與倭戰倭以奇兵襲其後忠曰事急矣負公渡河且戰且走始得脫李公感之畫渡河圖以紀其勇後隸胡總制幕下一日方布陣倭耀武挑戰梅林撫髀曰得猛將衝之其鋒可挫也忠挺然請往梅林即以所乘馬與之白鎧雙刀直入倭陣旁如無人萬賊辟易梅林大喜揮兵繼進遂獲全勝又於通州逐倭舉鎗刺一倭奴於牆餘倭驚遁凡百戰未嘗少挫由卒伍歷官參戎稱名將云

周暉字吉甫上元人髫年補弟子員數舉不第即棄去舉子業讀書咏詩不事生產博古洽聞爲鄉里所重

客至摘蔬煮茗清談可聽其所往來皆當代名流焦太史稱其胸饒韞蓄性好編錄几格不虛巾箱恒滿吟咏自適不求人知葢博雅君子也嘗以所著山中白雲一卷寄顧少宰極爲嘆許謂多見道之言有金陵瑣事正續十二卷多載萬曆以後故實郡志多取資之

陳舜仁字淳甫一字訒所上元人母妊時夢祖平岡公授以玉鼎生而穎異不凡日誦數千言少食餼膠庠大京兆少泉汪公重其才命修府志與盛敏耕陳桂林沈朝陽共効編纂而董其成萬曆已卯登賢書癸

秀成進士授衢州之江山令簡靜明察民俗畋觀丁
艱補授泰和俗稱難治省訟謝請戢豪剔蠹諸如均
賦役清保歇賑饑窘民皆勸紀於萃和書院治邑五
年民愛戴如父母而上官嫌其侃直僅量移大理評
事歎曰吾不能媚人於邑安能媚人於朝哉遂移病
歸絶口不及世事惟里中所疾苦如坊廂鋪行大馬
快船之類娓娓陳說利害遂得罷免與有力焉年八
十三
姚履素字允初上元人萬曆辛卯舉人辛丑進士授刑
部恤刑湖廣多所全活差竣於漕河道中舉一子乏

乳鄰舶有婦聞而代乳即楚囚之蒙釋者也陰德之
報巧値如此陞廣東憲副兼督學政爲海忠介公申
請廕子平抱鎔羅峒黎賊事畢乞休優游林下葺市
隱園居焉叓字不入公門獨以民役苦繁興丁幾三
公商榷立房號得僱役定爲三則民以樂業居家儉
朴詩情酒政一時推勝
鄭宗化字尚德上元人以明經爲滁陽諭延集多士置
講席四時不輟學者宗之稱明台夫子性至孝居異
母喪終制未嘗見齒友恭端恪遊於耿恭簡羅明德
焦文端之門顧少箰目之爲黃憲可想其風概矣子

元厚字載之博雅方正有父風曾遇異人授以道術病者求其導引撫摩法簡功倍嘗言人身藏府關會之處皆可指而數也審察病源振舉其要施功膚骼之間透切膏肓之隱所以易爲挽救凡猶其緒餘耳其秘多不傳

張可大字觀甫一字扶輿京衛籍父如蘭以世胄中武舉第一人官至淮徐漕運叅將博極羣書譚古今事如指掌凡陪京大利弊興革靡不條議見諸用好學勵行動準古人可大幼警敏善騎射舉萬曆辛丑武進士屢官右都督鎮山東勤王解都城之圍領專勅

平島帥劉興治之亂又建功於鐵山内陞左軍督府
已得代聞兵變回登州爲戰守計值防撫誤信賊間
奸人内應而登陷乃登署樓衣冠北向拜手刃愛妾
題壁曰某年月日山東總兵張可大盡節於此遂投
繯事聞贈太子少傅特賜祠額曰旌忠謚莊節可大
孝友博學所至敬禮賢士大夫投壺雅歌咸以爲戚
俞再見雖軍旅倥偬乎未嘗釋卷博學好古所與贈
答皆海内通人勝流許太史士柔謂其將而能吏舅
有其廉錢宗伯謙益謂古之儒將而以忠烈特聞尤
足重云

卜有徵字虬岩江寧人中萬曆庚子鄉試授山東昌邑
縣令歷任六載値水旱頻仍流民載道有徵倡先賑
濟分設粥廠冬施絮襖全活甚衆考天下清官第一
例應行取吏科祁公疏言東省連年灾傷賴縣令卜
有徵多方救濟一旦内轉東民如失慈母乞就近陞
遷得旨陞平度知州未任得疾卒是日平度州民見
有徵冠蓋入城隍廟中因肖其像以祀
程國祥字我旋上元人起家寒素受知於焦太史澹園
舉萬曆甲辰進士清愼不阿初授確山知縣調光山
政簡刑清民間有半升之謠謂聽訟明決來訟者所

食不過米半升也歷陞考功郎中掌計典矢公矢愼
爲羣小所嫉上爲黜言者有淸望素著之譽數遷至
南總督倉場侍郎解官無守納之艱軍丁無留難之
費至今誦之晉禮部尚書以重望拜東閣大學士立
朝巖巖難進易退惟以憂國奉公爲急天性簡淡雖
歷任卿相泊然不異諸生時布衣蔬食出入里中多
步行一蒼頭自隨而已身歿之後其家至不能舉火
子上字雲扶好學敦友誼有淩雲集藏於家晚年食
貧以明經卒人多惜其才
李克愛字虛雲登之孫天性誠篤以孝著時彥多從授

經弟克恭字虛舟皆有夫子之稱卜居長干里之西與李義人張典公論學賦詩號南郊三老義人名尚志一字何事負經濟才兵農典禮以及奇門遁甲之秘無不深究意不可一世然韜光不露冷然沉雄奇士尤究心老易孝廉王亦臨常集多士開社中林堂延尚志坐皐比講經義四方來聽者履相錯也亦臨豪爽倜儻爲詩超遠筆無點塵極爲稜公義渠余公颺所稱賞典公名基宿學清才器識過人自幼多見前輩名宿神觀開霽尤勤於性命之旨以餘技爲舉子業都人士多取法焉

余大成字集生祭酒孟麟外孫也立以爲嗣孟麟父光號古峰淹雅長才嘉靖壬辰進士拜御史進所摸兩京賦宣付史館著有古峰集大成生有夙慧困童子試者十餘載未嘗以家世通於有司有司亦不以遺佳公子爲恠萬曆丙午丁未聯捷授南京兵部主武選典壬子滇試稱得士歷職方以忤璫削籍崇禎初特旨加尚寶卿仍任職方加太僕卿綜理邊務具有條畫値京師戒嚴大司馬被逮大成獨力任事中使宣傳相繼不脫冠帶者百餘日事乎回太僕前後二十餘載四任職方御批清執二字褒之陞山東巡撫

值登變與防撫孫元化並逮廷臣白其寃謫電白後
以追敘甘肅功除伍歸籍搆竹西書院於馴象門外
長齋奉佛壬午夏示寂次子二聞知襄城縣著廉名
王堯封字華岡先世金壇人移家金陵萬曆癸未進士
授戶部郎出守南昌以恤民興教華弊鋤强爲先而
尤於人材加意晉守滁州州民苦丁糧重多逃亡時
値編審極意釐剔減下戶舊額十之六其他亦減十
之三民乃歸業精於法律嘗言明豈能盡奸要在執
一實以御百虛法豈能遍有罪貴於刑一人而萬人
懼歷政皆以廉能稱戒子弟曰吾家世淳朴勿習於

清世清貧勿污於利世讀書勿荒於嬉人以為名言

俞彥字仲茅上元人萬曆辛丑進士性至孝甫登第即䟽乞終養恬修承志者十六年人以為難母終授兵部車駕司主事累官光祿寺少卿彥長材玩世談笑風流其居官也事至風掃霆斷無所留滯而性高亢不能以喔訾詣新進故屢起屢躓㚄然不屑所居容園水石幽勝感憤時事每託諷諧嘗擬古樂府以寓憂憫臨終書一絶云秋月正中看盡夜野雲散去落何山擲筆而逝

黄應登字徵甫一字少龍尚寶公子少下帷攻苦為焦

顧兩先生所知萬曆中以貢謁選浙江德清訓導陞福建候官教諭轉廣西府教授端廉愛士多所成全生平行已無媿授徒賣文以養親如獻徵錄列卿紀京學志皆與修纂顧少宰嘗謂吾鄉儒林著述之工而且富自澹園先生外未有踰徵甫者其推服如此

卜履吉字訥齋江寧人萬曆戊戌進士性至孝早年喪母言卽淚下至老不忘歷官福建兵備副使攝篆臬篆二十餘年始爲泉州理刑法不妄加查盤通省三[illegible]人甚衆撫監高某開礦厲民一時士紳廬墓不保[illegible]吉毅然具疏以聞先禁黨惡璫燄稍衰因與衆約[illegible]

千金助其礦稅使之出境闔地以安至今祠祀之部
舉天下清官第一年八十卒
楊名世字沂水江寧人少負文名以歲貢三任學博所
至教化蔚起課士而外靜坐手一編至老不衰歸里
八舉飲賓年七十有九卒孫士元順治辛丑進士
黃鉞字長白錦衣衛籍萬曆辛丑武科第一人歷官南
京左府僉書都督僉事生平功績在粵東渡海征黎
平抱由羅活諸峒在南水陸營渡江禦蓮妖保護淮
鳳在黔領專勅征安酋擊破酋定織金大方諸寨捷
聞優賚解印南還遂家金陵少孤事母孝事伯兄如

父祿入悉周宗族不爲家年七十八卒
黃居中字明立一字海鶴先閩人官金陵樂秦淮之風
土家焉少穎異十歲能文萬曆乙酉舉禮經魁授上
海教諭不受生徒私贄教養士子同於子弟嚴立課
程繙經較藝多售去者邑爲立德教碑陞南國子助
教遷監丞訓士一如教庠之法暇則與六館僚友講
究典籍大肆力於文章名噪甚轉貴州黃平知州投
檄不赴歸老青溪之上購書數萬卷諷詠達旦爲李
宗伯維楨焦修撰竑所重生平介特不苟族人爲南
大司馬有營弁以千金請託者居中曰奈何以此失

皆生平麾之不顧甲申闖變居中年八十有三聞之北向號痛衰絰食粥者累月未幾卒遺命幅巾以斂葬清化鄉插花廟丁未修郡乘得居中藏書及其仲子虞稷搜輯之功爲多伯子虞龍先卒亦負異才以舉子業受知於何司空喬遠黃學憲汝亨錢宗伯採其詩入歷朝詩選中

王之藩字南衡江寧人爲人慷慨好施重然諾篤友于兄某領官鏹采銅於荆襄留滯踰年耗其貲株連者衆藩毅然鬻産得千八百金以輸官當事義之弟某病疽危篤醫禱百端卒不起撫其子若已子初仕陜

西蕃幕榷稅滙關課額之外行橐蕭然攝華州篆平反訟獄出贖鍰釋淹繫者數人人皆感泣年八十餘子瀆以孝廉謝公車力請終養人兩高之

歐陽庠字維禮江寧人能詩詞工篆籀究心理學與焦太史交謁選福州府幕太守耳其名獄訟多令訊決兩署閩與候官篆不妄刑一人不妄取一錢嘗攝倖以償贖鍰持平而釋大辟郡人德之爲立祠罷官歸結廬於姑塘之麓終老焉里人倪公嘉慶書其生祠記後略曰天下之治亂無他故大法小廉則治否則亂憶予爲童子時讀書里塾得見平林先生未幾與先生仲子景伯結文字社於先生稱通家子又十餘年予舉于鄉遂先[illegible]以孫周仲爲婿稱姻家子亡何先生官閩幕歸[illegible]

家先生之仕非爲貧也而先生之貧實因仕也以家肥國而不以國肥家允廉吏哉故閩之民俎豆而特祀之及于通籍十五年竟新舊餉當征調旁午始終三年不敢加民間一緡之賦既以蒙誣下理累及大農驟繫司敗而嗣事者一旦驟加至七百萬緡民困盜起天下遂亡烈皇帝嬰難之時乃裂帛濡血致懟于大小貪汚之吏嗟何及哉今陵廟丘墟此祠之存亡不可問然亦足以見其與國運相終始矣豈曰微哉從青原山中復見此卷畫焉心動因

序弟稟亦能大小篆以詩畫名官松潘通判

曆字宜之本烏程人資稟高潔飄舉世味之外自楚藩長史棄官歸臨烏龍潭築室每於風清月皎魚龍夜嘯唄梵相答脩然自得也終身無疾言遽色興至則行書數幅高峻遠眺往來僧舍間與丁雄飛戴其

等紺社放生嘗作蓮花世界書以寄懷人傳其孤猿學定前山夕白藕花開峰頂秋三更掣斷烟霞鎖翠夢芙蓉噴古香之句以爲不減香山逸韻

薛應和字子融江寧人少爲諸生以方介稱萬曆癸酉舉人授長洲教諭遷成安令故事催徵多取羨於民應和至曰我拜朝命父母吾民而爲民盜乎敢犯者懲無赦已而有催守志者微加羨以進應和恚甚追給民而寘志於法民曉然知其廉奸胥無敢肆者屬大比應和分較榜首出其門有所取士張嶙者豪於貲脩贄過腆變色却之值應和入覲嶙復托其親

先於所往盛裝橐以待應和拒之曰我蕭然行李豈不足貴乃以是辱我乎粦自是不敢言丁艱歸遂不復出應和既清白無長物而見義必爲故人叢太守母死爲傾橐經紀其事有里人某某貧不能殮皆任其喪葬而應和之卒則遺命薄殮云

童仲揆字元圃孝陵衛籍萬曆戊戌武進士倜儻多大略猿臂善射有古名將風爲四川都司經略熊廷弼聞其名疏調軍前屢立戰功後與石柱土官秦邦屏率師渡河衆寡不敵仲揆揮兵接戰中弩死贈都督廕其子以振孝陵衛正千戶以振歷官陽電叅將

死於陣

陳元慶字允嘉乙卯舉人任滁州學正陞上饒知縣不赴挂冠歸元慶性孤介不耐圭組喜讀書善談名理每於廣坐中衆論辯難元慶談言微中有說詩解頤之趣年未三十喪妻遂終身不娶每晨起禮佛誦經有常課行道上見片紙隻字必拾而歸既滿篚則焚投江中愛飲酒家貧不能繼每過城南故人賈公必邀王子亦臨姚子若翼家輒流連數日夜而後返絕口不及朝市雖甚醉亦朱陸洞中語也年七十三子大韻夙慧多才早卒

王之瑞字鍾淑京衛人中萬曆戊午亞魁猶弱冠崇禎辛未成進士授行人天性豪軼能周人之急庚辛間道殣相望瑞施濟不倦皆出稱貸以給之轉禮部郎故事宗籓襲封必由儀部申請有郡籓當降授將軍而請襲王封者以三千金爲壽曰但乞具文上他無問也瑞拒之駁不許襲政府呼瑞謂曰今上方篤親親子當具文吾爲若成之之瑞執不從値眞人張某以入覲至上命建壇祈雪踰期無効然上猶眷之厚日有宣賜命留京師查居第給之某因疏求策勳府葢魏璫故宅弘壯踰制上籍之賜額以待有功者也

事下儀部芝瑞曰張某何勳哉以一羽流踞高爵食厚糈而祈禱輒不應彼何勳哉格不與與以他第某莫能抗也時荆溪再相芝瑞故爲所取士會銓部缺人荆溪欲以瑞改補瑞辭之甚力拂荆溪意或問之曰銓部要地人所幾倖不得者彼方需子子何辭焉芝瑞曰相公自出山來所行甚不厭輿望而好與羣小謀必敗乃公事吾去之恐不速敢溯從其餘波哉乃以四川督學行未幾聞國變掛冠授生徒死於粤西之端州梅菴僧雪憨葬菴側子溉字杲青别有傳

湯有光字孟發先世溧水家於上元萬曆己卯鄉科歷
瑞州知府爲政以撫字爲先不事苛察嘗曰吾奉命
出守爲民非爲名也朔望至學宫延見諸生講說經
義一夕夢郡有火災竭誠齋禱明日闔境共見火星
南飛得免於灾事載郡紳所著去思碑中致仕歸年
八十三卒子伯衡至性孝友勵志績學四置乙卷孫
聘順治辛丑進士
潘可大江寧人起行間嘗建功齊魯又北援京師南援
閩粤皆有功崇禎乙亥授安慶守備署游戎事是年
流寇入桐灊可大訓練爲備偕道臣史可法四面堵

截不解甲者數月與士卒同甘苦加豢將贖總兵程
龍進剿遇賊於鄧家店時賊騎數萬而程所領纔三
千餘人困守月餘矢盡營破度不得生乃取關防印
襟袂數十處以身殉焉程亦自焚死史公招寃而哭
爲立祠祀之事聞贈都指揮使蔭其子
胥自修字二如江寧人萬曆壬子鄉薦授曲陽令豈弟
廉能勤卹民隱爲三輔最丁艱起復補宜黃值奸民
劫掠多方捕獲欲寘之法有賄緣纔以出柙者坐是
與當事忤左遷衢州府檢校轉光祿監事尚未離衢
值國變具冠服北向肅拜自是絕粒子弟微勸之不

顧曰吾惟一死報朝廷而已城破爲衆兵刺死其孫
時進扶柩以歸
梁志仁字霏玉江寧人萬曆戊午舉人授衡陽縣立易
徵便民之法完課獨先錢糧自收自解不用庫吏而
庫銀無侵驛馬官買官養不設馬户而民間無累調
羅田縣時賊氛孔急志仁練民築城爲守禦計無何
賊已破英山志仁遣民壯汪順等四百名截堵於鳳
凰關未至而賊已入關順等陷沒長驅薄城下奸人
內應城破志仁被創死於縣門外倪公祠前妻唐氏
同死事聞贈蘄州知州

陳六奇字鳴鸞上元人萬曆戊午舉人知雲南曲靖府南寧縣流寇內訌雲南大亂曲靖爲土酋所據知府焦潤生死之六奇號召義勇力窮被執賊欲官之六奇不屈爲所害闔門遇難

謝杞字君含江寧人天啓辛酉舉人就教元城陞廣西新寧知州有清廉聲杞祖少南字應午自春坊司直謫外督學粤西見諸生講書襲成說者輒痛斥之曰觀書須求心得奈何泥成說乎爲文亦當自出心匠所謂篤實而有光輝不可寄人籬落下也識張翀於諸士卒爲名臣所取稱得士杞至縣諸生欽其名裔

經問業者無虛日杞和易近人不事敲朴而賦額克辦有官府無吏亭落無民之譽署隆安篆却例金以抵欠餉民困以甦去官之日士民攀轅醵金助行李杞一無所受邑人為立祠祀鄉賢載入粵西通志

倪嘉慶字篤之一字樸菴江寧人母余恭人禱於茅山生嘉慶幼即篤志秖行有出世之思登天啓壬戌進士官戶曹時議裁驛站嘉慶執奏驛站乃朝廷一大養濟院也游手强悍之徒不肯為兵不即為盜者皆賴以存活今過裁之若輩將歸何處是腹心之患也不從未幾闖獻之禍果熾理新餉值楊閣部嗣昌以

增兵辦寇請加餉嘉慶曰今日之患不在兵少而在餉多餉多則農病農病則民貧民貧則挺而走險者益衆不若簡練士卒減餉裕民以消盜源之爲得也嗣昌御之繼忤執政誣以豆寨繫獄七年危坐研易究心釋典毫無怨尤嘗戒子弟曰君恩置我爐韛鍛鍊凡根得休歇地凡下石者皆我善知識若以寃家視之則誤矣壬午獲釋猶擬遣戍臺省交章薦部遂巡未復隨罹國變甲申春調銓郎改戶科給事中未幾薙髮爲僧稱笑峰庚子夏沐浴跏趺而化

劉旋字遜生江寧人崇禎戊辰恩選授四川崇寧知縣

任未一年流賊張獻忠從廣元寇蜀州縣望風鼠竄誓死守賊至危坐堂上賊掖之下罵賊不屈賊怒刳目剔腎猶不絕聲事聞贈尚寶司司丞祀鄉賢

錢石字介臣上元人宿學有盛名以歲貢不仕抱道靜居砥礪廉隅時人擬之百尺孤松晚年減緣息慮求性學之宗旨足跡不踰戶外重其品者謂不愧先民與刑云石同里同社有廖傳生孔悅張彥先一儒孔說太學生博聞强記學有獨得輕儁自愛漉囊策蹇日游谿山間海昌許同生棄官隱華陽招之偕隱嘗棲止祈澤龍泉之勝晚年持律修淨業後人或見之

茅山栢枝左右相傳以爲尸解一偏幼時嘗作雁字詩有天際微茫猶未墨風吹歷亂不成文之句爲申公瑾泉所賞性孝友淸外父之遺背爲立嗣絲毫無染父死痊葬大事獨力襄舉不累兄姪由明經爲廣文時攝邑篆值天旱苗槁步禱得雨邑以有秋崇禎乙亥以保舉改考授邑令未選以疾卒於燕邸當病劇時猶圍爐拈韻不問家事云

姚九疇字庚先爲浦口守禦崇禎八年冬流寇破歷陽圍江浦九疇從游戎汪之斌援浦乘障用火攻五戰皆捷斬賊亡算城賴以完之斌貪功議搜山九疇[illegible]

下聽果中賊伏九疇率所部往救出之斌於重圍
瞻落以偏師潰賊麋至援絶矢窮誘降不屈以刃脅
之罵賊死大司馬吳橋范公爲卹其家先是戊午三
路之師紅旗促戰南營師姚國輔以游擊將軍領銳
卒三千赴援死焉登州之變鎮標千總姚士良請當
一隊與游擊陳良謨中軍管維城死於陣三姚皆南
産其奮不顧身致命遂志略相類

汪偉字叔度江寧籍少倜儻負才竭事敢爲崇禎戊辰
進士授慈谿令多異政邑有虎災偉禱於神而得虎
自是山行無患戊寅擢簡討癸未分較禮闈得人最

盛房首領咸建同殉難孟章明其最著者荆襄失守偉知時事不可爲上江防綢繆一曰布置謂禦淮所以禦江守九江所以守金陵一曰用人謂守江當責督撫守城當責京兆曰設處謂兵非舊額兵虧而餉不減水戰恃船船壞而費難措當擇壯勇丁舍以實伍整練兵船以助援凡條奏千餘言上嘉之甲申二月流賊逼近畿輔眞保督爲叛軍縛去偉聞泣曰事至此乎作書寄陸給諫朗曰賊襲眞定奸細滿都城外解不至大小諸臣無一人可支危亡如聖主何平時悞國之人終日言門戸而不顧朝廷之門戸終

日言聲氣而不顧窮民之聲氣今日當何所仰其位
喙耶廟議又欲移史撫臺某正色曰諸公并江南亦
不要耶弟死不足言南中諸老當思萬全之計可也
三月十九城破先一日偉繼室耿氏簡新製衵衣上
下固縫以待偉因援筆題襟曰翰林院簡討汪偉繼
室耿氏同死節次早城陷耿氏先投繯公捉筆大書
壁間云崇禎十七年三月十九日城陷翰林院簡討
同繼室耿氏死節後書云身不可辱志不可降夫妻
同死節義成雙江左汪偉絶筆復作家書寄長子觀
云嗚呼我生不辰丁此國難講讀之官既無事權可

爲朝廷而一得之長亦不見用惟有一死自靖而巳繼室耿氏少年節烈矢志不移恬然從我而死吾鄉擅名者不獨繼昴發夫婦而巳吾兒讀聖賢書須以忠孝自勉勿辱先人老母不能終養先人丘壟不能拜掃皆吾兒事也柩不得還以吾夫婦衣冠招魂葬之華山張家岡俾魂得依父母也凡我親友俱爲致聲天下事尚可爲無失忠孝念頭也三月十九日父絶筆時耿懸於左偉熟視曰雖造次不可失序因移耿停於右自經有僕見之解繫復甦偉瞪目大駡扃戶復經而卒家人高霖棺殮之後賊遁縱火偉寓被焚將及棺內姪吳昀哥懼不可保自縊

柩須臾火子觀壬午舉人建祠於漢西門偶同里
滅兩棺得全
徐有聲者崇禎辛巳特用官貴州司主事亦於城破
後死節云
常延齡字喬若開平王十四世孫伉爽有大志旣襲侯
封遇事敢言前後條陳利弊疏凡十二上皆切時弊
上深眷之嘗請巨璫王裕民籍產上命查給蓋異數
也時科臣姜埰行人熊開元以劾首輔下獄延齡疏
請釋二臣而以文彥博救唐介爲輔臣勸朝論韙之
阮馬擅政延齡復露章糾劾忤權臣意即掛冠去爲
僧號蒼谷居村菴中傷無僕從灌園自給時或不免

飢寒處之晏如死無以爲殮友人白大生胡星卿等醵金襄事乃克葬夫人徐氏魏國愛女也食貧如飴躬操井臼辟纑而食荆布不克毫無怨尤人以爲難能

孫自修字無修江寧人天啓甲子鄉薦授陽江令遷貳大同感時亂忽盡遣愛妾棄家祝髮巖棲谷汲縛茅於人迹罕至之處顏曰懸溪菴嘗擔柴負亞以自給其子間關往省勑斷家事以學道讀書相勉而已交遊有識其面者避去不顧識者謂自修生平兒女情深而一旦拔出愛河徑登雪嶺毫無沾滯眞足西

甲午示寂菴中

張文峙字紫淀莊節公第七歲喜讀楚辭弱冠貫穿經史詩賦古文泉流飈發辨覈掌故務爲根柢有用之學字內奇才劍客多集舊京班荊抵掌觴觶錯畫皆畏服去流寇震驚鳳泗范大司馬景文叅贊留務詢防江戰守之策文峙臚陳古今畫地聚米撰南樞志一百七十卷圖扼塞核兵餉稽營陣布置南北數千里列如指掌莊節殉難徒步逆其喪中年坎坷貧甚倍篤友誼錢太史謙益爲之傳曰文峙慷慨有大志孤行側出歌石爛而憂天墜非時人所知也傳曰士

尚志文峙以之家於鍾山之陽圖書滿架闢葹地之
令擲筇徑出墊巾壞服往來棲霞雨花間出無童入
無廬冬無裘夏無葛衰不杖病不藥行忘之游忘返
行吟野哭嘻嘻咄咄癸巳冬積雪拒門擁衣寒餓咏
雪滿山中之句賦詩四章歲暮懷友十六章纂明布
衣詩一百卷踰年屬疾告其弟可度曰晚年讀楞嚴
般若悟成住壞空之理病中有神告我是身清淨勿
以感懷錯亂任運往耳所謂强立不返得正而斃者
也傳曰士守道文峙以之弟可度字季筏至性孝友
不避險阻晚年棲心禪觀大有証悟卒於閩之容會

神識不亂自爲行述

賈必選字徙南上元人萬曆己酉鄉薦歷官戶部主事完西新倉時巨璫總理兩部復遣其黨分伺六倉選盡黜陋規在濡不染璫爲稍斂會同官倪嘉慶以屯豆下獄先是己巳城守羽書旁午典守者或有脫誤顧事在七八年前與嘉慶無與且收支俱清實無他弊必選知其寃既攝篆雲南實司此案遂不顧時忌據事直陳謫九江幕遷桂林司理既而嘉慶事得白起用必選亦歷南工部虞衡司未任丁父艱歸即杜門不出講學著書者有年晚歲失明取架上書令

友若孫讀之必遡淵几諦聽爲辨析折衷口授筆錄成帙至午夜不休曰非是不樂也所稱耄期好學至死不倦者歟卒年八十有七

凌世韶字官球江寧籍爲諸生即以詩文雄視一時崇禎甲戌進士授福清知縣不事催科上官屢徵賦不應曰朝廷令吾牧民耳鞭朴非吾事也坐謫汀州經歷署寧化縣縣境邊海民操土音不可解凡以納課至者胥執爲盜而奪其有民莫能辨韶知其弊痛懲之民乃得至公庭賫遣爲之一清遷處州府推官

戶部以忤時去甲申後棄家爲頭陀居牛峰菴有貴人持百金介客友求爲其父作墓銘世韶揮去之曰腕可斷此等文不可作也其介性如此嘗手評聯髮集深心懸解見者有郭象注莊之譽及卒巾鉢蕭然幾不能斂陳侍御丹衷爲之誄曰食無田居無椽置身曠劫之前而懸視大千故雖貧不憐氣孤愈驕白虹紫烟河漢帶天世則替惟古之嗜與乃肆肆乃中於義當其棄官以逃實求其曹古今剎海秋風鴻毛僉曰此亦晉淵明也請私謚以文陶

陳丹衷字旻昭崇禎癸未進士與世韶交最深少事母

以孝聞爲文閎奥自成一家詩原本離騷出入少陵長吉而歸於比興工書能畫中進士後請纓自効有志未遂著蒐遠遊賦以自傷爲秋柏詩二百餘章晚年一意禪悦一飯一豆終其身不易有蕉澹稿二十餘卷

大清

李敬字聖一其先吳縣人世居六合之竹墩里祖雲鵠有篤行嘗拾遺金以還客遇徽商執其手曰若非還金孺子乎予之十金經營日以漸温飽輒事施濟如還欠糧所負歸其嫠女葬蘇人之客死者使無暴

隱德甚多年八十有七敬中順治丁亥進士授行人考選廣西道御史多所建白出按湖廣兵燹之後請免租税改折黄絹民皆便之身至行間犒師征賊有功歷陞刑部左侍郎和衷詳慎出入稱平丁内艱歸以哀毁疾卒著有學詩錄

陳嘉善字伯敬性孝友勵志學問繼母鄭氏苦節嚴以教之嘉善承顔順受無異言士論多之交友樸誠表裏如一登順治己丑進士歷官分守金衢道參政以廉惠著聲卒於官旅櫬還南至不能卜地云

史允琦字奇玉上元人幼而孤事母撫弟咸有至性中

順治丁亥進士兩任福建推官每遇疑案能爲平反

歷任山西提學道秉公而明多士頌之卒于官祀入

名宦

江寧府志卷之二十三

人物傳四

吳唐固字子正句容人也父翔爲丹陽太守因家焉固修謹博通文史吳主權甚重之見固輙斂容陛遜張温駱統皆拜固其爲名流宗尚如此黄武間位僕射所著有國語公羊穀梁傳註府方尚攻伐謀勇而固獨以儒自業講授常數十人

晉葛洪字稚川句容人少好學家貧躬伐薪以貿紙筆夜輙寫書誦習以儒學知名性寡欲無所愛翫不知棋局幾道摴蒱齒名爲人木訥不好榮利閉門却掃

未嘗交游時或尋書問義不遠數千里崎嶇冒涉期於必得遂究覽典籍尤好神仙導養之法從祖元以其術授鄭隱洪就隱學悉得其法焉兼綜練醫術凡所著撰皆精覈是非而才章富贍晉太安中石冰作亂吳興太守顧秘起兵討之檄洪爲將兵都尉攻冰別率破之遷伏波將軍冰平洪不論功賞徑至洛陽欲搜求異書以廣其學洪見天下已亂欲避地南土乃參廣州刺史嵇含軍事及含遇害遂停南土多年征鎮檄命一無所就後還鄉里禮辟皆不赴元帝爲丞相辟爲掾以平賊功賜爵關內侯咸和初司徒

召補州主簿轉司徒掾遷諮議參軍干寶深相親友
薦洪才堪國史選爲散騎常侍領著作洪固辭不就
乃求爲勾漏令帝以洪資高不許洪曰非欲爲榮以
有丹耳帝從之洪遂將子姪俱行至廣州刺史鄧嶽
留不聽去洪乃止羅浮山著書言黃白之事名曰內
篇其餘駮難通釋名曰外篇自號抱朴子因以名書
別有所著碑誄詩賦百卷移檄章表三十卷神仙良
吏隱逸集異等傳各十卷又抄五經史漢百家之言
方技雜事三百一十卷金匱藥方一百卷肘後要急
方四卷洪博聞深洽江左絕倫著述篇章富於班馬

又精辯言元賾析理入微年八十一卒顏色如生世
以爲尸解云
許謐句容人少以博學知名仕爲郡主簿王導蔡謨辟
從事皆不赴後官至散騎常侍
馬樞本扶風人博洽經史爲當世宗尚邵陵王綸鎮徐
州引爲學士甚被知賞太清之難避居茅山以文籍
自娛陳文帝徵爲度支尚書辭不赴樞少屬離亂行
義人所欽仰凡所居處盜賊輒不犯人爭附之[illegible]
常數百家有白燕一雙巢于庭樹甚馴狎春去[illegible]
幾三十年時人以爲異

唐許叔牙字延基句容人貞觀時遷晉王府參軍事弘
文館直學士遂於詩禮獻詩纂義十篇御史大夫高
智周見之曰欲明詩者宜先讀此子子儒字文舉高
宗時爲奉常博士長壽中歷天官侍郎弘文館學士
封潁川縣男
劉鄴字漢藩句容人父三復以文章知名少孤母有廢
疾三復乞食供養不離左右李德裕觀察浙西辟爲
掌書記鄴幼而聰敏童丱時便能屬辭德裕使與子
共師學德裕廢客遊江湖間久之召爲翰林學士歷
中書舍人傷德裕以朋黨竄死海上書訟其寃復德

裕官爵世高其義鄴尋以本官領諸道鹽鐵轉運使
旋拜禮部尚書同中書門下平章事判度支罷爲淮
南鳳翔節度使黃巢亂僖宗西狩鄴追乘輿不及爲
巢所得迫以僞命不從爲賊所殺
許淹句容人幼多識廣聞精于訓詁與魏橫公孫模皆
以博學名家
宋胡則字子正由進士仕至禮部尚書祥符中監鑄咸
平錢有吏匿銅數萬觔捕得繫獄株連甚衆則以身
賠償不科其罪全活數百人
元朱南強句容人多學善屬文隱居不仕以德化[illegible]

所著有駹醭稿同時王德昇侯蕃者皆以儒術著德昇至正間屢辟不起蕃通六經文詞過人人以龐德公比之

明孫炎字伯融句容人也身長七尺餘面如鐵色慷慨有奇志博學雄辨所交皆豪傑知名視世儒蔑如也高帝下江南聞炎名召見炎勸帝收攬俊傑與圖大業贊與謀多當帝意從下浙東擢知池州府未幾召爲省都事會處州降命耿再成守之以炎爲總裁聽自辟掾吏處州故賊衝環城壁塢相望不受約束炎四馬入城召州豪長跽堦下諭以順逆禍福曰吾生

若無自爲滅宗計皆叩頭流血誓不敢有二心轉相告語降者屬路炎乃擇精鋭爲兵即命其豪統之無事皆遣歸農寇來以符召立至時天下擾亂賢者多隱匿不肯出炎訪其名以書招之青田劉基最知名炎爲書數千言陳天時人事劉就見炎炎置酒與語論古今成敗詞辨鋒起劉乃歎服曰吾始自以爲勝先生今見先生遠矣苗將賀仁德李祐之叛襲炎城中與合勢置炎幽空窖中脅之降炎不屈乃以酒噀炎曰以此與公訣炎引滿仰天嘆曰嗟乎丈夫乃[illegible]鼠輩擒乎飲酒自若卒使解衣炎大罵曰此紫

吾君所賜當服之以死遂見害後追封丹陽縣男歲
州歲時祀之
戎簡句容儒士多讀書有智識太祖既平陳理簡入見
語及陳氏事簡曰主上向敗陳氏於九江其衆既潰
何不乘勝直抵武昌而乃引還今雖克之用力多矣
太祖曰事有緩急兵貴權宜當陳氏兵敗豈不知乘
勝以蹴之顧兵法曰窮寇勿追吾故縱之遣偏師綴
其後恐其奔逸料彼創殘之餘喘息不暇豈敢復戰
我以大軍臨之故全城降伏一者我師不傷二者生
靈獲全三者保全智勇所得不亦多乎簡大悅服他

日與諸將論用兵因諭之曰汝等非不善戰然臨事決機智或不足宜親近儒者前日我簡所言吾雖非之然當時將校亦有勸我邀之下流而以全師蹙之武昌賊衆可以全獲軍中皆以爲奇謀不知簡亦能言之然皆非吾意也汝等當思之勿以吾不用簡言而遂輕儒者

陳登字從善句容人篤信好古力學愼行文詞高邁宏偉有古人風味元末隱句曲山中明初參贊幕府與孫炎夏煜才名相類所著有西掖稿

居仁字仁恕句容人學問該博德行老成爲鄉里模範

洪武初以儒碩徵入朝與之對奕太祖大喜賜以內醞辭職不就歸隱于家暮年自號瞻菉鄉人以瞻菉先生稱之楊孟載集有懷句曲十友詩仁恕其一也

蔣用文句容人永樂中以儒醫薦官至太醫院判仁宗監國用文與黃淮蹇義等同輔知無不言一日論殺囚數百人用文入朝從容爲言可矜狀上悉宥之上嘗論保和之要對曰在養正氣耳正氣完邪氣無自入焉又嘗問卿于醫效率緩何也對曰善治者必固本急之恐傷其本是以聖人戒欲速也仁宗嘗稱其嘉言足以裨治道學士楊文貞言其所以受知于上

者能隨事獻規不專以醫也卒謚恭靖孫誼中成化
二年進士授杭州推官治卓異擢御史風紀肅然著
經緯文衡紀行錄石屋間抄憨翁新錄諸書
曾義字宜之句容人父祖而上世有隱德初領鄉薦卒
業胄監選入翰林院讀書喜曰吾得讀未見書何幸
如之登永樂乙未進士授編修歷文選郎時朝廷以
藩臬重任令在京三品堂上官各舉所知而銓師㬟
實間有未當義往往執論由是公卿重其風槩正統
中陞吏部右侍郎王太宰直喜曰吾有所託矣已巳
冬京師戒嚴義分守崇文門核練兵士晝夜防禦

轉南吏部尚書留務簡約義鎮之以靜百司畏服天
順初致仕壽七十六卒賜祭葬
張諫字孟弼句容人上世坐累戍赤水諫性至孝惘父
拘於行伍力欲脫之負笈從師不憚險遠既登第爲
行人丁母孫氏憂哀毁骨立廬墓三年羣烏集于壟
樹服闋進監察御史奉勑歸省父遘疾日夕侍湯藥
衣不解帶暨累旬比卒復廬墓三年朝夕悲號芝產
墓傍人以爲孝感所致服闋詔南道明年陞河南副
使巡歷南陽諸郡督屯修河所至有聲成化中召爲
順天府尹風力峻整請謁不行屢疏減免買辦差科

小民便之以忤時貴出守萊州久旱禱雨輒應新郡學及東萊祠政聲籍甚召爲太僕少卿以疾卒青溪倪公爲之立傳稱其光宗顯親之孝有志必成強毅敢爲之勇有行必遂忠義許國之誠至老勿渝至今子孫克承其家學云

凌傅字汝弼句容人舉鄉貢端重寡言笑博學強記以文名授象山知縣興學愛民嘗築堤障水民得粒食卒于官民哀號立祠祀之著有鳴蟬稿象山稿

樊繼字景昭句容人由歲貢任江西南康教諭自幼篤學敦尚古道至南康勤於啓迪勢利紛華淡然無

與諸生講學一以聖賢期之少保楊士奇薦陞湖廣
興國知州毀淫祠崇正學以德化民至於成俗嘗築
隄障水以利百姓有虎爲患禱於城隍兩虎自鬬而
死正統間致政歸郡人號其所築之隄曰樊公隄
湯鼐字用之號鐵翁句容人成化乙未進士授行人陞
御史上贊襄弘治疏請御經筵辨內外累數千言凡
國家大事抗言之不少讓直聲動天下京師號曰湯
殿虎其後萬安嗾言官誣以他事謫戍甘肅蒙恩放
回杜門不出以禮自閑簞瓢屢空晏如也
王暐字克明句容人由正德丁丑進士授江西吉安府

推官平反刑獄綽有令聞值宸濠之變王守仁檄從
征勦南昌破贛兵殺傷太甚暐亟請守仁止之所活
凡數萬人以功晉秩大理寺副疏議大禮廷杖幾死
復起僉江西憲振綱肅紀寗賊攸平召貳光祿裁冗
濫正品式至今尚遵行之歷兩京太僕少卿擢巡撫
江西右副都御史惠威綏服吏畏民懷踐歷南北戶
侍有近戚以厚賄賂公爲請莊田拒不聽後以右都
御史督理漕運入爲戶部尚書總督倉場兼理西苑
農事剛介正直忠亮端恪允得大臣之體免歸足跡
不出家無厚積日坐讀書樓與二三老友四五尺

詩筒酒杯談笑吟咏而已所著有克齋集
李春芳字子實句容人嘉靖辛卯以詩領鄉薦丁未進士第一人授修撰歷陞禮部尚書將天潢蕃衍宗祿歲增乃講求便宜酌其可行者奏上賜名宗藩條例既而入閣典機務與徐文貞同心輔政力攺分宜所爲世宗崩同受顧命誅左道錄言官斷連負中外欣然望治又諫止重建翔鳳樓罷太倉羨金罷織造歲幣所請皆允壽以兩尊人猶在堂疏乞歸養侍奉數年如一日卒年七十五謚文定曾孫長科博洽謙謹孝友著聞弟嗣京喬皆從長科受業取科第而長科

偃蹇不遇膺薦舉授廣西懷集知縣生平著述甚富
率皆勸善利人之書非徒矜博奥而已嗣京崇禎戊
辰進士官御史廵按福建裔中萬曆己未進士初授
靈寶奏循良第一歷官陜西廵撫有媚獨齋遺稿
張榜字賓王一字肺山句容人早歲聰穎絶人書史過
目成誦每作詩藉落筆如風雨雄談雅謔沁人心肺
中萬曆癸卯南闈第二人榜初肄業南雍受知于大
司成馮夢禎夢禎高資夙望于酬對多濶略南曹郎
嫉其慢已飛章劾之遂移病去榜時在太學舉幡小
教場諸生會幡下者千餘人榜獨上疏請冠鐵冠伏

斧鑕殺身以直先生已而得旨許留用由是顯名天下上公車不第生平功名事業並未究其用人皆惜之從孫芳中順治壬辰進士

曹可明字懋德句容人生而穎異天啓壬戌成進士賦性廉潔始爲諸生受知于趙中丞延之西席時居貧約侃然以師道自持終年無所請託中丞心儀其爲人適有大辟求減可千金示意于明明卒不應中丞以此益加敬焉分臬粵西擒獲渠魁賊衆洗明宗人營脫明按如法解任之日饘粥蕭然

孔貞運字開仲宣聖裔器度端凝嗜學苦志小試輒冠

曹偶萬曆己未進士廷對第二名授編修天啓中陞
中允充講官時璫勢薰灼運守正不阿觸璫忌思中
以禍賴簡東素嚴無間獲免崇禎踐祚升國學祭酒
駕臨雍進講禹謨上爲傾聽條陳監規著國雍釐剔
錄以親老乞假起南禮部侍郎禁游女毀淫祠風習
一變轉北吏部以專經補春秋講官援古證今其救
陳公子壯劉公宗周皆隨事敷陳上爲轉圜入閣輔
政調劑爲多若解山右宗民之激變回鄭公三俊之
聖怒止復社二張之逮繫其一二表見者也以病乞
歸居建德山中食不兼味居無華屋歲饑施粥全

甚衆甲申聞闖變痛哭臥病親友慰問惟稱述主上
聖明諸臣誤國言與淚俱哀詔至縣扶掖起迎未及
成禮遂卒年六十九謚文忠

孔夢周號伯海句容人少喜讀史漢及于鱗弇洲諸集
博洽多智失售于有司壯遊京師辟事銀臺授陽城
縣尉邑常苦旱迺望風占伏搜得旱魃焚之澍雨隨
降歲獲以登邑更有豪猾爲大盜窩宅周密令間諜
傭作盜家跡其嘯聚行事之人暗以硃塗其衣履逮
入市擒之羣盜盡獲邑人至今稱嘉績云

李信字吾斯文定公曾孫由貢生選廣東和平縣尹至

任未幾城破信與其次子及第三子一時俱死一老諸生楊姓者江右人相隨署中日吾亦江右文學也忍獨生乎亦相繼死有許士楷者亦邑人諸生未成至是七日不食死

濮史崇字伯勤其先杜陵人建武中累官靑冀二州刺史封溧陽縣侯天下既平詔公侯皆就封因家焉崇治尚寬簡不威而化卒謚壯侯子顥孫茅世其爵茅除尚書遷侍中轉鎮西將軍雍州牧宰治寬猛適宜時人德之謚曰頃歷晉唐世有封爵至今爲邑巨族

唐史務滋崇之裔先爲溧陽侯天授元年以司賓卿[illegible]

拜納言武后革命詔務滋等十人分行天下雅州刺史劉行實兄弟爲侍御史來子詢誣其反詔務滋與來俊臣訊之務滋意欲平反俊臣言務滋與四善掩其反狀后命俊臣并治遂自殺

宋潘祺字長吉溧陽人好學尚氣節遊太學知名與陳諫議東爲友陳欲獻書闕下過祺謀可否祺曰祺親老不能與子俱死子不可不勉東意遂決祺性至孝父疾草露章請于帝願減己壽以益父父疾果瘳登第調宣州司戶卒年三十八里人惜之

劉岑本吳興人遷居溧陽岑博學愛人有古君子風登

進士第累官戶部侍郎以徽猷閣待制致仕
潘彙征字泰初寓居溧陽記問該博宗濂洛諸儒之學登嘉定甲戌進士廷對侃直劉漫塘宰稱其志行兼備薦于朝尹崑山繁昌俱有治績
趙淮字元輔以從父葵賜第溧陽遂家焉德祐中元兵大舉賈似道兵潰沿江守將或逃或降乃就家起淮爲大府寺丞招集義兵造艦于長蕩湖倚呂山置寨以扼東出之兵未幾元兵分道來攻淮戰敗被執口占辭家廟云祖父有功王室德澤延及子孫淮今勢窮被執萬古忠義猶存刀鋸吾所不懼誓以一死報

君急告先靈速引庶幾不辱家門見阿术不跪授以虎符不受使往揚州招李庭芝降至則大呼曰庭芝男子死則死耳阿术怒殺之罵不絕口二妾殉焉有錢應高者溧陽進士淮被執嘗宿於其家聞淮死追之不及亦赴荆溪而死

元僕列篪本畏吾人居溧陽父略剌不花死王事列篪中至順庚午進士爲潮陽尹歸過南昌值紅巾亂當事檄守東門城城陷誓不辱挈妻子十一人同日死之後人徙其樓於城西北角曰僕家樓以旌其忠崇禎末南昌府推官立廟祀之

明俁斯溧陽人也吳元年以元故官歸附授兵部員外郎三年改尚寶司丞冊封高麗使回稱旨出知河南府以才幹著累官吏部尚書

徐文英溧陽人幼警敏尚氣節洪武丙子由明經授龍虎衛經歷擢浙江道御史清剛自立一日入朝後期上詰之對曰送臣父歸里爾上問何所贈曰錢一百草屨二緉追驗之良然見其衣肩寶裂命繡窮御史三字於袍上旌之尋轉河南副使寮屬有過輒斥不少容後從英國公征交趾矢竭心力遘病卧營中語人曰馬革裹屍未足報國遂卒英國憐其忠令人與

御賜葬焉

繆樗字全之溧陽人以進士知東陽縣涖事剛果婺人悍之邑有豐鑑詭寄樗立法丈量以均徭役民德之擢南道御史彈劾不避權貴抗論中官蔣琮語侵汪直天子察其忠廼琮而謫樗莒州判官下車立辨王氏疑獄有神君稱卒於官

史際字恭甫溧陽人少從王公守仁湛公若水遊壬辰舉進士以文選主事改春坊清紀郎旋乞歸置義莊義塾修明倫堂濬躍龍關捐田二百畝資貧士誦讀嘉靖甲午乙未洊饑際發廩以濟更捐粟墾治沙漲

存活數千人田咸名曰救荒瀕太倉沿海大水運勸賑穀二萬石抵崇明嘉定等倉甲寅乙卯間倭犯東南際募死士邀擊於邑之舊縣又追禦之於太湖撫按上其功晉尚寶卿子繼書爲錦衣指揮僉事萬曆時倭寇朝鮮繼書請屯田天津爲勦倭犄角之勢會撫事成不果行

馬從謙字益之溧陽人嘉靖十四年進士初任工部主事治河徐梁有能聲轉禮部改尚寶丞掌制誥從世宗幸承天陞光祿少卿兼翰林院五經博士仍典制誥上好道修齋醮日費數千緡中官杜泰怙勢侵冒

鉅萬從謙疏止齋醮并暴秦罪擬以誹謗廷杖死之
初從謙憤武定侯横將疏論之以母老懼不測中止
甫除母服即以劾中貴死子有驊以明經官鴻臚上
疏叩闕請卹詔贈太常寺少卿予祭葬有奏疏一卷
竹湖遺稿行世

馬一龍字應圖溧陽人父性魯自給諫出知尋甸府以
苗變誣繫獄一龍時爲諸生走長安上執政書辭旨
懷惻執政憫之歲戊子中順天第一閱二十年至嘉
靖丁未成進士由詞林陞南雍司業念母夫人許年
高請告歸龍少負才名卓然以文章名世字學遒逸

入能品建祠堂置義田一倣於古而㓂建尊經閣於學宫尤爲勝舉有遊藝集行世

鍾遐齡字子宜隆慶戊辰進士出知井陘縣釐剔精敏深得民心尤以文章擅名分校順天日主司屬搜遺漏獲一卷已受嗤拙目齡曰此天下士也列高薦拆視乃高邑趙南星果以忠直爲名臣

周晏字叔夜僻處湖東覃思易學遊於金沙從王太史肯堂深譚名理多所契會尤爲湯儀部顯祖所知所著易徵修辭取義多會心語世傳之

宋俞㮚字祗若溧水人初授承事郎轉起居舍人給事

中極論蔡京誤國謫知潤州改襄陽府鹿門寺有田
千頃歲收租萬斛皆以供僧酒食費蒓奏入官助軍
儲一年召赴闕言官吏不率職願戒諭三省選擇監
司俾表率州縣徽宗嘉其言賜紫金魚袋再試給事
中在朝遇事輒盡言帝每嘉納竟以毀紹聖法安置
太平州未幾復起知江寧府子孫後多顯者
劉綰溧水人累官安撫使靖康初死難其後曰應炎者
任臺諫因不附賈似道被謫歸隱不仕
魏良臣字道弼溧水人少遊郡學聞母病亟歸刲股以
進初第進士即詣闕訟陳東冤謫嚴州壽昌令以治

最聞召對遷吏部員外郎金人犯高郵擇使講和高宗曰魏良臣有氣節可屬大事遣詣金行成而歸秦檜當國欲畀以言職力辭適金人敗盟奉使兀术擁精銳懼之良臣辭氣不懾請覲國書曰分淮畫守初議也今欲畀長江非使臣所敢知執論久之得從初約檜忌出知池廬二州後檜死召拜參知政事首請出衣冠之囚歸鑾癉之冤時軍政廢弛乃核軍實禁工役罷販賈觀聽一新歷潭洪二州卒

吳柔勝字勝之溧水人舉進士第授嘉興教授浙西使者黄灝委以荒政多所全活御史湯碩劾其擅放田

祖且主朱熹之學不可爲人師改贛縣尉韓侂胄用事黨禁甚厲桑勝獨講學不輟人以此服之時謫官嶺南者多殁於瘴還過贛妻孥率流落可憫桑勝乃置廣惠館括閑田所入待之提點刑獄司辟爲屬獲盜當改官桑勝曰豈忍以人命博一官丐祠歸嘉定初授國子正廷對切直未幾知隨州時議和邊將恐以生事獲罪郡人梁皐被北人盜馬追之以弓矢相拒郡下七人於獄桑勝立破械出之隨經兵火桑勝罷科斂寬逋負奬忠義褒死節隨人大悅棗陽及棗陽二城招四方勇敢立忠勇軍金人圍棗陽三月不

拔而退諸郡賴之改池州兼知鄂州值歲饑活人甚
衆復改太平州鄂人遮道泣留治太平一年上章請
老除祕閣修撰卒柔勝天性孝友與彭龜年楊簡袁
爕相師友每以行事至否爲學力淺深之驗嘗曰士
以大節爲本大節苟虧他美莫贖故權黨禍十餘年
不變其操贈觀文殿大學士太師魏國公謚正肅子
四源泳俱補廸功郎淵潛自有傳
吳淵字道父柔勝子端重寡言苦志力學五歲喪母哀
泣如成人舉進士調建德主簿史彌遠館留之語竟
日大悅曰君方爲國器至官嚴幹有聲江東九郡競

織咸訴使者乞送淵申雪改差河東制置使幹辦公
事丁父憂詔起復力辭且貽書政府力言其非時史
嵩之方奪情或曰得無礙時宰乎淵不顧詔從之服
闋累官寶章閣學士知太平州兼江東轉運使兩淮
民流徙入境者四十餘萬淵亟爲優恤使主客相什
伍無敢犯由是獨獲濟以功加華文閣直學士工部
尚書改知隆興府兼安撫轉運副使歲大侵講行荒
政全活者七十八萬尋提舉南康節制蘄黃等處峒
寇擾亂攻破數縣淵命將擒其渠酋亂平遷兵部尚
書知平江府兼浙西兩淮發運使歲亦大侵淵所全

活復不下數十萬進端明殿學士沿江制置使朝廷付淵以光豐蘄黃迺刱三大砦二十二小砦團丁壯分隊伍星聯棊布暇則耕有寇則戰屹然爲一方保障詔嘉其功拜資政殿大學士參知政事卒贈少師謚莊敏淵有材略尚氣節所至興學養士著有易解及退菴文集奏議

吴潛字毅夫淵弟舉進士第一授簽鎮東軍節度判官紹定四年都城大火潛上疏累千言勸理宗修省以實闡宮勿親女寵勿昵姦召賢哲選用忠良毋並進君子小人以爲包荒毋兼容邪說正論以爲皇極庶

幾彌災爲祥易亂爲治又貽書史彌遠論六事遷大府少卿淮西總領又告執政論用兵復河南不可輕易金滅則與蒙古爲鄰法當以和爲形以守爲實以戰爲應六年除太府卿知建康府首奏以蠲剩事例并諸司問遺例冊錢代納江東一路折帛次論金元興亡本末甲午和戰非宜又論進取有甚難者三事後皆如其言除祕閣修撰兼知隆興府奏言諸郡兵荒乞下本路一體蠲征復屢論計畝納錢和糴成敗大計襄宜亟救備不可闕乞養宗子以繫國本皆切時務理宗頗嘉納之尋同知樞密院兼參知政事入

對言國家之不能無弊猶人之不能無病今日之病
不但倉扁望之而驚庸醫亦望而驚願陛下篤任元
老以爲醫師博采衆益以爲醫工使臣輩得以効牛
溲馬渤之助淳祐十一年拜右相明年以水災乞解
機務又四年授沿海制置大使判慶元府條具軍民
久遠之計達於政府奏時務行之又以餘錢代民輸
前後所蠲五百四十九萬以久任丐祠乞歸未幾召
拜左丞相會元兵渡江攻鄂州別將由大理下交趾
破廣西湖南諸郡濳上章言奸臣誤國又論丁大全
沈炎等罪卒爲炎所論落職循州安置濳預知死日

諸人曰吾將死矣夜必風雷大作已而果然德祐改元追復原官潛平生篤義有經濟大志立朝忠亮剛直議事皆出於正惜用之弗究云

王景雲字仲慶溧水人生而穎異及長學問宏博咸淳間以薦辟授清流簿與弟景華嘗捐貲周恤貧乏建怡怡亭宴樂至老不忍析居副使劉應昴爲撰墓志銘謂雲家有田氏紫荊之義云

元趙龍澤字萬里溧水人父鑑尚義業儒以薦授江西行省都事追封句容縣男龍澤爲人剛果有幹蠱才授雷州清道寨巡檢侍養不仕時汝潁兵起攻陷建

康龍澤不屈而死贈浙東宣慰使司都元帥府照磨
子權亦從父死弟雷澤與其子楷家居亦遇害
明端木復初字以善溧水人元至正中四方兵動東南
尤甚復初爲海右憲史言時政之急如此則可守如
此則可戰否則必敗時人不能聽遂棄去洪武初以
薦辟爲徽州府經歷徽郡田賦久不均復初建局城
東使民自實田集爲圖籍覈盈朒驗虛實而定科繇
由是民無逋租官無横斂改吉州通判磨勘司丞陞
爲令勾稽隱伏人不敢欺後爲刑部尚書用法本諸
律而持以平恕老於議法者咸以爲允出爲湖廣行

中書省參知政事卒子孝文

齊泰溧水人初名德洪武二十年鄉貢明年舉進士歷禮兵部主事會雷震謹身殿上禱郊廟泰以官九年無過得陪祀賜名泰三十年陞兵部左侍郎明年進尚書上嘗召泰問邊將姓名泰歷數無遺又問諸國圖籍泰出袖中手冊進簡要詳悉上因奇泰是年閏五月受顧命輔皇太孫時諸王皆尊屬擁重兵專制地嫌勢逼詔諸王臨邸中毋奔喪王國所在吏民悉聽朝廷節制詔下諸王不悅謂此齊尚書間我也成祖時自燕入臨至淮安泰言上急出勅符勒歸國嘗

泰使燕卽燕邸厚賂之泰受而歸請爲兵費建文君奇其識日益倚重泰慣宗戚權重與太常卿黃子澄建策凡親王罪輒除國泰欲先圖燕黃子澄不可建文元年燕師起泰專主籌畫命將出師建文君詔闔外事一付泰泰遂移檄指斥削屬籍燕師以誅泰爲名疏請發奸臣齊泰黃子澄等與臣訊究時遣李景隆將兵北伐泰極言其不可任三年燕師日進逼淮泗議泰與子澄官求解兵文皇曰此緩我也不聽進兵益急尋召泰未及還金川門開建文君遜去泰追至廣德欲往他郡起兵輿復被執見成祖不屈死之

籍九族有子甫六歲給配仁宗時赦還鄭端簡公見其六世孫光裕即此兒後也嘉靖中知縣謝廷蒞爲祠祀之

端木孝文溧水人尚書以善子與其弟孝思皆以儒士起家孝文爲翰林待詔孝思爲翰林侍書初孝文使朝鮮鮮人重其才欲有厚贈問端太史行李何在孝文曰吾持一節來耳請惟以一節還無何孝思復使朝鮮以氷檗勉之孝思拜受而去後亦惟以一節還報朝鮮榮其事爲立雙清館

魏澤字彦恩少有學行洪武中官刑部尚書建文時謫

爲海寧尉時文皇逮方孝孺誅及族黨孝孺幼子德宗甫九歲澤極力覆護台州秀才余學夔寓於京心知之遂潛歸變形佯狂乞食於市一日迓澤於城隅作狂歌有願効程嬰語澤會其意叱曰扶顛子出城去兩日後復遇在市歌如前澤乃密致孝孺文稿及德宗於學夔囑使急去以故孝孺尚有後謝文肅所稱孫枝一葉者是矣後直指黃紀賢代巡至溧建石碑于北門橋表澤大義

趙本字居仁溧水人生而穎悟長以德行聞洪武間以薦辟歷官左通政苦節自勵家無蓋藏其孫往省之

給錢二貫令徒步歸永樂間治水浙江居仁恵之曰
艱哉斯役也人成之而潮毀之徒使吾民死板築已
耳以文請於海神潮果弗至者三日而功成
張彥彭溧水人永樂間歷官河南道御史清愼持憲成
祖賜金牌百面文曰赤金十分舉朝榮之
丁沂字宗魯溧水人弘治壬戌進士授南京刑部主事
歷郎中門無私謁獄無怨辭擢湖廣按察司僉事董
造榮府常德之民賴以不擾賑湖湘饑全活甚多進
浙江副使嘗治水田賦獲利轉參政至布政都御史
所在吏畏民懷卒於蜀

武尚耕號晴川隆慶辛未進士歷官湖廣左布政先爲四川叅政值洞蠻之亂征討有功勒勲於峨嵋山石居平清介不受一錢及歸田仍守布素三子在侍體無完衣以是清名大著

武化中字大冶萬曆己酉舉人授黄陂令邑故難治多豪强化中摘伏得渠而民安嘗因旱步禱有應餚南道御史未任卒

施一鼇字士遐生而穎異幼喪二親哀毀廬墓時以孝聞由恩貢司訓貴池陞授沔陽州學正時閣臣楊嗣昌辦寇於楚委署州篆詰戎治賦有聲州有里大垸

廣四十餘里內田一萬三千餘畝因襄水衝破[illegible]幾三十年無能塞者一鼇令聚船百隻沉底隨折[illegible]屋百間拼架聚土高築三月堤成民間感戴年八十四卒

劉鳳池生有氣節與人無欺長齋少嗜欲年始三十有一聞甲申之變作遺言付子六斤爲治命從容赴水死家人跡之見其衣冠整然立於河中面貌鬚髮猶生邑人多爲詩文以弔之

大清李蔚號鍾山溧水人順治丁亥進士父應科慷慨能緩急人多義之蔚初仕大行三奉使辛卯分校順

天陞工部榷稅南關奉紀錄以病請告卒於家

明甘霖字沛之高淳人清介慈和才情敏給鄉黨重之洪武二十九年以薦召入高皇帝見其狀貌異之問其名曰甘霖因曰浙江大旱汝往霖之授左叅政以六月至其夜夢神告曰某地有泉可濟民渴且往假若夢境掘之果得大泉同僚屬祈禱大雨隨至歡聲四起居二年以病乞歸永樂初靖難師至錄舊績擢江西布政使體國愛民始終如一五年卒賜葬官敦

周慎字尚禮高淳人父卿好施濟慎爲諸生受餼每[illegible]所入奉之由歲薦入成均有京兆公某者贈之三十

金會歲歉見道有流亡骨骸者即賑之比抵家僅
數金適隣人將鬻妻復傾囊助之謁選授蘄水令政
尚簡易務持大體釐積弊申誣枉而勵以清操會入
計筍無餘貲士庶醵金以贈一切謝遣至濟寧且起
整襟端坐而逝蘄民立祠祀之
韓邦憲字子成高淳人少以奇童稱年十八中嘉靖巳
未進士授屯田主事佐理大工絕中貴人侵冒及管
承陵有功晉虞衡員外郎丁艱歸居三喪致哀盡禮
時邑令丈田邦憲爲之區畫事宜遂成丈量良法淳
邑官田磽瘠糧重乃以巳戸民田均之以分其糧豪

右不能違先是邑田沒於湖而賦役外復加里甲物
料虛懸米八千石大為民困邦憲倡減稅議兩臺題
請得永除米八百六十石由是應天尹改里甲入均
費八縣同之皆頌其德遷衢州知府問民疾苦首陳
明大義明職守實節省復成法議賦役講實政廣儲
蓄修武備八事而尤以教化風俗人才為先稽孔氏
廟田捐俸養士定賦役之書革織造之姦還寄運之
艘增防鑛之兵加開化之鹽引至今為衢永利病
值大旱猶強起書檄發粟賑濟及將卒惟惓惓百
是念甚不及私云著有韓衢州集

陳九思字福之高淳人慷慨秉正不競榮利淳邑官田糧重黠者僞作民田田去糧存逋積逃竄弊極莫除嘉靖戊戌思當歲薦挺身言之不避豪右巡撫歐陽移檄勘量盡除虛米貧富以均初令新鄉改令靈川均有惠政乞歸析產悉讓伯季鄉里敬之

張應望字汝尚一字凝盖高淳人其先出汴州祖宗道始遷居焉應望萬曆壬辰進士授烏程令素有鋤强扶弱之志邑范董兩氏僕横甚爲民害守土之吏莫敢致詰應望悉其狀捕執渠惡廷理其不法事百餘狀申請兩臺司成范應期懼奏聞投繯死妻吳氏伏

闕誣奏緹騎逮望坐以戍世咸稱冤望毫無嗔恨以得行其志爲樂久之遇覃恩赦歸閉戶著書怡然自得熹宗朝追贈尚寶少卿

韓一光字季孚高淳人登崇禎戊辰進士授行人奉詔册封以沿途交際一切謝却癸酉考選河南道御史聲震京師豪貴戒不敢犯御書其名於屏大圈者三乙亥代巡四川力禁投獻與宗藩忤嚴革舖役邛州一案保全諸生數十人以先巡視東城時以執法忤主師意遂爲所斷外轉浙僉事歷陞山東副使告歸淳邑錢糧以民解受累一光言之於官令官徵官解

民困永甦淳自破圩折田以來賠墊虛糧苦無可告議行改折光具書大司農党公極陳利病遂獲永折其力甚鉅年七十有六終

柳江字朝宗由歲貢授滿城令有惠政以艱歸後補石城奏績調寧津有罹死辟者江知其冤白之當道得釋其人報以數百金不受繪像祀之居家清約不異寒素人問曰作令三邑田不滿百何也江曰多田多人多人多費不如少也至今稱之

唐張籍字文昌烏江人第進士爲太常寺太祝次遷祕書郎韓愈稱其文多古風學有師法沈默靜退光映

儒林遂遷國子博士歷水部員外郎主客郎中一時名士咸與之遊性狷正不阿私人嘗責韓愈喜博塞爲駁雜之說論譏好勝人排佛老不能著書若孟軻揚雄愈亦屢書荅之仕終國子司業籍爲詩長於樂府史稱其能自名於時云有集七卷

宋張邵字才彥烏江人籍之六代孫也登宣和三年上舍第爲衢州司刑曹事會求直言邵上䟽請進都金陵以圖恢復金人南侵詔求可至軍前者邵慨然請行假禮部尚書充通問使即日就道至濰州接伴使置酒張樂邵曰二帝北遷邵爲臣子所不忍聽請止

[illegible]日見左監軍撻覽不拜且以書抵之曰兵不在彊弱在曲直僞楚僭立羣盜蠭起曾幾何時電掃無餘是天意人心未厭宋德也今大國復裂地以封劉豫窮兵不已曲有在矣撻覽怒執邵囚於祚山砦明年又送邵於劉豫使用之邵見劉豫長揖呼爲殿院責以君臣大義詞氣俱厲豫怒械置於獄知其不屈復送於金拘之燕山僧寺作書與金言劉豫挾大國之勢日夜南侵不勝則首鼠兩端勝則如養鷹飽則颺去終非大國之利金取其書去益北徙之紹興十三年和議成放之南歸陞秘閣修撰左司諫詹大方

論其奉使無成䟦台州崇道觀移書時相勸其迎請
欽宗與諸王后妃十九年以敷文閣待制知池州再
奉祠卒邵遇事慷慨常以功名自許出使四徙屢瀕
於死其在會寧金人多從之學有文集十卷子孝覽
孝曾孝忠孝曾後亦以出使殁於金金人知爲邵子
尚憐之孝忠登隆興元年第官至直寶謨閣知金州
事兼制司叅議
張孝伯邵從子登隆興元年第任江寧知縣訪求民瘼
奏停年糴額外徵辦大水民饑詔賑䘏建康之被水
者孝伯爲經理乞得其所累遷叅知政事未幾罷

韓侂胄當國孝伯勸弛偽學禁復故相趙汝愚官一
時賢人貶斥者得漸還故職
張孝祥字安國直祕閣祁之子以孝廉稱讀書一過目
不忘下筆頃刻數千言紹興二十四年廷試第一時
策問師友淵源秦塤與曹冠皆力攻程氏專門之學
孝祥獨不攻考官已定塤冠多士高宗讀塤策皆檜
語論宰相曰張孝祥詞翰俱美於是擢孝祥第一而
塤第三授承事郎簽書鎭東判官秦檜聞之怒旣知
孝祥乃祁之子祁與胡寅厚檜素憾寅孝祥又拒曹
泳請婚泳憾之於是諷言者誣祁有反謀繫詔獄會

檜死以孝祥爲祕書省正字初對首言乞總攬權綱以盡更化之美又言官吏忤故相意並緣文致鍛鍊成罪乞令有司改正又言王安石作日錄一時政事美則歸已乞詳正無私說以垂無窮從之遷校書郎芝生太廟孝祥獻芝原以大本未立爲言且言芝在仁宗英宗之室天意可見乞早定大計遷尚書禮部員外郎尋爲起居舍人除知撫州年未三十蒞事精確老於州縣者所不及孝宗即位復集英殿修撰知平江府事繁劇孝祥剖决庭無滯訟屬邑大姓並海囊槖爲姦利孝祥捕治籍其家得穀粟數萬明年吳

中大機賴以濟張浚自蜀還朝薦孝祥召對乃陳靖康以來惟和戰兩言遺無窮禍要先立自治之策以應之復言用才之路太狹乞博采度外之士以備緩急之用帝嘉之除中書舍人尋除直學士院兼領建康留守金再犯邊孝祥陳金之勢不過欲要盟宣諭使劾孝祥落職復集賢殿修撰知靜江府廣南西路經略安撫使治有聲績再知潭州爲政簡易時濟以威湖南遂以無事復待制徙知荊南湖北路安撫使築守金隄自是荊州無水患置萬盈倉以儲諸漕之運請祠以疾卒年三十八孝宗惜之有用才不盡之

歎孝祥俊逸能文章工翰墨嘗親書奏劄高宗見之曰必將名世且薦賢才俊茂政揚聲史臣尤嘆息焉有集四十卷

明張瑄字廷璽一字古愚晚號安拙翁世爲江浦縣人正統間爲縣學生中辛酉鄉試明年登進士授刑部主事歷陞江西吉安知府吉俗尚鬼刻木像神迎祝之禁之弗聽遇諸途叱令棄像水中眞首倡者于法郡大饑申上司不俟報發廪賑之全活甚衆郡諸生有匱乏者輙分俸給之又建閣于學以藏御書建祠於郡以祀忠節天順中陞廣東右布政會廣西流[illegible]

越境攻破屬邑晝夜躬督官軍擒殺之不憚艱險同
列歎其忠勤又躬督各屬造預備六十二處修理陂
塘圩岸四千六百六十六處修築廣州新會等府縣
城垣一十二處成化中轉左布政使巡撫鎮守等官
交章薦瑄德行才識剛方仁惠乞留任以慰民情詔
可無何陞都察院右副都御史巡撫福建時郡邑久
無糧儲瑄命建倉廩勸民出粟以備凶荒海寇如林
壽六魏懷三等山賊如葉旺春等瑄皆區畫擒斬境
內以安朝廷賜勅稱其處置得宜改巡撫河南風紀
益振改運倉于漳德水次軍民稱便入覲奏論時宜

若安插流民責成守令修舉武備甄拔滯才等一十八事悉皆施行歲大饑發廪賑濟設粥以給饑者出衣布以給寒者活民不啻萬數晉南刑部左侍郎尋陞本部尚書年七十有一謝事家居天性儉約居官幾五十年自奉如寒士吉安開廣皆立石以紀功德所著有香泉稿粉署餘閒稿疑清集閩汴記巡録南征録安杣類稿若干卷弘治甲寅秋卒於金陵之里第

莊杲字孔暘江浦人舉進士授翰林檢討與羅倫陳獻章友善成化二年元宵放燈命史館賦詩杲與同官

章懋黃仲昭上培養君德疏謫桂陽州判官給事中毛弘御史陳壯論救改南京行人司副久之以艱去不起居定山垂三十年以後軍都督府周廣榮薦召用巡撫何鑑入定山勸起之謁部長揖尚書耿裕優禮之大學士徐溥謂當復昶翰林丘濬沮之仍司副遷南驗封郎中得風疾明年乞告歸所著有定山集昶性豪邁多奇蚤著直聲以道自任持身慕伊川矩度接人慕明道和氣晚乃應召而出非其初志云

丁毅字德剛江浦人少喜讀書尤精醫業嘗獲遺金咨其人還之任邑訓科率夫役採蘆時有虎患毅爲文

祝神以身率先虎遂引去後取署本府正科屢委勘
事不受私謁操履廉慎為人所推
嚴紘字仲周江浦人受業定山莊先生門父早逝歲時
悲悼不忘事母備極孝養登弘治壬戌進士授歸安
知縣仁明廉介擢陝西道御史疏劾逆瑾幾被中傷
守南昌極辨宸濠非制喬莊簡公力為推引兵備九
江與王文成公討逆有功歷江西左布政歸休三十
年縣民困於欽騎馬坍江稅衞人困於月銀白當事
者悉祛其弊他無所干謁壽九十有四集有石龕一
體詩

丁明登字蓮侶萬曆丙辰進士仕至衢州知府有政聲築園烏龍潭旁極其幽勝好善樂施著述甚多大約勸懲引掖有裨世教人爭傳誦明登子雄飛字菡生博學好義做雲棲功過格聯社力行每朔望率諸友焚香告神以交儆焉積書數萬卷每出必擔簏囊載圖史以歸所著不啻百種

晉王鑒字茂高棠邑人少以文筆著稱初爲晉元帝瑯琊國侍郎時杜弢作逆鑒上疏勸帝親征詞旨剴切帝深納之卽命中外戒嚴會弢平乃止中興建拜都尉奉朝請出補永興令大將軍王敦請爲記室參軍

未就而卒時年四十一有文集行於世

唐陳融六合人幼有至性奉親以孝友聞與人言若不出諸口尤以禮法自檢其進止皆有常處鄉人無賢不肖皆敬之不樂仕進閉門誦讀博洽爲當世最卒諡貞晦先生東平呂溫作誄表之

張約之棠邑人性耿介不阿授吉陽令時朝議將廢廬陵王爲庶人約之上疏極諫不納遂見殺論者以爲有田延年之風

宋仇著棠邑人仕至朝散大夫知梓州子博年十三作至樂堂記蘇軾見其文奇之

李可六合人咸淳間爲監察御史與御史陳過論賈似
道黨俱貶斥朝論快之
明楊洪字宗道六合人祖政漢中百戶洪嗣官調開平
機變敏捷善用計出奇兵搗虛或夜劫營累功陞都
指揮正統元年内臣韓政阮鸞疏洪短上詰二内官
曰此必小人左右汝即械至京姑貸汝二人時洪頗
爲衆忌上又每舉洪功勵諸將洪益自奮守邊屯營
專用鐵蒺藜尋以都督守獨石所在有功充總兵鎮
宣府敵人畏之呼楊王土木之變車駕道宣府北狩
去洪閉城門逮繫詔獄是年十月出洪獄中自効洪

與孫鏜范廣等率兵戰輒大捷進侯洪爲將紀律嚴明將士用命敬慎自將不敢專殺宣德正統景泰間稱名將也先之難奮不顧身一時諸將功爲最景泰二年還鎮宣府卒贈穎國公謚武襄子傑嗣侯言臣家一侯三都督諸蒼頭得官旗者十六人乞停蒼頭職役許之未幾卒

陳逵六合人世襲忠義衛指揮同知景泰初被薦陞都指揮僉事鎮守通州等處督捕盜賊累進都督同守備倒馬關通州軍人保留之成化中卒逵爲人鷙有謀正統初有詔五品堂上官舉將才學士李

從薦之得出入其門下聞所未聞故蒞軍行事多有可取天順初于謙被誣遭極刑是時羣凶氣焰可畏達獨收謙尸爲之斂葬君子多其義云

楊能字文敬洪從子世開平指揮使己巳之變拔爲將驍雄善戰有功陞都督同知景泰初總兵鎮宣府與李秉共事天順元年陞都督仍充總兵鎮宣府援大同有功遂封武強伯食祿千石四年卒無子父休乞以能弟倫嗣伯得世指揮使

楊信字文實幼武勇以功由指揮僉事歷陞督府僉事充參將再守懷來協守宣府移鎮延綏屢立戰功封

彰武伯總諸鎮兵嚴烽火謹斥堠相機設伏多建奇
績卒贈侯謚武毅
黃肅字敬夫六合人成化戊戌進士授河南新鄭知縣
賑濟飢民多所全活陞工部都水主事管理泉閘
與修河工進刑部員外郎擢廣西按察僉事部內土
官趙源妻岑氏以賄謀立假子肅倡義竟立其姪土
官黃紹反肅率兵討之其子被誅紹尋以憂死思恩
知府岑濬謀作亂豫築丹良城以截行舟肅曰是賊
咽喉也即被甲先登士皆蟻附賊遂焚營壘全師以
歸東蘭蠻叛肅從間道破其巢蠻潰撫按交章薦之

尋進湖廣兵備副使猶上言廣右事宜七欵朝廷悉
見允行正德初以軍功陞三品致仕嘉靖壬午甲申
奉恩詔進階二品有司存問其門壽八十六卒
黄宏字德裕六合人弘治壬戌進士任萬安知縣擢戸
部主事以便養改南京刑部進祠祭郎中轉江西參
議九江盗起凌閱之黨甚熾聞宏往走西山實據寧
濠上世之墓莫敢兵也宏襲之夜遁擒其孥明年濠
舉兵率羣盗以叛先陳壽宴兩院三司畢至明日期
往謝首殺都御史孫燧按察副使許逵一時迫脅者
多得釋宏不服以手械向柱碎項死之暴其屍數日

逆黨劉養正請具棺後濠誅贈宏太常少卿祀于旌
忠祠
王弘字叔毅廣洋衛人弘治癸丑進士夙負天才弱冠
舉禮記第一定山莊先生杲愛而妻之留神理學以
名節自砥礪授行人擢南道御史論列逆瑾罪狀忤
旨被逮杖發爲民瑾仍矯榜姦黨于朝堂弘與焉瑾
誅起廣東僉事進副使嘗攝學政拔霍宗伯韜倫司
成以訓于生儒中在廣數朞糾貪吏祀先儒風采凛
凛值江右海南傜寇蜂起隨相機擊走之以論時忤
之子重獄爲所中而歸嘉靖初有援弘出議大禮者

弘不附名士尤高之所著有巴山集

汪元哲字曾生萬曆庚戌進士工詩文能書畫官戸部

郎出守衢州性廉惠有淡靜稱于國淵亦工詩畫盧

墓終墓側

孫拱辰字子極六合人舉萬曆巳卯經魁閉戸讀書授

生徒從學甚衆授撫州推官丈量屬縣樂安田矢公

矢慎不阿權要諸所隱占犂然一淸大司寇董公裕

爲之記移守臨淸時税璫煽惡㦛方士言殘嬰兒爲

藥餌辰指名揭治其罪值歲大祲殫精賑濟又借築

城修學之役興工給食而活饑民甚衆薦山東循良

第一爲璫黨所中罷官

吳嘉禎字源長先世吳人父宗周賈于浦子口因家焉禎性篤孝母病劇刲股和藥而母愈登崇禎丁丑進士授戸部郎筦通州倉摉剔隱弊條請淸除倉中陳米腐朽積久無用禎令民役之有罪者量其輕重罰令籔揚得糧近七萬奉旨紀錄念徵輸困民因覆省臣疏議捐崇禎十三年以上舊逋凡一千一百三十萬有奇開復降革守令千餘人大農疏上皆得請陞閩泉州衆議有豪貴子謀占人産繫之獄禎重懲其僕而釋繫者勢宦立私稅于洛陽橋禎白兩臺革之

追贓立碑商賈誦德時境內多盜禎撫勦並用殲渠散黨歸農者三千七百有奇會遷粤西以病請歸囊槖蕭然往來洞庭匡廬之間漁樵爲侶詩酒自娛不問戶外事病痿二載手不釋青蓮華命子曰石火電光萬事無久常者謹遵祖訓勿妄勿欺勞謙貞吉一語終身誦之可也踰日瞑目端坐而逝年纔五十有七

談王道字對揚六合人崇禎己卯以歲薦爲新鄭訓導時歲大祲道爲粥糜借其長子躬哺之存活甚衆辛巳冬環河之城俱爲賊陷新鄭孤壘無援知縣劉之

暉得瘵病道協民城守不避矢石環攻不下賊以五牛拽紅彝大砲攻之城應聲碎道猶踞守城東連被數矢墜城寇獲道索印道詈曰此朝廷家物賊欲何爲賊怒殺之

馬純仁字樸公邑庠生崇禎甲申聞國變題詩于衣帶投河卒

孫國敉字伯觀原名國光拱辰子幼穎異善屬文爲大中丞周公乾敎所重嘗遊吳門至京口遇老友錢奕甫爲盜所劫傾橐贈之卜滁治二水間置五一菴以貢特授中書舍人國敉書淫傳癖鑒賞最精四方

椴法書賈京師者必先投國校訂之居金陵小舘近廟市時董公思白為大宗伯每過市必至校寓中繙閱竟日一時勳戚之賢者如恭順吳公惟英新樂劉公文炳都尉冉公興讓鞏公鴻圖皆禮賢下士篤嗜詞翰咸以牛耳推國校月供膏火貲著燕都遊覽志四十卷雜樹舘詩文集讀書通藏書通若干卷乞假歸老年六十有八子宗岱亦能詩文投筆為偏將軍晚年隱居賣藥有古人風

論曰嘗稽秦漢而上大約卿材萃于齊晉學士盛于鄒魯智勇歸乎燕趙而金陵僻在南服無所著聞豈

非昌明之運尚有待哉孫吳建國而多士景從典午渡江而羣賢畢集一時文章事業熊熊旦旦媲美中土矣唐宋以來代有哲人大約生此土者鍾以蔣茅靈秀之氣故其人多廉靖而好義盪以江淮浩瀚之觀故其人多才智而立功沐以王謝支許之風流餘韻故其人多博雅而弘通縉紳之士家無餘貲韋布之儒身無擇行此真禮義之鄉而君子之強所願託處者也雖消息靡常故家世族多化單門而其皎皎自好卓犖不羣之概猶有先民典刑焉詩云高山仰止景行行止服前疇而戒鹵莽繼往哲而佩荃蘅[illegible]

在人乎其在人乎

江寧府志卷之二十三終

江寧府志卷之二十四

人物傳五　孝義

天生蒸民有物有則孝首百行義崇五德其維哲人躬行有得金石可渝流芳靡忒作孝義傳

南北朝

隋　子鏘字海育秣陵人兄尚宋末爲倖臣所怨被繫子鏘公私緣訴流血稽顙兄乃得釋母終居喪盡禮與范雲鄰雲每聞其哭聲必動容改色欲爲申薦初子鏘母嗜蓴母殁後常以供奠後忽營蓴不得子鏘悲恨慟哭而絕久之乃甦遂長斷蓴味

徐雄丹陽人文伯子位奉朝請能清言多爲貴游所善事母孝母終毁瘠幾至自滅俄而兄亡扶杖臨喪一慟而絶

庾沙彌其先潁上人居金陵嫡母劉氏寢疾沙彌晨昏侍側母亡晝夜號慟鄰人不忍聞既葬旅松百餘株自生墳側梁武時以純孝舉召見嘉之補歙令復丁生母憂喪還濟江中流遇風舫將覆沙彌抱柩號哭俄而風静蓋孝感所致

劉訏字彦文其先平原人居金陵幼稱純孝數歲父母繼卒訏居喪哭泣孺慕幾至滅性赴吊者莫不傷焉

與族兄歆聽講于鍾山諸寺因共卜築宋熙寺東澗
江紑字含潔先考城人居金陵父患目紑侍疾朞月衣
不解帶夜夢一僧告以飲慧眼水乃可差及覺說之
莫能解者乃詣草堂寺訪智者法師啓捨牛屯里舍
爲寺以慧眼爲名及就創造泄故井井水清冽異常
取以洗眼因此遂差時人謂之孝感梁南康王召爲
主簿不樂仕進父卒廬墓終日號慟月餘卒
謝貞字元正晉太保安九世孫幼聰敏有至性母王氏
授以孝經論語讀便成誦年十三通五經大旨善左
氏傳祖母阮氏病風眩每發輒不能食貞亦不食往

往如是丁父艱號頓于地而復甦初父藺居母喪不食泣血而卒家人懼貞復然請長爪禪師爲說法師謂貞曰孝子既無兄弟極須自愛若憂毀滅性誰養母耶自是少進粥糜母喪哀毀羸瘠時徐祚沈客卿俱來候貞見其骨立纔加寬諭貞更感慟氣絕良久二人相顧嘆曰信哉孝門有孝子士大夫無不仰止貞竟以毀卒

張松建康人兄悌坐罪當死松及弟景各欲代死縣以讞上梁武以爲孝義特降其死

宋

包級父鐶爲人所殺級年十七與弟綉相抱痛哭扶仇
雙目瀝血祭父仇家訟于官壯其孝義爲直焉
秦意者其先自南泉徙居秣陵爲人長者歲收租萬斛
鄉民輸粟毋令自行概量間捐之鄉人德焉當熙寧
元豐間頻歲饑饉作糜粥以飼往來之人計升斗以
給之絶之家全活甚衆有司聞而薦之不起
李華字君儀溧陽人父歿居喪毀瘠盡哀母老得瘵疾
華憂懼置家事不問專奉養衣不解帶者十餘年尤
篤友愛内外無間言有田十餘頃歲水旱誓不一言
減縣官租穀翔踊亟發廩平價食其一方虚甑待炊

者日以千計大觀間蝗數害稼獨至其田輙不食人以爲異年八十六卒子朝正紹興中知溧水有異政葉夢得薦于朝召對賜五品服乞易所得章服封母從之

錢戩溧陽人居父憂有少年來曰而父在京逋我金戩欲償之弟有難色令舉其驗戩曰大人與人交信彼必不我欺且父貸宿鏹拒無左驗詞雖直非孝子待親之道卒與之雖家瘠不悔元夕家人出觀燈鄰人潛入爲盜戩覺之呼前諭曰爾良家何乃至是取金與之使去竟不語子時敏字端修登政和第擢大理

寺丞累官敷文閣待制

穆俊字質英溧陽人性至孝父卒居喪盡哀廬墓三年理宗時登第勅令掌翰林院

呂宣問開封人文穆公蒙正四世孫徙居溧陽父倅洋州娶韓氏生宣問甫六歲辭去莫知所之父卒事嫡母李氏甚孝將訪所生以池陽當蜀人往來孔道乃求調錄事參軍凡蜀客經從多方物色知在仙井被檄如荆門過當陽玉泉寺求夢于武安王而應果得其母于仙井相失四十餘年一旦復見相持悲泣吏卒爲之出涕時韓已七十嫡母八十三矣

嚴晃字昇之溧水人精于周禮中武進士以孝聞元兵渡江負母避難猝與兵遇兵欲刃其母晃以身蔽之中頭幾死年七十八卒

元

樊淵字浩翁句容人事母孝至元中奉母避兵茅山兵至欲殺其母淵抱母號哭以身代死兵兩釋之母亡哀之如生薦辟不忍去墳墓終不起

王榮句容人五世同居長幼和睦庭無間言歲饑輒出粟以賑鄉里賴以存活者百餘戶捨棺殯殮八十人年八十三卒延祐間詔旌其門

王進德字仁甫其先自汴來家金陵勤苦生殖家道日興進德事兄如父好施濟無所恡其最著者郡庠燬進德搆講堂極宏敞幷陳設器具所費七萬餘緡買宅一區割田九百畝創建江東書院朝錫以額設官掌其教置義莊以贍親族修城隍以扞井里遇父母忌日修時祀致終身之哀謙和惇厚未嘗以貲富齒長而傲貧賤炎天獨處必正衣冠見者肅然年八十四卒從子子膺字寅叔事母盡孝人無間言富厚不逮進德而樂施好義惟力是視人以爲難

明

周琬江寧人父爲滁州知州以侵官帑論死琬年十六叩闕請代父刑上疑爲人所教命斬之琬顔色自若乃宥其父死戍邊琬復請曰戍與斬均死耳父死臣安用生爲願早就戮上怒命縛至市琬色甚喜上察其誠赦之親署屏曰孝子周琬尋授兵科給事中

李疑世居通濟門外家貧好周人急授童子經得粟自給不足則以六物推人休咎金華范景濂爲部吏隻身得疾無肯僦舍者杖而詣疑告曰不幸被疾入莫我容聞君義甚高願假榻疑延入汎室居之躬爲煑藥煮糜旦夕問所苦旣而溲矢牀席穢不可近疑日

爲浣滌不怠澮涕曰累君矣恐不復生無以報德囊有黃白金四十餘兩在敝旅邸願自取之疑辭不受澮曰君不取亦爲他人得耳何益疑遂同其里人偕往携歸記其數而封識之澮死疑出己財殯于聚寶山舉所封囊寄其里人家招其二子至按籍而還仍賵之以歸平陽耿子廉械逮京師其妻孕將育衆拒不納臥草中以號疑歸謂婦曰人孰無緩急倘爲風露所襲則母子俱殞吾寧舍之而受禍俾婦邀歸產一男踰月辭去不取其報金華宋學士爲之傳

孝義王指揮失其名世襲虎賁衛妻死不娶獨與母居

孝養備至人皆稱爲孝義王益重之也同官黃某適
謫久不通問妻貧不能存成國朱公儀素愛指揮閔
其喪偶欲以黃婦妻之召指揮語之故指揮不敢拒
唯唯而已成國遂擇日歸之指揮離處一室夜則各
寢居數月成國聞之召訊其故指揮曰曩以主命不
敢逆但與婦同寢其夫歸何以處之况彼失節是某
失節也成國曰若爾則如之何指揮曰如兩全不若
遣送謫所某家有老奴夫婦二人令伴送至彼可無
虞矣成國嘆賞久之亦賜金遣二人送至謫所夫婦
重聚四方聞其事者皆稱之

孫昱字彥昭江寧人穎悟讀書數行俱下通五經以舉宣德七年鄉試遷國子學助教昱天性孝友父病革醫告技殫昱旦夕籲天求以身代刲臂肉和糜以進父疾瘳鄉人將以聞部使者昱曰此一時遑迫計無復之耳奈何從邑長令干名乎居官有矩範爲大學士劉定之祭酒吳節所推許子完另有傳

董宣字繼善以貢授青田訓導修明職業迎母官所晨起課諸生畢即候于寢門承顔盡歡母病號泣嘗藥母卒摧隕復甦者數次郡守以下憫之資其歸葬著有青田雜錄

徐遠字文穆上元人平生以古人爲法有友人寄一竹篋內藏白金奇玩其夜遠家失火友人已甘灰燼往探之遠于巳物無所取獨抱此篋移置善地性耽書史所著有居學齋集

王昌江寧人爲人端慤誠孝事親色愛靡間母殷患頭風仆地傷且死昌籲天求以身代叩頭流血血涔涔濕衣裾閒母疾尋愈昌之子項善繼克孝母得奇疾焚香禱神刲股進母疾頓解人以世德稱之

金玉留守右衞人弱冠爲父報仇郎中尹灝稱其孝

蕭春字秉常其先江夏人寓居金陵性至孝父病癖

不解帶者逾月每夕沐浴仰叩北辰及病劇臭穢狼籍春泣曰吾父不復生矣兩手據床一吸殆盡悲苦遂絶良久乃甦父卒哀毁幾不欲生廬墓期年

李曉字子晦江寧人以貲游成均授嵊縣丞當督輸却例金不取進瀋陽衛經歷曉事親孝母病侍湯藥不解生平赴義好拯人于急師蔣某旅卒家貧曉經紀逆其喪歸葬之遊太學同舍姚生遺其袖中金爲曉所得候其人歸焉里中稱爲鶴山先生著有賓柳亭稿

徐震字廷威其先吳郡人家金陵性篤孝友十三而入

郡庠七舉不第遂謝去博士業講究身心之旨以節行自高錦衣指揮呂貴常以金十二斤寄托震遺少子貴死召其子還之其子啓封顧疑震震召故人并其子出貴手書示之其子乃愧謝而去博士沈立者善數學推其子後當貧以五十金託震震後訪其子果貧亦召而與之其不侵然諾如此成化間被薦至京例當得官不就隱居來鳳山

姚讓字文敏上元人家世富饒讓勤儉樂施凡貧不能殯斂及流離無依者叩門告之無不立應未嘗有難色橋梁道路廢圯者即爲修葺街巷無井者輒計

聞沒景泰間南雍志成出工價梓之至于自奉倚如寒士子弟服用及家人婚喪皆有常經未嘗妄費晚益礪儒術人傳頌之

麗景華字宇春上元人幼有至性父歿時方九齡即哀毀如成人母孀居鬻簪珥市書遣就里塾景華承母志力學不怠比長娶婦徐氏能順姑志勤織紝家因以饒孝養備至母病阽危景華刲股爲糜以進疾乃瘳常至江滸捐金拯溺活十六人鄰火爇近所居籲天而禱風反火息有司奏旌其門曰孝行復其家母九十三乃卒廬墓側朝夕哭有盜十餘人事椎埋鬪

哭聲曰此此孝子也相戒無犯卒時取紙筆述身後事遺諸子倪文僖誌其墓

姚琨字廷器江寧人篤志孝友父嘗客遊于浙得疾劇琨兼程往侍湯藥未浹旬病愈人謂孝誠所感弟玘爲教官致仕而貧琨資給之終身妹歿以二甥爲託撫教迄于成立親舊有婚喪不能舉者借貸無吝色

吳珵字元玉上元人天性至孝親病躬侍湯藥及卒哀毀踰禮墓側產芝叠成化己丑進士歷陞工部郎中有吏犯罪當革役欲鬻子贖罪珵憫而復之其德及人類如此

李景星字應德上元人爲諸生篤志經訓修孝弟之行二親喪三日不能飲食葬祭悉用朱氏禮友于二兄生極孔懷之愛歿能字其孤與人交能急人之難不計小怨閭里稱其篤行貢入太學卒

何岳字畏齋留守衛籍嘗夜行拾遺金二百鍰不與家人言凌晨携至故處有尋至者問其數目封識皆合遂以還之其人欲分數金爲謝岳曰拾金而不敢隱豈利數金者乎其人感謝而去又嘗授經宦室值主人以事入都寄一箱于岳中有數百金曰俟遣人來取去數年絕不通聞適其姪以他事至因託之寄還

岳郎觀察何汝健之曾祖

丁穗其先江都人祖瑄天順初爲錦衣帥殁而賜葬江寧石子岡穗襲府軍後衛指揮使性至孝年五十猶無嗣息人有勸其禱祀者穗曰人受命于天而得生于祖與其乞靈土木曷若乞靈于吾親乎歲時膢臘必走賜塋下具牲牷申誠悃雖風雨寒暑未嘗愆期一日冒雪而往拜謁竟瞻視隴上故有槭樹方隆冬見頂果一如拳異而攜歸與室人啖之遂有娠生子弘潮得世襲迄今子姓蕃衍

高仲光豹韜衛世職大司馬 遣賫疏入都行至山東没

旅邸得遺金一囊約三百餘金因解鞍秣馬以俟至
次日客始尋至且泣且訴仲光取付之各問姓名[illegible]
剔先是仲光踰四十無子嗣後生四子長名居仁中
萬曆辛丑武進士
陳名謨弟名世上元人父病危篤藥餌無效各籲天願
以身代乃相繼刲股以進而父愈先是其母朱氏曾
刲股愈其父姊適劉又刲股愈母一門之內母姊兄
弟孝行相承人以爲難
鄭典前京兆鄭公埜之裔也家金陵爲府學諸生齒且
宿矣訓童子于大中橋尹氏夜臥館中羣盜猝至斧

主人門不得開捽典令呼以入典不可盜以刃迫之典大言曰吾受主人請謝若子乃爲若輩啓門以劫之此豈復有人理耶口不可開也盜不得志掠生衣被而縛之逮明主人出乃解其縛人爭重之

楊朝宗字見卿性狷介非義不取嘗館于大姓徐氏有同門生易某相友善貧無以自存將投故知于汴朝宗曰道路遠人心叵測適有館穀之便可少留乎易喜過望時徐姻有杜兵部者將令其子從朝宗學朝宗遂以讓易而易更欲得朝宗之館陰謀奪之門者咸不直易奮臂來告朝宗笑曰故人情厚寧有是

明日遂託故辭徐而舉易自代人以是咸多朝宗而惡易會正德間修郡志將列其事朝宗亟止之曰揚友之過以成已名君子弗取也況彼爲貧累耳亦何過哉人以是愈多朝宗爲不可及

趙善繼上元庠生倜儻負氣重義直言嘉靖末年坊甲苦役傾家殞命者相繼有司寘若罔聞善繼日夜謀與弟爵璧救父兄門庭之難奔走陳訴已而疾苦漸達于諸要路會郭給事具奏得請下所司悉爲蠲除民獲更甦事詳祠祀志中卒之日異姓來哭者數百人從祀惠澤祠

卜璠字樸菴江寧人生而慈仁濟人之急行年五十即不問家務日以施藥掩骼放生修路爲事嘗卜地牛首山側中途見負戴者苦暍即以其資穿井井在鐵心橋至今行旅便之邢太史一鳳爲文紀其事偶過一橋聞下有哭聲甚哀問之則夫婦逼于債携幼子欲自盡也急捐金救之次年冬返吳江夜深舟覆攀船底飄數十里得登岸至一人家叩門求濟門啓則昔之橋下人也夫婦拜呼爲具食燎衣易舟以行居恒教子孫以忠孝寬仁每取古人嘉言善行書于册以誨之子鐙孫履吉皆擬巍科益諄諄以驕矜爲戒

報君利物爲勉壽八十有七自知逝期沐浴端坐呼家人拜别令念佛助行而逝身不少欹三日就殮面光如鏡

姚淛字元白上元人弱冠入太學力學嗜古遊情翰墨居秦淮上闢市隱園與名勝賞咏其中天性至孝母病痺醫不能療乃刲股作羹以進自是病漸愈更壽而康嘗拾遺金一囊候其主不至盡出以周貧乏謁選授鴻臚告歸南謝去不交當世尋幽賦詩瀟灑自得子之喬字元亂文雅稱世美云

史世揆字度子江寧人父殉將南七齡哀毀如成人長

樂施予同里周姓貸其父千金貧不能償析產時世揆焚其券嘗納妾入門悲痛不已詰其故曰父負寃繫獄鬻妾贖罪思母無所倚耳揆惻然遣還不問其貲更贈五十金府坊廂苦役每至破家海忠介公巳行釐革而尚有未盡揆倡議條陳大京兆汪公爲請于朝民困以甦又念衛家領船之累密訪其獘達于駕部力陳因革而船政以淸仕至上林苑監年六十七偶示疾自擇化期如言而逝

趙時振字少東江寧人事父母曲盡子道舉戊子鄉試授嘉祥敎諭父早卒母八十無疾而終時振哀

甚嘔血數升扶柩葬於康家山廬墓三年夜深哭奠徹曉不休竟以成疾死朱太史之蕃姚鴻臚淛各爲詩文哭之後人立碣山中曰趙少東先生廬墓處

武昌號橙墩溧水人家金陵富而好學能仗義有族人負一王孫千金王孫禁之別室而邀昌飲佯令僕洩其語昌投袂起曰族人被禁索逋而昌高坐歡飲豈有人理乎即代償亦易易耳何見辱之深也乃縱其族人去歸謀諸婦盡假其簪珥之屬以與王孫曰此可值八百金餘續完納聞者義之昌有妾蘇氏善持家嘗宴客失金杯一隻諸僕驚索蘇氏曰無容覓已

收入矣客去謂昺曰杯實以去然公平日好客任俠
豈可以一杯之故而令座客不歡乎昺善其言

魏之璜字考叔上元人少孤貧傭書遂通曉詩文以書
畫知名天性孝友養老親撫諸弟皆取給于十指不
肯干人杜門匿影日事盤礴公卿過訪不一報謝慕
其高曠者設醴折節以冀其一至淸言獻酧坐無考
叔不樂也以老壽終

徐鯨字樂野本上海人好施予嘗獨修方正學祠墓及
安德門至新亭岡大道捐貲募工便于行旅孫行字
昭卿事親孝與友信終身不二色善著述兼通奇[illegible]

六壬之術晚年婚嫁畢家漸落徜徉里社安之若

云

翟翬字去文京衛人幼負雋才庠序目爲白眉父時與仕至參戎翬賦性冷峭不妄言笑羣居燕集衆喙爭鳴翬獨默然時然後語痛闖禍棄妻子與同志王生繼日入深山坎壈以死王生授室未久委妻子行人尤矜其志云

王馮字杲青四川學憲芝之瑞公子至性過人家素有大節芝之瑞死王事槀葬端州西郊之梅菴馮家赤貧徒跣奔迎經營踰年間關萬里奉柩以歸時六合潘公

士奇與芝之瑞同官同志同患難同葬梅菴馮載與俱
歸方起櫬時見菴側更有兩棺暴橫隅詢之菴僧曰
此故廣東直指顧公之僕及其父棺也之僕與芝之瑞
爲患難交瑞歿時之僕爲經紀其喪馮嘗從旅璧讀
之僕文心儀之至是悲感不勝乃葬之僕父于巳父
壙葬之僕于潘公壙各碣其墓而表誌之

鄧艮材字千霄年十八始授經即能通大義讀書過目
不忘尤潛心于象山陽明之學目無忤視動必以禮
嚴于辭受非義之交介然弗屑也爲諸生留心世[illegible]
以節義自許甲申之變號慟累日棄舉子業絕意

敢爲巾野服頹然自放于山水之間子士傑[illegible]子[illegible]士同時周掌文字澤宮家貧有志操耿介不[illegible]人爲師友之誼書法精楷工小篆授徒家巷晚歲居居冶城黃冠野服手鐫小章佩以明志年七十餘卒

王承芳字元美先世歙人幼事制舉業遊學白門從外父賈遂家焉以歲時洗腆屬兩弟繪同心圖各持其一志旣翕云性孝友任俠官有採辦不肯賄卹以身任之族有死喪時其多寡而周卹之故人有溺死者歲時呼而奠之里人呼爲忠恕翁癸未拜光祿丞不仕甲申舉鄉飲壬寅從祀鄉賢教子仕雲成進士歷

官著能聲當理閩時以平反大案并被逮親友咸懼怡然無怨曰某公名臣吾子執法終無死理未幾恩釋復官人服其遠識云

陳敦化秣陵横山鄉人父早亡母業氏長齋奉佛撫敦化及弟妹成立年八十有三忽臥病值土寇所在爲虐或勸敦化遷避敦化曰母病方劇勢不能移若棄母自全如人理何執不去亡何寇劈門入執敦化索賄不得繫于樹射七矢乃釋而去後來者踵至備受塗毒惟以身蔽母復被刃者三寇去箭孔刀瘡流血如注人皆危之不二十日遂得痊可咸謂孝感所致

云

韓范字孟小鷹揚衛籍早慧伯銀臺公國藩毋䍙愛之父國楨歿勵志食貧娶薛氏善操作得母歡心崇禎丙子舉于鄉先是范父任俠好施游江有負官錢鬻其女者解橐中金贖歸之咸以爲天道云榜發稱賀范泫然泣曰吾慟吾父之不及見也爲輟匕筯累日母蕭氏六十壽親友稱慶范猶以不逮事父爲恨母卒哀痛踰禮服闋謁選得吳興教諭聞國變告先師廟痛哭挈妻孥歸憂憤成疾瀕死猶具衣冠舟中北面再拜而逝

吳可箕上元太學生甲申國變可箕具酒食召親友言別衆莫測其意已乃製白衣題詩于襟入英靈坊關廟闕殿扉自縊而死同時有孝陵衛董啓明者聞變自縊樹下妻王氏與子女俱死武舉黄士彩素行佻達頗不爲鄉里所重至是亦題門自經死

庠生趙拱辰江寧人世居西華門三條巷純孝性成居家教授承歡備至有重幣聘之遠遊者拱辰曰吾方以身事親豈以千金易一日耶祝給諫世祿嘗爲[illegible]世之眞儒家之孝子子自明孫司至皆以孝稱[illegible]達表其里曰仁孝里

之斗號希垣世職千戶中萬曆己未武進士累官浙江總兵闖賊陷京師之斗歸隱君山不復粒食日採野菜啖之間進酒果而已如是十六年子迎歸卒于家

周禧句容人天性孝友無子或勸納妾禧曰吾兄有子何用妾為天順壬午自沐還有溺人觸舟傍急援入舟中灌以米飲乃甦詢知為漁父遂返棹數十里訪還其家嘗寓京邸拾遺金十斤翌日其人泣至尋見禧審實還之毫不受謝又嘗商閩有誤與貨價十金者禧追還之行事率類此禧卒妻劉氏守節

唐保八句容人幼喪母力穡以養繼母朱氏得父歡父歿奉繼母益盡孝嘗值歲荒保八負米供母而與妻子啖草實有子方二歲朱氏減食哺之保八慮不能兼濟棄子池中妻救之得存後因劚地得窖錢二斗舉家賴以存活時人以比郭巨云

錢浩翁句容人幼孤能養母有妹失于亂軍母痛念不置浩翁遍訪得諸滁州明年來歸時母年八十有三見之大喜鄰里稱慶又十年母歿浩翁年已七十餘喪不脫衰絰不御酒肉

錢賓國字寅伯溧陽人伯兄以逋賦繫將質已產代償

之令聞而問曰汝寒士曾與而兄析筯否曰析以久[illegible]
然逋賦者實國之兄負逋賦名實國之父也實國致
死父令負此名哉令義之曰而兄逋以百計爾償其
半我爲子足勿過累子後由貢司鐸宣城子允熹郡
諸生克承先志所受產爲其弟費盡不問人謂不替
父風云

繆希亮字思忠溧陽人事母至孝不樂仕進嘉靖已丑
試中式不廷對而歸遂終養焉母歿不復出司空劉
麟表其墓曰有明第一高士

周什一溧水人少孤貧父早卒事母朱氏至孝母病思

魚鱠值大風無漁者什一徧走湖濱得一魚倍價市歸剖之得黃金百兩以是起家得盡養志

梅洪溧水人少孤失學而所行有儒者風尤以孝著事母以甘旨自奉甚約其婦弗樂也有後言洪覺而遣之母瞽洪每負以行一日復明人以爲異母卒廬墓三年縣令聞而賢之爲娶妻生子矣婦厭其貧去之數歲子卒洪亦卒邑人收瘞于城北十里許有監司題曰孝子梅洪之墓

花犇孝子高淳人不知姓名日負薪以市嘗雪中至學宮教諭干鳳見其衣敝肘露謂曰何不以市齋[illegible]

易衣對曰小人有母不暇自謀耳鳳曰汝有妻乎曰有何以衣妻曰新者奉母而易其舊者聊蔽體耳鳳喜其孝以千錢贈之卻不受固與之乃曰當爲公供薪鳳堅辭之則夜載而投學舍之園中鳳蹤跡其人竟不得或曰居花衖故名

谷范高淳人善事父母中年患瘋痺慮貽親憂詭言已愈母卒悲甚已而疾漸痊色澤如故人謂孝感所致

兩事繼母如母父卒致哀道路皆爲感動迎養寡姊終其身爲貧姪娶婦種種善行年七十五卒

楊師祿高淳人年二十四遇亂兵父正宗被執師祿號

泣求代兵異之欲留置軍中師祿不從被害妻卞氏
年二十痛夫念親守遺腹子以終
庠生張正毓高淳人善屬文至性天植事親悉準禮經
父歿水漿不入口者七日哀毀骨立嘔血而卒
吳翥南高淳人崇禎末隨父避亂會土賊入門劈父胸
翥南從樓上望見急下求代被害妻孫氏誓死守節
刲股救姑
秦漢高淳人性倜儻不羈弱冠客都門所交多豪俠士
嘉靖中諸宦者奉睿皇后梓宮往承天所過郡邑皆
有獻至南都淳令陶某獨無衆校擁陶去拘一室人

莫敢救漢曰吾當立返之乃衣錦衣乘馬揚鞭而去
衆駭視無敢呵止闔戸出陶負以上馬絶塵而去
代陶携金致之得無恙一時名重京師年老居家值
歲飢漢爲縣令籌畫勸借得穀二千石民賴以生
吳正二高淳人讀書尚義不干仕進家無餘產會兄正
一以虧糧出亡波及之毅然代輸令義之寬限待完
屬自解旅次拾遺金百兩止不行俟遺者至笑舉還
之不受其謝
劉銓江浦人永樂中父劉觀爲御史緣事犯辟銓具本
擊登聞願以身代蒙特宥復觀原職

陳標江浦人陳澤之子澤妻李氏生標甫五歲而父遺之歿適于浙標既長欲往尋覓以父年衰而止父歿詣浙迎母以巳十餘年遍訪遺塚啓棺滴血負骸歸葬

曹鎮六合人鄰人失火及門鎮護父柩不出未幾風反火滅

季儻光隨父避寇江南孝養備至父卒扶櫬歸窆營墓域不肯假手于人服闋不脫衰絰積痛不起將革命繪父母小像以殉

蔣凡者順德府別駕張㤞僕也㤞以蔭子居官勤慎其[illegible]

當路所饋用倘馬蹶而墜亟扶歸已不能言矣相
止凡一人泣告太守曰吾主飲順德一戶水耳積貸
未償今若此寥落行囊請封識以戒途知吾主之爲
清白吏也語畢引刀割股和藥以進籲天願代主死
少間悲愁稍蘇太守義之爲作傳
黃老人江寧庠生黃清家隸也清以文學名讀書寺中
挾老人與俱老人烹炊灑掃曲當主人意清遘疾不
起家徒壁立兩子弱不能庀終事老人辟踊悲號曰
此老僕之責也夙夜拮据周身周棺皆盡誠敬黃氏
貧不能育老人乃脫身外出爲傭每旬朔必謁主母

問安否所得傭值悉以供饘粥值春秋伏臘則買豚蹄斗酒走墓上哭奠盡哀或以他故不得往則遥望哭酹見者傷心清家有數喪未葬老人減削衣食踵告于清之親友醵錢懸封而旋葬焉傭于王生禹助家勤慎一如事清病將革生慰之曰汝無憂吾將買棺以瘞汝笑而謝曰無庸也一籧篨足矣其達生又如此

增華瀨水劉氏僕也居恒朴野劉氏以常奴畜之崇禎癸酉劉仲子道開補崖州幕偕其弟及二客二僕往海邦多瘴癘無何二客二僕相繼死道開懼遣其

還而道開亦死獨增華濵死復生乃間關萬里扶[illegible]
柩歸跪主母前且拜且泣出百金封識宛然曰此[illegible]
人積俸也僕祓蕭然衣骭不掩旁觀歎服

廬墓者二十四人

南齊朱百年江寧人值兵亂母死廬墓終身有白兎紫芝之異鄉人名其里曰孝感

唐張常洧句容人父卒廬墓墓側生芝草十二莖從孫公挺亦以孝稱

宋尊霖秣陵鎮人旌

張孝友句容人親歿廬墓三年有五色鳥來集墓樹

趙煥溧水人廬墓不仕學者宗之

明劉鼉溧陽人母卒廬墓有連理白兎之異

陳于震溧陽人與弟丹同廬墓　丁漈溧水人

傅褒溧水人　袁文化溧水人廬墓九載

楊振溧水庠生

陳宗堯高淳人新城令廬墓三年不御酒肉

周庖高淳人母病割股歿而廬墓

魏孝楞高淳人楞卒子亦廬墓勅旌父子雙孝

邢振羽高淳舉人戶部郎父母先後卒各廬墓三年

施龍高淳人親病割股歿而廬墓　魏臞高淳庠生廬墓終身

劉一俊高淳人廬墓三年白兔繞柩　王海江浦人

胡深六合庠生　毛程六合人父歿廬墓馴鵲集

大清興學萊高淳庠生　王三接高淳人

割股者六十五人

朱史思賢溧陽人割心療母母子俱全　王弟兒溧陽人年十五割股愈母

丘念一溧陽人割股愈母　王德先溧陽人割股愈母

何百四溧陽人割股愈母　伊小乙溧水人割腹取肝愈母旌

劉興祖溧水人割股療父疾愈復作又割肝以進旌

謝千九溧水人割股療父　陳某失名溧水人割股療母

鄭雲龍溧水人割股療母

元

顧童子建康人年十六母病割股母愈而童子死

倪文質溧陽人十歲割股療母

明倪壽江寧人割左脇肉愈母旌　江元孫江寧人刲股愈母旌

張繼宗上元人刲股愈母旌　水軍衛黃阿回割肝愈母旌

府軍右衛指揮汪應乾割股愈母數年母復病復割股以進而愈

姚金玉其先浙人隸上元洪武初割股愈母詔旌孝行之門六世孫汝循舉進士

徐佛保江陰衛人割肝愈母旌　張福緣郡人刲股愈母旌

馮添孫上元人刲股愈母旌　吳淦上元人精醫卜刲股愈母

王項上元人割股愈母　庠生沈昇刲股愈母

李仕傑上元人侍母蔡氏茹素祈壽　王萬禩上元人割股愈母既貢不仕

庠生陸元龍事母孝刲股　楊佐上元人童子割肝

千戶劉潮子文緒割股愈潮緒病子天命亦割股以療命妻宋氏病產女桂姐亦割股救之

顧夢宋 尚書璘孫割股愈母

知縣路汝捷 割股愈母

陳鑛 上元庠生割股救母旌

戎憲 句容人割股愈父

張一鵬 句容人割股愈父

徐延椎 句容人割股愈父

馬獻圖 句容人割股療父

吳方明 句容人割股愈母

李長標 句容人割臂肉救母

朱亞春 溧陽人割股救母旌

史以辰 溧陽人割股愈母旌又史亞慶史佛保佛保以割股旌

史阜 溧陽人割股療母殁廬墓

史繼夏 溧陽人割股愈母

狄褒 溧陽人割股療母

虞周 溧水庠生割股愈母

虞欽 溧水人割股療母

黃梴 溧水人割股療母

任超 溧水人割股愈父

史員人 高淳人割股療母殁廬墓旌

陳希任高淳人歲荒鬻子以養父病割股以療

湯之尹高淳人四刲股救父　孔衡紀高淳人九歲刲股愈父

葛至學高淳人爲父刲股者再爲母舐目復明卒而廬墓旌

貢士周思皐江浦人十五歲刲股愈母

楊鳳江浦人刲股救母壽享一百一歲　方顯六合人

黄閒六合人繼母有疾燃臂籲天　王岳六合人刲股救父

李夢周六合人年七歲割股愈父　毛至潔六合人刲股救父

陳應登六合人刲股救父又割臂救母　許忠六合庠生刲股愈父

汪國涓六合庠生刲股愈母　沈希孟六合庠生刲股愈刲

大清知府劉玉佩江寧人割股救父一門[illegible]旌　王瑞昌溧陽人

黃明詔溧水人割股療父其子世化割股療母許良春江浦人割股療父

諭曰孝之爲百行首也本仁祖義塞天地而横四海雖至愚不肖有不知愛其親者哉禮經言孝推之至居處莊事君忠涖官敬朋友信戰陣勇即一舉足一出口無敢忘父母焉遵斯道也何用不臧而況還金赴難好善樂施之彰彰者乎世未有義士不從孝子出者也若夫廬墓刲股賢者之過古無聞焉聞之喪事有進而無退仲尼曰古不修墓子貢曰速返而廬以是知廬墓非古也記曰父母全而生之子全而歸之明高帝著爲令曰人子身體受之父母小人好奇

邀賞乃有割股刲心之事倘有不虞反傷親心自後凡有親疾務慎醫藥或情不得已亦聽爲之不在旌表之列大哉王言萬世不易然而末俗道喪民多薄於孝而厚于慈服勞奉養有不逮事妻子者矣爲人所難爲不猶愈于已乎故與其過而去之毋寧過而存之亦厲俗維風之一助也

江寧府志卷之二十四終